RIPLEY
UNDER WATER

水魅雷普利

Patricia Highsmith——著
傅玉安——譯

1

湯姆站在喬治和瑪麗的酒吧咖啡店內，手上端著幾乎滿滿一杯的義式濃縮咖啡。他買過單，赫祿思的兩包萬寶路鼓鼓地塞在他的夾克口袋裡。湯姆正觀賞別人在玩的電子遊戲。

螢幕上一名卡通機車騎士正飛馳進螢幕背景，這是道路兩旁向前移動的柵欄造成的速度錯覺。玩家操縱一個半輪型的方向盤，讓騎士轉彎超越一輛速度較慢的車，或像馬一樣跨越突然出現在路上的柵欄。倘若機車騎士（玩家）並未及時跨越柵欄，畫面上便出現無聲的撞擊，一顆黑金星顯示撞車，機車騎士命絕，遊戲結束。

湯姆已觀賞過這個遊戲許多次（據他所知，這是喬治和瑪麗買來的所有遊戲裡最受歡迎的），但他從未玩過。不知怎地，他就是不想玩。

「不對－不對！」吧檯內傳來瑪麗壓過一片喧囂的大喊聲，她正和某位顧客爭辯，八成是政治議題。她和她丈夫是死忠的左翼份子。

「您聽我說，密特朗……」

湯姆突然想起喬治和瑪麗不喜歡蜂擁而至的北非移民。

「喂，瑪麗！兩杯茴香酒！」說話的是胖喬治，襯衫長褲上罩了一件有點髒的白圍裙，正在服務寥寥數桌喝著飲料、偶爾吃著洋芋片和煮得過熟的水煮蛋的顧客。

點唱機正播放一首懷舊恰恰舞曲。

一枚無聲的黑金星！觀眾發出同情的哀嚎。死了，一切終結。螢幕閃現陰魂不散的無聲訊息：「投幣投幣投幣」，穿著藍色牛仔褲的工人乖乖地摸了一下口袋，掏出幾枚硬幣投進遊戲機，遊戲重新開始，體能處於最佳狀況的機車騎士全力向前衝刺，巧妙地避開了出現在他車道上的一個桶子，順利地跳過第一道障礙。操控遊戲機的男人很專注，決意要讓他的騎士過關。

湯姆這時正在想赫綠思，想她的摩洛哥之旅。她想看看坦吉爾、卡薩布蘭加，也許還想看看馬拉喀什。湯姆已經答應要陪她去。畢竟，這趟旅程和她以往的探險不同，不需要在出發前到醫院去注射疫苗，而且身為她丈夫，他理應偶爾陪她遠遊。赫綠思每年總有兩三次心血來潮想出門旅行，但不是每次都會付諸行動。湯姆目前沒心情度假。時值八月初，正是摩洛哥最熱的季節，而且每年此時湯姆喜歡和他親手種的牡丹與大理花相伴，喜歡幾乎天天剪兩三朵鮮花放在客廳。湯姆喜愛他的花園，而且也蠻喜歡恩立，那個幫他做粗活的雜工：論力氣，大力士一個，但就某些工作而言，卻不是個人才。

再來就是那對怪夫妻，湯姆私底下開始這麼稱呼他們。他不確定他們是否結了婚，當然這無關緊要。他覺得他們埋伏在這一帶監視他。也許他們對他無害，可是誰知道呢？湯姆大約一個月左右之前在楓丹白露首度注意到他們，當天下午他和赫綠思正在逛街購物：一對長相像美國人、看起來三十五、六歲的男女朝他們走來，並用一種湯姆熟悉的眼神盯著他們，彷彿他們知道他的身分，說不定也知道他的姓名：湯姆•雷普利。這種眼神湯姆已經在機場見過好幾次，但很少見，而且也不是最近的事。他猜想，一個人的照片若是上報之後，這種事就可能發生，可是湯姆的照片已經有很多年未出現在報紙上，這點他確定。自從莫奇森案之後他的照片就沒上過報，而且那是大約五年前的事了——莫奇森，這人的血仍舊玷汙著湯姆家的酒窖地板，每逢有人注意到這血跡時，湯姆總推托說是葡萄酒漬。

事實上，湯姆記起這是葡萄酒加上血的綜合汙漬，因為莫奇森當時是被葡萄酒瓶打中頭部。一瓶湯姆揮舞的瑪歌紅酒。

欸，那對怪夫妻。機車騎士撞車。湯姆轉身帶著空杯走向吧檯。

那對怪夫妻中的男性有一頭黑色直髮，戴一副圓框眼鏡，而那名女子一頭淺棕色秀髮，一張瘦長的臉蛋和一雙灰或淡褐色的眼睛。當時盯著他們看的是那名男性，嘴角還掛著茫然空洞的微笑。湯姆感覺他可能以前見過那個男人，在希斯洛或戴高樂機場，以一副「我認得你」的眼神盯著他。那眼神沒什麼敵意，但湯姆不喜歡。

後來湯姆又有一次看見他們在正午時分開車緩緩經過維勒佩斯大街，當時他正拿著一條長笛麵包從麵包店走出來（那天一定是安奈特太太的休假日，不然就是她正忙著準備午餐），那一次湯姆又看見他們盯著他瞧。維勒佩斯是個小鎮，距離楓丹白露數公里。這對怪夫妻到這裡來做什麼？

湯姆推開他的咖啡杯組，一張紅唇笑得燦爛的瑪麗和頭開始禿的喬治這時正好出現在吧檯內。「謝謝。晚安，瑪麗－喬治！」湯姆用法文大聲說道，並報以微笑。
「晚安，黎普利先生！」喬治大喊，一手揮別，另一手倒蘋果酒。
「謝謝您，先生，再見！」瑪麗對著他喊。
湯姆快走到門口時，怪夫妻中的男性正好走進來，戴著圓框眼鏡，一副老樣子，而且似乎單獨一人。
「雷普利先生？」他那粉唇又帶著微笑。「晚安。」
「晚安，」湯姆說，同時繼續朝門口走出去。
「我們——內人和我——我可以請您喝一杯嗎？」
「謝謝，我正要離開。」
「改天吧，也許。我們在維勒佩斯租了一棟房子，就在這個方向。」他含糊地往北指了指，一張嘴笑得更開，露出了四四方方的牙齒。「看來我們會成為鄰居。」
湯姆迎面碰上兩個正走進酒吧的人，因而不得不退回酒吧內。
「我姓溥立徹，名叫大衛。我正在楓丹白露的一所教育機構修課——歐洲商學院*。總之，我租的房子是棟兩層樓的白色建築，附設花園和水池。我們愛上這棟房子是因為那個水池，天花板上的倒影——水影。」他咯咯笑。
「這樣啊，」湯姆說，盡力讓語氣聽來相當愉快，他這時已走出門口。
「我再打電話給您。我太太叫珍妮絲。」

湯姆勉強點頭微笑：「好──好的。就這麼辦。晚安。」

「這一帶的美國人並不多呢！」態度堅決的大衛・溥立徹在他背後大喊。

湯姆暗忖，溥立徹先生要找到他的電話號碼可得費一番工夫，因為他和赫綠思早已設法不讓電話號碼登錄在電話簿上。走在回家的路上時，湯姆心想，外表愚鈍的大衛・溥立徹──身高幾乎和湯姆一樣，體型稍壯一些──看來是個麻煩人物。是警察之類的人士嗎？翻舊案？還是私家偵探，替──究竟替誰工作呢？湯姆想不出任何活躍的敵人。一看到大衛・溥立徹，湯姆就聯想到「虛假」二字：虛假的微笑，虛假的善意，在歐洲商學院唸書或許也是虛假的故事。楓丹白露的那所教育機構可能是個幌子，但事實上這個幌子這麼明顯，湯姆因此認為溥立徹也許真的在那裡學習某些課程。又或者他們兩人不是夫妻，而是中情局（CIA）的搭檔。湯姆納悶，美國政府追他做什麼？不是追討所得稅，他的所得稅沒出問題。莫奇森案嗎？不對，那件案子早就已經結案，或者說已經撤案。莫奇森和他的屍體一起消失無蹤了。狄奇・葛林里案嗎？幾乎不可能。連狄奇的表弟克里斯・葛林里偶爾也會寄給湯姆幾張親切的明信片，例如去年就從愛麗絲泉（Alice Springs）寄來。湯姆記得克里斯如今是一名土木工程師，已婚，目前在紐約州境內的羅徹斯特市工作。湯姆和狄奇的父親赫伯特的關係也很好，至少，他們會互寄聖誕卡。湯姆接近「麗影」對面那棵樹枝稍微向路邊彎的大樹時，精神為之一振。有什麼好擔心的？湯姆將大門推開到讓他剛

＊譯注：INSEAD，一九五七年創校，一九六九年於楓丹白露創設校本部，二〇〇〇年於新加坡設分校，目前在以色列及阿布達比設有研究中心。

好足以溜進去的寬度，並隨手小心翼翼地輕輕把門關上，推上掛鎖，再上長門閂。

瑞夫斯・米諾。湯姆倏地停下腳步，鞋子在前院碎石路上滑了一下。又要協助瑞夫斯進行贓物買賣了，幾天前瑞夫斯來過電話。湯姆經常誓言不再幹這種勾當，然後又不知不覺接受瑞夫斯的請求。是因為他喜歡結交新朋友？湯姆短促地笑了一聲，音量小得幾乎聽不見，然後以平時一樣幾乎不會在碎石路上踩出聲音的輕盈腳步繼續邁向他家前門。

客廳的燈亮著，而且前門一如湯姆四十五分鐘前出門時一樣沒上鎖。湯姆進門並隨手把門鎖上。赫綠思坐在沙發上聚精會神地讀一本雜誌——大概是一篇和北非有關的文章，湯姆想。

「哈囉，親愛的——瑞夫斯來過電話，」赫綠思抬起頭來說道，同時甩了一下頭將金髮甩到腦後。「湯姆，你有沒——」

「有。接住！」湯姆笑吟吟地將第一包紅白包裝的香菸丟給她，接著再丟第二包。她接住了第一包，第二包打中她的藍襯衫前襟。「瑞夫斯有什麼急事（pressing）嗎？Repassant——燙衣服——buegelnd——？*」

「哦，湯姆，別鬧！」赫綠思說，一邊點燃打火機。湯姆認為她其實喜歡他的雙關語，但她永遠不會開口承認，也幾乎不會允許自己會心一笑。「他會再打來，但可能不是今天晚上。」

「有人——嗯——」湯姆住了口，因為瑞夫斯從來沒和赫綠思詳談，而且赫綠思也明白表示對湯姆和瑞夫斯所做的事情沒興趣，甚至感到無聊。這樣比較安全：她知道得愈少愈好，湯姆猜想赫綠思的想法如此。誰說這樣不對呢？

「湯姆，我們明天去買機票——到摩洛哥去的。好嗎？」她先前抱著光腳丫像隻自在的小貓般坐在黃色絲面沙發上，此刻她用淡紫色的眼睛冷靜地看著他。

「好——好。好的。」他提醒自己，他答應過她。「我們先去坦吉爾。」

「好啊，親愛的，然後我們從那裡再繼續旅程。去卡薩布蘭加——當然。」

「當然，」湯姆覆述了一遍。「好，親愛的，我們明天去買機票——到楓丹白露去買。」他們一向是去楓丹白露一家旅行社買機票，他們認識那家旅行社的員工。湯姆猶豫了一下，隨即決定現在把事情說出來。「寶貝，妳記得那對夫妻——有一天我們在楓丹白露人行道上遇見的那一對看起來像美國人的夫妻？當時他們朝我們迎面而來，而我事後說那個男的一直盯著我們看的那對？戴眼鏡的黑髮男子？」

「我想——記得。怎麼了？」

湯姆看得出來她記得。「因為他剛剛在酒吧咖啡店和我聊了一下。」湯姆解開夾克的鈕釦，兩手插進褲袋。他一直站著。「我不喜歡他。」

「我記得和他在一起的那個女人，頭髮顏色比較淺。他們是美國人吧？」

「總之，他是。嗯——他們在維勒佩斯這裡租了一棟房子。妳記得那棟有——」

「真的？在維勒佩斯？」

＊譯注：pressing 可表示「急迫」或「燙衣服」，在此處為雙關語，repassant 和 bugelnd 分別為法文與德文「燙衣服」之意。

「是的，親愛的！那棟水池的水會倒映在天花板的房子——客廳的天花板？」他和赫綠思之前看到那白色天花板上波動如水、栩栩如生的橢圓形時大感驚訝。

「是的，我記得那棟房子。兩層樓的白色建築，壁爐不怎麼好看。離葛瑞他們家不遠，對吧？」

「和我們去的某個人本來想買這棟房子。」

「對，沒錯。」一個不算熟的朋友認識的一個美國人想在離巴黎不太遠的地方找一棟別墅，請湯姆和赫綠思陪他看附近的幾棟屋子。他一棟也沒買，至少沒在維勒佩斯近郊買。那已經是一年多以前的事。「哦——言歸正傳，那個戴眼鏡的黑髮男子打算和我或和我們親近，我可不准他這麼做。只因為我們說英語或美語，呵呵！他好像和歐洲商學院有關——楓丹白露近郊的那所大學校。」湯姆補充道，「首先，他是怎麼知道我的名字的，而且他為什麼感興趣？」為了不讓自己看起來太過在意這件事，他沉著地坐了下來。此刻他坐在一把直背椅上，隔著咖啡桌與赫綠思正面相對。「大衛和珍妮絲・溥立徹，他們的姓名。要是他們想盡辦法打了電話過來，我們——要客氣，但說我們很忙。行嗎，親愛的？」

「當然行，湯姆。」

「假如他們膽敢上門按鈴，不要讓他們進來。我會警告安奈特太太，妳放心。」

平時冷靜的赫綠思這時緊蹙眉頭，沉思了起來：「他們怎麼了？」

這問題問得如此直率，湯姆不禁淺淺一笑。「我有一種感覺——」湯姆欲言又止。他通常不會將他的直覺告訴赫綠思，可是這次他告訴她或許是保護她。「我覺得他們不大正常。」湯姆朝下瞥了地毯一眼。什麼是正常？湯姆答不上來。「我覺得他們沒結婚。」

「那——又怎樣？」

湯姆大笑，伸手去拿咖啡桌上那包藍色包裝的「吉普賽女郎」（Gitanes）香菸，用赫綠思的登喜路打火機點燃一根。「妳說得對，親愛的。可是他們為什麼監視我？我不是告訴過妳，說我想我記得同一個男人，也可能是同一對夫妻，不久前在某個機場盯著我瞧？」

「不，你沒跟我說，」赫綠思說，語氣肯定。

「我的意思不是說這事很重要——但我只是建議我們要客氣——而且保持距離——萬一他們藉機接近的話。好嗎？」

「好，湯姆。」

他露出微笑。「在這之前也出現過一些我們不喜歡的人，不是大問題。」湯姆站起來，繞過咖啡桌拉起赫綠思伸出來的手。他擁抱她，閉上眼睛，享受她秀髮與肌膚的芳香。「我愛妳，我想保護妳安全。」

她笑了起來。他們彼此鬆開了懷中的對方。「麗影看起來很安全啊。」

「他們無法涉足這裡的。」

2

翌日，湯姆和赫綠思到楓丹白露去買機票，他們本來訂了法國航空，結果卻買了摩洛哥皇家航空。

「這兩家航空公司關係密切，」旅行社的一名年輕女職員說，這人對湯姆來說是新面孔。「明澤飯店，雙人房，三個晚上是吧？」

「明澤飯店，沒錯。」湯姆用法語說。倘若玩得愉快，他們可以多留一天或多待幾天，這點湯姆確定。

赫綠思去附近一家商店買洗髮精。在旅行社女職員開票的這段漫長時間裡，湯姆不知不覺瞄著旅行社門口，並發現自己正隱隱約約地想著大衛．溥立徹。然而他並不真的預期溥立徹會走進來，溥立徹和他的另一半不是正忙著布置租來的房子嗎？

「您以前去過摩洛哥嗎，雷普利先生？」女孩笑容可掬地抬起頭來問他，同時將機票塞進大信封袋內。

她在乎嗎？湯姆懷疑。他客氣地回了一個微笑。「沒去過。我很期待。」

「回程日期開放。所以假如你們愛上了那個國家，你們可以待一陣子。」她把信封連同第二張機票一起遞給他。

湯姆事先已經簽了一張支票。「好。謝謝您，小姐！」

「祝您旅途愉快！」

「謝謝！」湯姆朝門口走去，門口左右兩邊的牆上貼滿了五顏六色的海報——大溪地，湛藍的海洋，一艘小帆船，還有——找到了！那張湯姆每見必笑（至少笑在心底）的海報：普吉島，湯姆記得這是泰國的一座島，他曾經費力地查了一下普吉島的資料。這張海報上也有湛藍的大海，黃色沙灘，一棵經過多年風吹而朝海面傾斜的棕櫚樹。一個人影也沒有。「一整天——還是一整年都不如意嗎？來普吉島吧！」可能是引誘遊客的一個好宣傳，湯姆暗忖。

赫綠思說過她會在店裡等湯姆，因此湯姆在人行道上左轉。那家店坐落在聖皮耶教堂的另一面。

那——湯姆真想咒罵一聲，但他反而咬緊舌尖——在他前方，朝他迎面走來的正是大衛・溥立徹和他的——情婦？湯姆在熙熙攘攘的人潮中先看見他們（時值正午，午餐時間），但不到幾秒鐘這對怪夫妻就注視著他。湯姆轉移目光，向前直走，懊悔裝著機票的信封依然在他左手上，從他們的方向看得見他的左手。溥立徹夫婦會注意到這個信封嗎？一旦他們確定他會出門一陣子，他們會在經過麗影的那條路上徘徊，找出通向它的巷子嗎？或者他是莫名其妙擔太多心了？湯姆快步疾走，「夢露思」的金色窗戶已在眼前，只剩最後幾公尺了。踏進夢露思開著的門之前，他駐足回頭觀望那對怪夫妻是否仍盯著他，或甚至晃進了旅行社。什麼事也嚇不了他，湯姆告訴自己。他看見溥立徹穿著藍色運動上衣的寬肩膀正好在人群上方，還看見他的後腦勺。顯然，怪夫妻正經過那家旅行社。

湯姆走進夢露思的香氣中，赫綠思正在現場和一個湯姆忘記其姓名的友人聊天。

「哈囉，湯姆！法蘭絲娃——你記得嗎？貝特林夫婦的朋友。」

湯姆不記得，但假裝記得。無所謂。

赫綠思東西買好了。向法蘭絲娃道了聲再見後，兩人離開夢露思。赫綠思說法蘭絲娃在巴黎念書，而且也認識葛瑞夫婦。安東和艾格妮斯．葛瑞是他們的老友兼鄰居，住在維勒佩斯北區。

「你看起來一臉擔憂，親愛的，」赫綠思說，「機票沒問題吧？」

「我想沒問題。飯店訂好了，」湯姆拍拍他露出機票一端的夾克左邊口袋說。「去黑鷹吃午餐嗎？」

「啊——對哦！」赫綠思開心地說，「Sure（當然）。」

他們本來就計畫到黑鷹吃飯。湯姆非常喜愛聽她帶著口音說"sure"，所以他不再提醒她"surely"才是正確用詞。

他們坐在露台於豔陽下享用午餐。服務生和領班都認識他們，知道赫綠思喜歡白葡萄釀成的白酒、比目魚排、陽光和沙拉（可能是萵苣沙拉）。他們聊起暢快的事情：夏天、摩洛哥皮包。也許買一個黃銅或紅銅水壺？有何不可呢？騎駱駝？湯姆頭暈了。他想，他以前騎過一次，或者那是動物園裡的大象？突然在離地面好幾碼的高度（若是他失去平衡，一定會摔落地面）被搖來晃去，實在不對他的味兒。女人卻愛死了。女人是受虐狂嗎？分娩是禁慾式的忍痛？那樣說得通嗎？這些都相互印證嗎？湯姆咬他的下唇。

「你心神不林，湯姆。」她把「寧」發成「林」。

「沒有。」他斷然說道。

接下來到用餐完畢至開車回家的一路上，他都故作鎮靜。

他們大約兩週後要出發前往坦吉爾。一個名喚巴斯卡的青年——雜工恩立的一個朋友，會和他們一起搭他們的車去機場後再把車開回維勒佩斯。巴斯卡以前也這麼送過他們一次。

湯姆拿了一把圓鍬到花園去，也用手除草。他換上了他喜歡的 Levi's 牛仔褲和防水皮鞋。他把雜草丟進裝堆肥用的塑膠袋，然後開始摘除枯萎的花朵，就在這時安奈特太太從後院陽台的落地窗口喊他。

「湯姆先生？您的電話！」

「謝謝！」他一邊走一邊喀嚓一聲合上剪刀，將剪刀丟在陽台上，隨即接起了樓下的電話。

「喂？」

「喂，我是——你是湯姆嗎？」聽起來像是年輕人的聲音問道。

「我是。」

「我從華盛頓特區打來的。」線上出現彷彿從水中發出的「喔咿喔伊」的雜音。「我是……」

「你是誰？」完全聽不清楚對方聲音的湯姆問，「別掛斷，好嗎？我用另外一支電話接。」

安奈特太太正在客廳內的飯廳使用吸塵器，距離遠得不會影響正常的電話交談，但這通電話可大受影響。

湯姆接起了樓上他房間的那支電話。「喂，我回到線上了。」

「我是狄奇・葛林里，」年輕人的聲音說，「記得我嗎？」咯咯笑聲響起。

湯姆有股衝動想掛電話，但衝動並未持久。「當然記得。你人在哪裡？」

「華盛頓特區，我說過了。」這時聲音聽來有點像假音。

湯姆暗忖，這騙子假得太誇張了。是個女人嗎？「有意思。觀光嗎？」

「呃——經歷過水底那場遭遇之後，這你記得的——或許——我的身體狀況不是好到可以進行觀光活動。」一聲虛假的呵呵笑。「我——我——」

電話那頭一時騷動起來，電話幾乎切斷，一聲喀嚓，聲音又恢復。

「……被救活了。正如你所見。哈哈，往日時光依然點滴在心頭，呃，湯姆？」

「哦，是，確實是。」湯姆答道。

「我現在坐輪椅，」電話那頭聲音說道：「無法復原——」

線上出現更多雜音，嘩啦嘩啦的像是一把剪刀或更大的東西墜落的聲音。

「輪椅倒了？」湯姆問。

「哈哈！」幾秒停頓。「不是。我剛剛是說，」年輕的聲音鎮定地繼續說，「對自主神經系統造成無法復原的損傷。」

「這樣啊。」湯姆客套地說，「很高興又聽到你的消息。」

「我知道你住哪裡。」年輕的聲音說，刻意拉高「住」這個字的音調。

「我想是——既然你電話都打來了，」湯姆說，「我真心祝你身體健康——早日康復。」

「你是該祝福我的！再見，湯姆。」說話的人匆匆掛上電話，大概是要打斷忍不住的咯咯笑聲。

唉，唉，湯姆心想，同時發現自己心跳比平常快速。因為憤怒？驚訝？不是害怕，湯姆告訴自己。他直覺地認為那個聲音可能是大衛・溥立徹的女伴的。還可能是誰的？目前他想不出第二人。

真是低級又可怕的——玩笑。湯姆心想，神經病，老掉牙的手法。可是是誰呢？又為了什麼？那真是通從國外打來的電話，還是謊稱？湯姆不確定。狄奇・葛林里。他麻煩的開端，湯姆思忖。他殺害的第一人，也是他唯一後悔下手的，真的，這是他唯一感到遺憾的罪行。狄奇・葛林里，住在義大利西岸蒙吉貝羅的一個富有（當年算是）的美國人，待他如友，熱情款待他，湯姆尊敬他，仰慕他，其實，也許過分仰慕。後來狄奇和他唱反調，湯姆痛恨這點，於是未經周密計畫，趁有一天下午兩人單獨划小船出海時湯姆拿起船槳打死了狄奇。死了嗎？當然這麼多年來狄奇一直是個死人！湯姆綁了顆石頭在狄奇的屍體上，並把屍體推出小船外，屍體沉入大海，而且——欸，這些年來狄奇的屍體都沒浮出水面，如今又怎麼可能浮出來呢？

湯姆在他房間踱來踱去，眉頭深鎖，兩眼凝視著地毯。他知道自己有點反胃，於是做了一下深呼吸。不對，狄奇．葛林里已經死了（反正那個聲音也不像是狄奇的），儘管他接收了狄奇的身分，用了狄奇的護照一陣子，但他很快便停止這項舉動。狄奇那份由湯姆手書的非正式遺囑也通過檢驗。因此，是誰膽敢重提這件事？是誰知道或十分在意這件事，於是著手查探他過去和狄奇．葛林里的關係？

湯姆必須屈服於他的反胃感了。一旦湯姆認為他快吐了，他就無法抑制，以前也發生過這種情形。湯姆伏在掀起蓋子的馬桶座上面，幸好只吐了一點液體，但是他的胃痛了幾秒鐘。他沖了馬桶，然後到盥洗台前刷牙。

湯姆暗想，該死的混蛋，管他們是誰。他覺得剛才有兩個人在電話線上，兩人並未同時發聲，而是一個說一個聽，因此嘻嘻哈哈。

湯姆下樓在客廳遇到安奈特太太，她手上拿著一盆大理花，花瓶裡的水她可能已經換過。她用抹布擦拭花瓶底部，再將花瓶放回餐具櫃。

「我要出門半小時，安奈特太太。」湯姆用法語對她說，「萬一有人打電話來就這麼說。」

「是的，湯姆先生。」她答道，然後繼續手邊的工作。

安奈特太太已經替湯姆和赫綠思工作了好幾年。她的臥室和浴室在麗影正門進來左方，她還有個人專屬的電視機和收音機。廚房也是她的勢力範圍，和她的地盤以一條小走廊相通。她是諾曼第人，淺藍色的眼睛，眼角下垂。湯姆和赫綠思很喜歡她，因為她喜歡他們，或者似乎是喜歡他們。她在鎮上有兩個交情很深的好友，珍娜薇和瑪麗露薏絲太太，兩人也是管家，三個人似乎在休假日輪流到彼此家中看晚間電視。

湯姆從陽台拾起剪刀，將剪刀放進藏匿在擺放這類工具的一個角落裡的木箱。比起一路走到位於花園右後方角落的溫室，這個木箱方便多了。他從玄關衣櫥取出了一件棉夾克，確定駕照在皮夾內，即使才出門一下下，也得隨身攜帶駕照。法國人很喜歡臨檢，喜歡聘用外國人當警察，因此這些警察都殘酷無情。赫綠思在哪裡？也許在樓上她的房間裡挑選旅行用的衣物？赫綠思沒接起那個怪胎打來的電話真好！她肯定沒接，否則她一定會立刻到他房間，滿腹疑惑的東問西問。但話說回來，赫綠思從來就不是個愛竊聽的人，而且湯姆的事情也引不起她的興趣。倘若她知道電話是打給湯姆的，立刻就會掛電話，不是匆匆忙忙地掛，而似乎是未經思索就掛。

赫綠思知道狄奇・葛林里的事情，甚至也聽說湯姆曾（或一直）涉嫌，這點湯姆肯定。但她什麼也沒說，一句話也沒問。當然她和湯姆必須盡量不提湯姆那些可疑的活動以及他那些原因不明、次數頻繁的旅行，以安撫赫綠思的父親：賈克・皮里松。他是個製藥商，雷普利家的開銷部分仰賴他給赫綠思的大筆零用金，她是他的獨生女。說到湯姆的活動，赫綠思的母親雅蓮比赫綠思更悶不吭聲。雅蓮身材苗條，氣質優雅，似乎努力容忍年輕人，而且喜歡傳授赫綠思或任何人如何保養家具之類的家事小秘方，還有如何開源節流等大大小小的事情。

湯姆開著他的棕色雷諾以中速駛向市中心時，以上這些小事情在他腦海閃過。時近下午五點，這天是週五，湯姆心想，安東・葛瑞可能在家，但假如安東一整天都在巴黎，這時就不一定在家了。他是位建築師，與他妻子育有兩名十一、二歲的子女。大衛・溥立徹說的那棟他租的房子坐落在葛瑞家後方，這正是湯姆在維勒佩斯某條路右轉的原因：他可以告訴自己他是經過葛瑞家去打聲招呼之類的。湯姆行經鎮上那條令人欣慰的大街，街上有一間郵局，一個肉鋪，一家麵包店和一間酒吧咖啡店，維勒佩斯就這麼組合而成。

看到葛瑞家了，就在一大排美麗的栗子樹後方。葛瑞家是幢形狀像軍事砲塔的圓形住宅，如今幾乎爬滿了美麗的粉紅攀藤玫瑰。葛瑞家有一間車庫，湯姆看得見車庫門鎖著，這表示安東尚未回來度週末，而艾格妮斯也許和兩個孩子出門購物。

白屋出現了——不是映入眼簾的第一棟，而是第二棟，湯姆從幾棵樹之間看見它坐落於道路左邊。湯姆轉到二檔，那條寬度足以讓兩輛車輕鬆駛過的碎石路上空無一人。維勒佩斯北部這一帶住宅很少，而且草地多過農田。

湯姆想，如果溥立徹伉儷十五分鐘前打過電話給他，那他們現在一定在家。他至少可以看看他們此刻是否懶洋洋地躺在水池邊的躺椅上曬太陽，湯姆認為從馬路這頭看得見水池。馬路與房屋之間有一塊需要修整的綠色草坪，還有一條石板路，從車道延伸至通向門廊的階梯。門廊臨近馬路這端也有幾級階梯，水池就位於這面。湯姆記得，屋後佔地較大。

湯姆聽見笑聲，顯然是個女人的笑聲，也許混雜男人的笑聲。沒錯，笑聲是從湯姆和房屋之間的水池區傳來的，籬笆和幾棵樹幾乎遮蔽了這塊區域。湯姆瞄了一下水池，看見池面上波光粼粼，印象中好像有兩個人影躺在那邊的草地上，但他不確定。一個男人的身影站了起來，高個兒，身穿一條紅色短褲。

湯姆加速行駛。沒錯，那正是大衛本人；湯姆百分之九十肯定。溥立徹夫婦知道他開這輛棕色雷諾嗎？

「雷普利先生嗎？」聲音微微傳來，但相當清晰。

湯姆保持相同的速度，假裝沒聽見任何聲音。氣死人了，湯姆心想。他在下一個街口左轉，來到一條一邊有三、四幢房屋，一邊是農田的小路。這條路是回市中心的方向，但湯姆左轉以便走一條右轉就能通往葛瑞家的路，再度回到葛瑞家那棟塔樓。他依舊維持從容不迫的速度。

這時湯姆看見葛瑞家的白色旅行車停在車道上。他不喜歡沒事先打電話通知就突然登門拜訪，但或許帶著新鄰居的消息上門可讓他不至於失禮。湯姆開上車道時，艾格妮斯‧葛瑞正從車上取出兩個大型購物袋。

「哈囉，艾格妮斯，幫妳拿好嗎？」

「那就太好了！哈囉，湯姆！」

湯姆接下兩個購物袋，艾格妮斯則從他們的旅行車中拿出其他的東西。

安東搬了一箱礦泉水至廚房去，兩名青少年打開了一瓶大瓶的可口可樂。

「你好，安東！」湯姆說，「我碰巧經過這裡。天氣真好，是吧？」

「是啊，」安東用他的男中音說，這聲音有時令湯姆覺得他的法語聽來像俄語。安東穿著短褲、襪子、網球鞋和一件綠色T恤，那種綠色湯姆特別討厭。安東有一頭微捲的黑髮，體重總是超重幾公斤。「有什麼事啊？」

「沒什麼，」湯姆說道，同時放下購物袋。

葛瑞家的女兒希薇已經開始熟練地卸貨。

湯姆想喝一杯可樂或葡萄酒。湯姆猜想，安東那台不靠電力、而靠汽油發電的除草機馬上就會開始嗡嗡作響。如果不在巴黎的辦公室或維勒佩斯住處勤奮工作，安東就一文不值。「你在坎城的房客今年夏天還好嗎？」他們仍然站在廚房內。

葛瑞夫婦在坎城附近有一棟湯姆從未看過的別墅，七、八月租金最高時他們會出租這棟別墅。

「他們已經預付了房租——還付了電話押金，」安東答道，隨即聳了下肩膀，「我想——一切還好。」

「你們這裡有新鄰居了，你知道嗎？」湯姆指著白屋的方向問。「一對美國夫妻，我想——說不定你認識他們？我不知道他們搬來多久了。」

「不——」安東仔細地想了一下說，「隔壁那棟沒人搬來。」

「不是，再過去一棟，那棟大房子。」

「啊，要賣的那一棟啊！」

「或者要出租。我想他們是租來的，租的人叫大衛・溥立徹，和他太太一起。或者——」

「美國人，」艾格妮斯若有所思地說，她聽到了最後一句。忙個不停的她將一顆萵苣放進冰箱下層。「你見過他們？」

「沒見過。他——」湯姆決定把話說出來。「那個男的在酒吧咖啡店和我說過話，可能是有人跟他說我是美國人。我以為這件事應該告訴你們。」

「他們有小孩嗎？」安東皺起黑色眉毛問道，安東喜歡安靜。

「我不知道。我想應該沒有。」

「他們會說法語嗎？」艾格妮斯問。

湯姆微笑：「不清楚。」湯姆想，倘若他們不會說法語，葛瑞夫妻就不會想認識他們，而且也會看不起他們。安東希望法國純粹屬於法國人，即使外來客只是暫時居留，而且只租了一棟房子。

他們聊其他事情、聊安東這個週末要安置的新堆肥箱，成套的堆肥箱目前擺在車內。安東在巴黎的建築師工作很順利，他收了一個學徒，九月開始上班。當然安東八月不休假，縱使巴黎的辦公室沒人，他依然照常上班。湯姆本來想告訴葛瑞夫婦他和赫綠思八月要去摩洛哥，但決定暫時不說。為什麼呢？湯姆自問。是他下意識地下定決心不去？反正，還有時間打電話給葛瑞夫婦，親切地通知他們他和赫綠思要出門兩、三星期左右。

經過雙方互相邀請對方至家中小酌或喝杯咖啡後，湯姆開口道別，他感覺他向葛瑞夫婦提起溥立徹夫婦主要是為了保護他自己。那通聲稱是狄克・葛林里打來的電話難道不是一種威脅？絕對是。

湯姆開車離去時，葛瑞家的小孩希薇和愛德華正在前院草地上踢一顆黑白相間的足球。愛德華向他揮別。

3

湯姆回到麗影，發現赫綠思一臉焦躁地站在客廳。

「親愛的——來了一通電話，」她說。

「誰打來的？」湯姆吃了一驚，感到心頭一陣令人不快的恐懼感。

「一個男人打來的——他說他是狄奇・葛林里——人在華盛頓——」

「華盛頓？」湯姆關切赫綠思的不安。「葛林里——真荒謬，甜心。爛玩笑一個。」

她皺起眉頭：「可是為什麼——開這個晚笑（玩笑）？」赫綠思的口音又很重了。「你知道嗎？」

湯姆抬頭挺胸，顯得更加英勇。他是他妻子的守護者，也是麗影的守衛。

「不知道。可是我知道是——某個人開的玩笑，我想不出來是誰。他說了什麼？」

「一開始——他要和你說話。然後他說——某件事——關於坐 fauteuil roulant——這是輪椅嗎？」

「是的，親愛的。」

「因為和你一起出了意外。水——」

湯姆搖搖頭。「這是個變態的笑話，達令。竟有人在狄奇自殺後冒充他，狄奇自殺——是很多年以前的事了，死在某個地方，也許在水裡。沒人尋獲他的屍體。」

「我知道。你是這麼跟我說的。」

「不只是我這麼說，」湯姆鎮定說道，「每個人都這麼說，警方也是。屍體根本沒找到。他寫了份遺囑，我記得是在他失蹤前幾個月寫的。」湯姆煞有其事地說，儘管寫下那份遺囑的是他本人。「總之，他當時沒和我在一起。事情在義大利發生，很多年以前——他一去無蹤。」

「我知道，湯姆。可是為什麼這個——人現在來煩我們？」

湯姆兩手插進褲袋。「一個差勁的玩笑。有些人想來點——刺激，緊張的快感，妳知道？很遺憾他有我們的電話。是什麼樣的聲音？」

「他的聲音聽起來很年輕。」赫綠思似乎謹慎選擇用詞。「聲音不是很低沉。美國人。電話線不是很清楚。」

「真的從美國打來的嗎？」湯姆說，不相信電話真從美國打來。

「當然是啊！」赫綠思就事論事地說。

湯姆苦笑：「我認為我們應該忘記這件事。假如他再打來，要是我在家，電話轉給我就好，甜心。如果我不在家，妳的語氣必須冷靜——就好像他說的妳一句也不信。然後掛電話。妳懂嗎？」

「哦，懂啊。」赫綠思說，彷彿她真的懂了似的。

「這種人想擾亂別人，他們從中作樂。」

赫綠思在靠近落地窗那個她最喜歡的沙發角落坐了下來。「你剛才去哪裡了？」

「開車到處晃，在鎮上四處走走。」湯姆每週大約有兩次會開著他們三輛車的其中一輛像這樣四處晃晃，通常是開棕色雷諾或紅色賓士，順道在路上辦些正事，例如到莫黑附近的超市去加油，或是檢查輪胎有沒有漏氣。「我發覺安東回來度週末，所以我去他們家打了聲招呼。當時他們正在卸食品雜貨，我跟他們提起他們的新鄰居──溥立徹夫婦。」

「鄰居？」

「他們住得很近。半公里，不是嗎？」湯姆笑道，「艾格妮斯問我他們是否會說法語。假如不會，他們就進不了安東的交際圈，妳知道嗎？我告訴她說我不知道。」

「那安東對我們的北非之旅有什麼看法？」赫綠思笑吟吟地問道，「奢──侈？」語畢她哈哈大笑。她說這個詞的方式讓它聽起來十分昂貴。

「其實我沒告訴他們這件事。要是安東對費用有意見，我就會提醒他那裡的物價很便宜，例如飯店住宿費。」湯姆走向落地窗。他想在他的田園漫步，看看香草，瞧瞧歡欣鼓舞、搖曳生姿的荷蘭芹和結實美味的芝麻菜。也許他可以摘一點芝麻菜拌入今天晚餐的沙拉。

「湯姆，你不針對那通電話採取任何行動嗎？」赫綠思像個微噘著嘴、態度堅決的小孩在問話。

湯姆並不介意，因為她可不是用一顆小孩的腦袋思考而說出這些話的，而且那孩子氣的表情可能起因於她半覆著前額那又長又直的金色秀髮。「我什麼也不做，我想，」湯姆說，「報警嗎？很可笑。」他知道赫綠思曉得要出動警方處理任何「惱人的」或色情電話（他們從未接獲）有多麼困難。報警的人必須填一些表格然後忍受一架監視器，這架監視器當然也會監視其他的一切。湯姆從來沒有經歷這些事，他也不想經歷。「他們從美國打來，遲早會感到厭煩的。」

他看著半開的落地窗，決定經過這些窗子到安奈特太太的地盤去：位於房子一進門左邊角落的廚房。一陣什錦蔬菜湯的香味撲鼻而來。

穿著藍白小圓點洋裝和深藍色圍裙的安奈特太太正在火爐前攪拌東西。

「晚安，安奈特太太！」

「湯姆先生！晚安。」

「今天晚上的主菜是什麼？」

「小牛肉——可是份量不是很多，因為今天晚上很暖和。」安奈特太太說。

「沒錯。味道聞起來香極了，管他暖不暖和，我想吃。安奈特太太，我想確定我太太和我出門的那段期間妳會開心自在地邀請妳的朋友來玩。赫綠思夫人有沒有跟妳說什麼？」

「啊，有啊！她跟我說你們要去摩洛哥！當然，一切如常，湯姆先生。」

「可是——好。妳要邀請珍娜薇太太和——另外那個朋友？」

「瑪麗露薏絲，」安奈特太太說。

「是的。請她們來看晚間電視節目，甚至吃晚餐。從酒窖那裡拿一些酒。」

「啊，先生！晚餐啊！」安奈特太太說，彷彿吃晚餐太過分似的。「我們喝茶就很開心了。」

「那就喝茶吃蛋糕。妳將會當一陣子這間屋子的女主人，當然除非妳要去里昂妳姊姊瑪麗奧蒂那裡待一個禮拜。克呂佐太太——我們可以安排她來給室內的植物澆水。」克呂佐太太比安奈特太太年輕，每週來做一次湯姆所謂的認真打掃，打掃浴室和地板。

「哦——」安奈特太太假裝考慮，但湯姆覺得她八月份比較喜歡待在麗影，這個時候屋主通常都出門度假去了，留下傭人逍遙自在，除非他們隨行。「我想我不去，湯姆先生，還是謝謝您。我想我比較想待在這裡。」

「隨妳便。」湯姆對她微微一笑，然後離開，穿過傭人出入口到房屋側邊的草地。

他正前方是條巷子，隔著一些梨子樹、蘋果樹和繁茂的灌木叢，幾乎看不見它。在這條未鋪柏油的巷子上，他曾經用手推車推著莫奇森，準備將他埋了——暫時性的。這條巷子也依然有一個農夫偶爾開著小拖拉機路過到維勒佩斯大街去，或者推著一部載滿馬飼料或小木柴的手推車突然冒出來。這條巷子不屬於任何人。

湯姆走向溫室附近那片他細心照料的香草園，他從溫室拿了一把長剪刀，喀嚓喀嚓地剪了一些芝麻菜和一片荷蘭芹的葉子。

無論從後花園或正面看，麗影都一樣美麗：地面樓和二樓，或者歐洲人所謂的一樓，兩個開了凸窗的圓形角落。那帶有粉紅色調的棕褐色石牆看來似乎和城牆一樣堅固，雖然麗影因為一株維吉尼亞爬山虎的紅葉、花叢和圍牆附近幾盆大的植物而顯得柔和。湯姆突然想到他必須在他們出發前和巨人恩立連絡。恩立沒電話，但喬治和瑪麗可以轉告他。他和他母親住在維勒佩斯大街後面一條死巷內。恩立腦筋不靈光，動作也不快，但是力氣奇大無比。

嗯，恩立個子也高，湯姆猜想，至少六呎四吋，一百九十三公分。湯姆發覺自己正想著請恩立來提防麗影遭受攻擊。荒唐！到底是什麼樣的攻擊？又是誰會來攻擊？

湯姆朝落地窗往回走時沿路想著大衛・溥立徹一整天都在做些什麼。溥立徹真的每天早上開車到楓丹白露去嗎？什麼時候回家？而那個嬌小玲瓏、小妖精似的珍妮絲還是什麼來著，一整天都做些什麼來自娛？她畫畫嗎？寫作嗎？

他應該帶著一束大理花和牡丹花登門拜訪他們（當然除非他能得知他們的電話號碼），以示友好嗎？這個想法立刻就失去吸引力。他們一定很無趣，而他自己這麼一來就像個愛窺探的傢伙。

不，他決定按兵不動。他要多讀一些關於摩洛哥、坦吉爾，還有赫綠思想去的任何地方的相關資訊，把相機準備好，事先打點好男女主人即將缺席至少兩週的麗影。

因此湯姆就那麼做，在楓丹白露買了兩件深藍色百慕達短褲，還買了幾件隨洗隨乾的長袖白襯衫，因為湯姆和赫綠思都不喜歡短袖襯衫。赫綠思偶爾會一如往常地獨自一人開著賓士北上至香堤邑與她父母共享午餐，並在早上與下午抽空去購物，湯姆如此推斷，因為她回來時總是帶了至少六個印上商店名稱的塑膠袋。湯姆幾乎從來不參加皮里松家一週一次的午餐聚會，因為午餐令他感到無聊，而且湯姆知道赫綠思的父親賈克幾乎無法忍受他，同時他也曉得湯姆的有些事情見不得人。唉，又有誰的事情不是見不得人了？湯姆經常這麼想。皮里松本人不也逃稅嗎？赫綠思有次無意中說出（她不在乎）她父親在盧森堡有一個帳戶。湯姆也有，而錢是來自德瓦特美術用品公司，甚至源自於德瓦特畫作在倫敦出售或轉手所得——當然，在倫敦的活動是越來越少了，因為偽造德瓦特畫作至少五年的貝納德・塔夫茲已在數年前自殺身亡。

總之，誰是相當清白的呢？

湯姆懷疑賈克・皮里松不信任他是因為他並不完全認識湯姆。皮里松有一點不錯，就是他和赫綠思的母親雅蓮一樣，似乎不催赫綠思生小孩讓他們抱孫子。湯姆當然私下曾與赫綠思討論過這個敏感的議題：赫綠思不想生小孩。她似乎不是堅決不想有小孩，只是不是很渴望有小孩。如今數年時光已逝，湯姆不介意，他沒有父母可以因為這件喜訊而欣喜若狂：湯姆的雙親在他小時候在麻塞諸塞州波士頓港溺斃，然後他就被他姑媽朵蒂收養，那個吝嗇的老太婆也是波士頓人。總之，湯姆覺得赫綠思和他在一起很幸福，至少算開心，否則她早就滿腹牢騷了——或者，甚至離他而去。赫綠思很任性，禿頭老賈克肯定了解他女兒很幸福，而且他們在維勒佩斯有一棟相當體面的房子。皮里松夫婦或許一年會到湯姆他們家用晚餐一次。雅蓮・皮里松個人來拜訪的次數稍微頻繁，也實在令人比較愉快。

湯姆好幾天都沒想到那對怪夫妻，直到週六早上九點半郵差送來一個正方形信封，他們的身影才在他腦海中匆匆閃過。信封上的筆跡他不認得也立即感到厭惡：胖胖圓圓的大寫字體，在字母「i」上畫了個圈而非點了一點。湯姆心想，愚蠢自大。由於收件人是「賢伉儷」，湯姆先拆開信封再說。赫綠思正在樓上沐浴。

親愛的雷普利先生及夫人：

倘若你們週六（明天）能光臨寒舍與我們小酌一番，我們將愉快無比。你們能在六點左右來嗎？我明白這是臨時通知，若是二位不便前來，我們將另行擇期再敘。

非常期待認識兩位！

珍妮絲與大衛・溥立徹

背面：寒舍的地理位置圖電話：424-6434

湯姆將信紙翻到背面去瀏覽那張畫得簡略的地圖：維勒佩斯的主要大街和一條與它在右角交會的一條街道，在這條街上顯示了溥立徹家和葛瑞家，還有兩家之間那棟小空屋。

噹—滴—噹，湯姆心想，同時用信紙輕彈著手指。邀請訂在今天，他好奇得想去，這點很肯定——一個人越了解潛在的敵人越好——可是他不想帶赫綠思去。他必須對赫綠思編個理由。同時，他應該向溥立徹夫婦表示他會赴會，但他想，不用急著在早上九點四十分通知。

湯姆一一拆開其餘所有的信件，除了一封收件人為赫綠思的信，他認為信封上的筆跡是諾愛爾・哈斯樂的。她是赫綠思的一名好友，住在巴黎。沒什麼有趣的信件，一封紐約漢諾華信託公司寄來的對帳單，他在這家銀行設有帳戶，《財星五百》寄來的垃圾郵件，這家雜誌出於某種原因認為湯姆錢多得會對一家關於投資與股市的雜誌感興趣。湯姆將這項工作（投資理財）交給他的稅務會計皮耶・索威，賈克・皮里松也聘請索威來幫他投資理財，湯姆正是透過皮里松才認識索威。有時候索威會有很棒的點子。這種工作，假如這也能算工作的話，令湯姆厭煩，但赫絲思不會厭煩（也許她天生就會處理金錢或者至少對錢有興趣），而且在她和湯姆出手投資之前，赫絲思總是願意先諮詢她父親。

巨人恩立應該在那天早上十一時來，雖然有時候弄不清楚週四與週六的差別，恩立仍舊在十一時兩分出現。恩立一如往常穿著那條褪色的藍色老式吊帶工作褲，帶著他那一頂簡直是破爛的寬邊草帽。他留了一把紅棕色鬍子，顯然偶爾會用剪刀亂剪一通，可說是一種簡易的刮鬍方式。湯姆經常想，梵谷一定會愛死了他這個模特兒。想到一張由梵谷畫的恩立粉彩肖像畫如今可以或可能以大約三千萬美元售出就覺得有趣。當然，這錢梵谷是一毛也拿不到。

湯姆打起精神開始對恩立說明他需要恩立在他不在家的這兩、三週幫忙做的事。堆肥。可以麻煩恩立翻動堆肥嗎？湯姆現在有一個圓形鐵絲堆肥箱，與他胸膛等高，直徑不到一公尺，有個門，一抽出金屬栓便可開啟。

湯姆邊說邊跟恩立走到溫室，正當他談到新買的玫瑰專用殺蟲劑時（恩立有在聽嗎？），恩立一把抓起溫室內的一把叉子開始攻擊堆肥。他是如此高大，如此強壯，湯姆可不想阻止他。恩立確實曉得如何處理堆肥，因為他知道堆肥的用處。

「是，先生，」恩立不時輕聲細語說道。

「還有——嗯——我剛剛提到玫瑰，目前還沒出現斑點。現在——只是要讓花草看起來美觀一點——月桂樹叢——用剪刀。」恩立不像湯姆一樣需要用到梯子，他只要抓住靠近樹梢的樹枝就行。湯姆讓樹梢恣意向上生長，彷彿修平它會讓它看起來像刻意設計過的樹籬。

湯姆一臉羨慕地望著恩立左手推鐵絲簍，右手拿著叉子從簍底翻耙十分亮眼的黑色堆肥。

「哦，太棒了！很好！」湯姆試著推動鐵絲簍，鐵絲簍卻似向下扎了根。

「真的很好。」恩立證實道。

接下來是溫室裡的幼苗，還有一些天竺葵。它們需要澆水。恩立腳步笨重地走在木條釘成的地板上點頭表示了解。恩立知道溫室的鑰匙置放處：壓在溫室後面一顆圓石頭下。湯姆只有在他和赫綠思不住在主屋時才鎖上溫室。恩立那雙磨損的棕色工作靴看起來也像梵谷那個年代的產物，鞋底幾乎一吋厚，鞋幫超過腳踝。傳家之寶嗎？湯姆納悶。恩立像是走錯時代。

「我們會離開至少兩個禮拜，」湯姆說，「但安奈特太太會一直待在這裡。」再說了一些細節之後，湯姆認為恩立已經獲得充分指示。給一點錢也沒什麼不好，於是湯姆從他後面褲袋抽出皮夾給了恩立兩張一百法郎的鈔票。

「這你先拿去用，恩立。要記帳。」他附帶提了一句。湯姆準備回屋去，但恩立並無離去的跡象。恩立總是如此，在院子邊四處走動，撿拾一根掉下來的樹枝或將一顆石頭丟向一邊，然後一聲不響地溜走。

「再見！恩立。」湯姆轉身走向屋子，待他回頭望時，恩立顯然正準備用叉子再給堆肥一擊。

湯姆上樓到他的浴室洗了手，然後拿了幾本摩洛哥旅遊手冊輕鬆躺在安樂椅上。手冊上十到十二張照片顯示了一座以藍色馬賽克裝飾的清真寺內部，五門大砲排列在懸崖邊，一個掛滿顏色鮮豔的條紋地毯的市場，一名穿得少得不能再少的比基尼金髮觀光客正在黃沙上鋪一條粉紅浴巾。旅遊手冊另一面的坦吉爾地圖簡單清晰，藍色與深藍色色塊，沙灘是黃色的，港口是向地中海或直布羅陀海峽防禦性延伸的兩條曲線。湯姆尋找明澤飯店所在的自由路，似乎從大市場走路就可以到這條路。

電話鈴響。湯姆的床邊有支電話。「我來接！」湯姆朝樓下正在彈大鍵琴練習舒伯特曲子的赫綠思大喊。「喂？」

「嗨，湯姆。我是瑞夫斯。」瑞夫斯・米諾聲音清晰地說。

「你人在漢堡？」

「當然是啊。我想——嗯，赫綠思可能告訴過你說我打過電話。」

「是的，她有告訴我。一切都好吧？」

「哦，是啊，」瑞夫斯鎮靜地說，「只是有一點——我想寄一樣東西給你，像卡帶一樣小。其實——」

是個卡帶，湯姆暗忖。

「它不是爆炸物，」瑞夫斯繼續說，「假如你能保管這東西五天左右，然後把它寄到裝這個物品的信封內的一個地址——」

湯姆遲疑了一下，有點惱怒，卻明白自己會答應他的要求，因為瑞夫斯在他需要援助時皆出手相助——偽造一本新護照，在瑞夫斯的大公寓裡過夜避難。瑞夫斯支援的動作迅速，而且不收任何費用。「我想沒問題，老友，可是赫絲思和我幾天後要去坦吉爾，從那裡再繼續旅行。」

「坦吉爾！好！還來得及，假如我寄快捷的話，說不定明天就會寄到你家。沒問題，我今天就寄出去。然後你在——從今天算起四、五天後，你所在的地方把它寄出去。」

湯姆推斷，屆時他們仍在坦吉爾。「好的，瑞夫斯，原則上沒問題。」湯姆不自覺地壓低聲音，彷彿有人可能會竊聽似的，但赫絲思依舊在彈大鍵琴。「我會從坦吉爾寄出去。你信任當地的郵局嗎？有人警告我——作業速度很慢。」

瑞夫斯乾笑了一聲，這笑聲湯姆很熟悉。

「這上面——裡面，沒有像《魔鬼詩篇》*的東西。拜託，湯姆。」

「好吧——那到底是什麼東西？」

「我不告訴你，現在不是時候。它重不到三十公克。」

幾秒鐘後雙方便掛了電話。湯姆懷疑那地址是否是寄給另一位中間人的。瑞夫斯一向把「東西經過越多人的手就越安全」這個理論奉為圭臬，也許這理論是他自創的。瑞夫斯基本上是個買賣贓物者，而且十分熱愛他的工作。買賣贓物——這個詞用得真好。當一名買賣贓物者對瑞夫斯有一種虛構的魔力，就像捉迷藏對兒童一樣。湯姆必須承認瑞夫斯・米諾至今一直都很成功，他單打獨鬥——至少，在他位於漢堡近郊艾托納的公寓裡他總是形單影隻，有一次還從他公寓爆炸案中死裡逃生，另外還逃過了一場不知什麼樣的死劫，在右臉頰留下了一道五吋長的傷疤。

湯姆再回到旅遊手冊上，接下來看卡薩布蘭加的資訊，他床上攤了大約十個檔案夾。湯姆想著即將送達的快捷郵件，他確信他無須簽收；瑞夫斯不敢寄任何掛號，因此屋裡的任何人都能領這份快捷郵件。

接著，湯姆思及今晚六點至溥立徹家小酌這件事。這時已過了十一時，他應該告知他們他會赴會。要跟赫綠思說什麼？他不想讓她知道他要去拜訪溥立徹夫婦，首先因為他不想帶她去，再來他不想直接對赫綠思說他為了保護她而不讓她接近那些怪胎，這樣會讓事情變得複雜。

湯姆下樓，打算到草坪附近去轉一圈，若是安奈特太太在廚房，也許就向她討杯咖啡喝。

赫綠思在米色的大鍵琴前站起來伸懶腰。「親愛的，你在和恩立講話的時候諾愛爾打了電話來。她想今天晚上過來用餐，說不定會留下來過夜。可以嗎？」

「那當然可以啊，甜心。沒問題。」湯姆心想，這種事以前也發生過，諾愛爾・哈斯樂打電話然後不請自來。她活潑可愛，湯姆對她沒什麼反感。「希望妳已經答應她。」

＊譯注：《魔鬼詩篇》（*The Satanic Verses*），英籍印裔作家魯西迪（Salmon Rushdie）於一九八八年出版的作品，魯西迪當年因為這部作品遭伊朗精神領袖柯梅尼下令全球追殺。

「我是答應了。那個可憐的人——」赫綠思笑了起來，「某個男人——諾愛爾根本不應該以為他是認真的！他對她不好。」

湯姆猜想，諾愛爾是離家出走。「那麼她很沮喪囉？」

「哦，還好，不會很久的。她沒開車，所以我要在楓丹白露接她，楓丹白露車站。」

「幾點？」

「七點左右。我要查一下時刻表。」

湯姆鬆了口氣，或略微鬆了口氣。他決定說實話。「今天早上，信不信由妳，溥立徹夫婦——妳知道，那對美國夫妻，寄來了一封邀請函。邀請我們兩個今天晚上六點左右到他家去小酌一下。妳介不介意我去——獨自一人——只是去多了解他們一下？」

「不——介意。」赫綠思說，口氣和表情都像個青少女，不像即將步入三十歲的女人。「我幹嘛介意？你要回來吃晚餐嗎？」

湯姆淺淺一笑：「這妳大可放心。」

4

湯姆終究還是決定剪三朵大理花帶去送給溥立徹夫婦。他已經在中午向他們確認他接受邀請，珍妮絲・溥立徹當時聽起來很高興。湯姆說他會獨自應邀，因為他太太六點左右要在車站接一位朋友。

所以六點剛過幾分時，湯姆開著他的棕色雷諾上溥立徹家的車道。夕陽尚未西下，天氣依然溫暖。湯姆穿著輕薄西裝、長褲和襯衫，沒打領帶。

「哦，雷普利先生，歡迎！」站在門廊的珍妮絲・溥立徹說。

「晚安，」湯姆微微一笑說道。他走上階梯，將紅色大理花獻給她。「剛剪的，從我家。」

「哦，好漂亮！我去拿花瓶，請進。大衛！」

湯姆走進一個短玄關來到正方形的白色客廳，他記得這個客廳。那幾乎算醜的壁爐沒變，木頭漆上白色，搭配不合的深紫色。一眼望去，除了沙發和安樂椅之外，湯姆覺得整批家具有一股人造的鄉村風。大衛・溥立徹一邊用抹布擦手一邊走了進來，他穿著襯衫。

「晚安，雷普利先生！歡迎。我剛剛在忙著做開胃小點心。」

珍妮絲附合地笑了起來。她比湯姆想像中還瘦，身穿一條淺藍休閒棉褲和一件袖口及領口打了荷葉邊的紅黑色長袖襯衫。她那淡棕色的秀髮其實是討人喜歡的杏桃色，剪得短短的，梳得很蓬鬆。

「那麼——您想喝點什麼？」大衛雙眼透過黑框眼鏡客氣地凝視湯姆說。

「我們什麼都有——大概吧。」珍妮絲說。

「嗯——有琴湯尼嗎？」湯姆問。

「立刻就來。親愛的，妳可以帶雷普利先生參觀我們家啊。」大衛說。

「沒問題，假如他願意。」珍妮絲像小妖精般偏著她的小腦勺，這動作湯姆以前已注意到。她的眼睛因此斜視，令人有點煩。

他們參觀客廳後面的飯廳（廚房在左邊），厚重的餐桌加上環繞其周圍那幾把看來和教堂長凳一樣不舒服的高背椅，加強了湯姆對這些可怕的仿古家具的印象。通往樓上的樓梯位於那俗麗的壁爐邊，他和一路說個不停的珍妮絲一起上樓。

樓上是兩間臥室，中間有一間浴室，就這樣。壁紙是到處可見的素色印花圖案。走廊有一幅畫，圖案也是花，像在飯店房間看到的那種畫。

「這房子是你們租的啊？」他們下樓時湯姆說。

「哦，是啊。不確定我們是否要住在這裡，或者住在這棟房子裡——可是你看看現在的倒影！我們把側面的百葉窗維持大開，以便你可以看個清楚。」

「是的——好漂亮啊！」從與天花板差了半個人頭高的樓梯上，湯姆看得見草坪上那片水池在溥立徹家天花板上創造的灰白圖案正輕輕蕩漾。

「當然，風吹的時候它更——生動！」珍妮絲說，並發出尖銳刺耳的咯咯笑聲。

「家具是你們自己買的？」

「是啊。可是有些是別人借的——我們的房東借的。比如飯廳那套家具就是，有一點厚重，我想。」

湯姆未置可否。

大衛・溥立徹已準備好飲料放在堅固的仿古咖啡桌上。開胃小點心是串著牙籤的融化乳酪，還有一些填餡橄欖。

湯姆挑了安樂椅坐，溥立徹夫婦二人都坐在沙發上。沙發和安樂椅一樣套著類似印花棉布的花布套，是這間屋子裡最不討人厭的兩樣東西。

「乾杯！」已經褪下圍裙的大衛扶了下眼鏡說，「敬我們的新鄰居！」

「乾杯，」湯姆說，並啜了口酒。

「很遺憾尊夫人無法前來。」大衛說。

「她也很遺憾，改天吧。您覺得——您在歐洲商學院做什麼？」湯姆問。

「我在修行銷課程。全方位，行銷及成果追蹤。」大衛・溥立徹說起話來清楚又直接。

「全方位！」珍妮絲說，然後又咯咯笑了起來，笑聲有些緊張。她正在喝一杯粉紅色的飲料，湯姆推測是基爾酒，一種溫和的調酒。

「用法語上課嗎？」湯姆問。

「法語和英語。我的法語還不賴，再多努力學一點也無妨。」他的捲舌音特別重。「受了行銷訓練後，一堆各式各樣的工作等著你。」

「您是從美國哪個地方來的？」湯姆問。

「印第安那州貝佛鎮。後來我在芝加哥工作了一陣子，總是銷售方面的工作。」

湯姆半信半疑。

珍妮絲・溥立徹坐立不安。她有一雙修長的手，指甲塗了淡粉紅色指甲油，保養得很好。她手上戴了一枚看來比較像訂婚戒指而不像結婚戒指的小鑽戒。

「那您呢，溥立徹太太，」湯姆歡快地開口道，「您也來自中西部嗎？」

「不，我是華盛頓人，華盛頓特區。可是我住過堪薩斯州、俄亥俄州和——」她遲疑了一下，像個忘詞的小女孩，低頭看著她在大腿上輕輕扭動的手。

「活過，痛苦過，活過，活過——」大衛・溥立徹的口氣只略帶點幽默，而且他眼神相當冷淡地盯著珍妮絲。

湯姆吃了一驚。他們吵架了嗎？

「不是我主動提出來的，」珍妮絲說，「雷普利先生問我來自哪裡——」

「妳不必詳述，」溥立徹的寬肩膀稍微轉向珍妮絲，「是吧？」

珍妮絲一臉驚嚇，目瞪口呆，但仍勉強擠出笑容，並瞥了湯姆一眼，這匆匆的一瞥似乎在說：「把這視為稀鬆平常的事，抱歉。」

「但妳喜歡那麼做吧？」溥立徹繼續說。

「詳述？我不懂——」

「到底是發生什麼事了？」湯姆笑嘻嘻地打岔道，「我問珍妮絲是哪裡人。」

「哦，謝謝你叫我珍妮絲，雷普利先生！」

這時湯姆不得不哈哈大笑了，他希望他的笑聲能緩和一下氣氛。

「看見了沒，大衛？」珍妮絲說。

大衛沉默地盯著珍妮絲，但他至少往回靠著沙發墊了。

湯姆啜了一口他的酒，這酒味道好，然後從西裝口袋中拿出了一包香菸。「你們這個月是否要去哪個地方走走？」

珍妮絲瞧著大衛。

「沒有。」大衛・溥立徹說，「不，我們還有好幾箱書要拆，箱子正在車庫內。」

湯姆看見兩個書架，樓上一個，樓下一個，架上除了幾本平裝書之外，空空如也。

「我們的書不全在這裡，」珍妮絲說，「有——」

「我確信雷普利先生不想聽到我們的書——或冬天用的毯子在哪裡，珍妮絲。」大衛說。

湯姆想聽，但他保持沉默。

「那您呢，雷普利先生，」大衛繼續說，「今年夏天——和尊夫人一塊旅行？我見過她——見過一次，只從遠處看。」

「不，」湯姆有點認真地思考了一下後答道，彷彿他和赫綠思仍會改變主意。「我們不在意今年待在家裡哪兒都不去。」

「我們的——我們大部分的書都在倫敦。」珍妮絲坐正了點，看著湯姆。「我們在那裡有一棟小公寓——在布里斯頓的方向。」

大衛・溥立徹怒視他妻子，接著吸了口氣對湯姆說：「沒錯。而且我想我們可能有共同認識的人。辛西雅・葛瑞諾？」

湯姆馬上就知道他說的是誰，是那個如今已一命歸天的貝納德・塔夫茲的女友兼未婚妻。她愛貝納德但棄他而去，因為她受不了他偽造德瓦特的作品。「辛西雅……」湯姆說，一副追憶似的。

「她認識巴克馬斯特畫廊的人，」大衛接著說，「她是這麼說的。」

湯姆暗忖，眼下他一定無法通過測謊器的測試，因為他的心跳很明顯地加速。

「啊，沒錯。一個金黃的——嗯，金髮的女人，我想。」辛西雅到底對溥立徹夫婦說了多少，湯姆納悶，她沒事幹嘛跟這些討厭鬼閒扯？辛西雅不是個多嘴的人，而且溥立徹夫婦跟她的社會階層差了一截。湯姆想，倘若辛西雅要傷害他、毀滅他，她大可幾年前就這麼做。辛西雅當然也可以揭穿德瓦特的作品是贗品這個事實，但她根本沒這麼做。

「你說不定和巴克馬斯特畫廊的人比較熟。」大衛說。

「比較熟？」

「比你和辛西雅還熟。」

「他們我其實一個也不認識，我去過畫廊幾次。我喜歡德瓦特的作品，誰不喜歡呢？」湯姆微笑道，「那家畫廊專門收藏德瓦特的作品。」

「你有跟他們買一些德瓦特的作品嗎？」

「一些？」湯姆哈哈大笑，「以德瓦特那樣的售價？我有兩幅——在價格還不是那麼貴的時候買的，他早期的作品。現在他的畫已投保了很高的險。」

數秒鐘的沉寂。溥立徹可能在計畫他的下一步行動。湯姆突然想到在電話上假裝狄奇．葛林里的也許是珍妮絲，她的音域很廣，可以很尖銳，在她輕聲細語時又相當低沉。他的懷疑正確嗎？溥立徹夫婦竭盡所能得知湯姆．雷普利的過去——透過舊報紙，與辛西雅之流的人談話——只是為了捉弄他，激怒他，也許還讓他坦承某些事情？溥立徹夫婦相信的事情值得探聽嗎？湯姆不認為溥立徹是個警探。但世事難料，有些是中情局或聯邦調查局（FBI）的約雇人員。奧斯華*就是中情局的約雇人員，而且在那起事件中當了替死鬼。溥立徹夫婦想敲詐嗎？可怕的想法。

「再來點酒嗎，雷普利先生？」大衛．溥立徹問。

＊譯注：李．哈維．奧斯華（Lee Harvey Oswald），一九六三年十一月二十二日，美國總統甘迺迪遇刺身亡，奧斯華被列為主要嫌犯，兩天後在被警方押解途中遭人射殺。接任甘迺迪的詹森總統於十一月底成立華倫委員會專門調查甘迺迪遇刺案，並於一九六四年宣布奧斯華就是凶手，別無他人。世人咸認奧斯華蒙冤而死。

「謝謝。半杯吧。」

溥立徹進廚房調酒，順便也替自己拿了個杯子，忽略珍妮絲。廚房通向飯廳的門開著——湯姆推斷，要從廚房聽到客廳的談話沒有太大的問題。可是他要等珍妮絲先開口。或者他是真的在等嗎？

湯姆說：「妳也在上班嗎，溥太——珍妮絲？或者妳以前上過班？」

「哦。我在堪薩斯當過秘書，後來我學唱歌——聲音—訓練——先是在華盛頓。那裡有好多學校，你想像不到的。但是後來我——」

「她遇到我，倒楣，」大衛端了兩杯飲料進來說道，飲料這次又是放在小圓托盤上。

「你說的算，」珍妮絲故意一本正經地說。接著她再以更平靜低沉的聲調附帶一句：「你應該知道。」

尚未坐下來的大衛摩拳擦掌對著珍妮絲虛晃一招，幾乎打到她的臉和右肩。「我要修理妳。」他毫無笑容。

珍妮絲並未退縮。「不過有時候輪到我修理你。」珍妮絲答道。

湯姆明白他們在玩小把戲。然後在床上和好嗎？仔細想起來就討厭。湯姆對辛西雅和他們的關聯感到好奇。若是溥立徹夫婦或任何人——尤其是和巴克馬斯特畫廊那些人一樣清楚德瓦特最後六十幅作品是贗品的辛西雅•葛瑞諾——供出真相，問題就更加複雜。屆時再設法阻止問題也沒用，因為除了對以收藏精美假畫為樂趣的古怪收藏家還有價值，那些非常昂貴的畫作將幾乎毫無價值；事實上，湯姆就是一個古怪的收藏家，然而這世上有多少人像他一樣對正義與誠實抱持著冷嘲熱諷的態度呢？

「辛西雅好嗎——她姓葛瑞諾，對吧？」湯姆開口說，「我已經好久沒見到她了。她很文靜，我記得。」湯姆也記得辛西雅很厭惡他，因為在德瓦特自殺身亡後，湯姆想出了讓貝納德・塔夫茲偽造德瓦特作品的點子。貝納德在他位於倫敦的閣樓兼工作室慢慢地持續穩定作畫，這些假畫相當亮眼，大獲成功，但這段過程毀了他一生，因為他很敬愛德瓦特和其作品，最後覺得自己背叛了德瓦特，罪不可赦。貝納德後來自殺，出於精神崩潰。

大衛・溥立徹逕自拖延回答的時間，湯姆明白（或自認明白）溥立徹正在想湯姆擔心辛西雅的事情，認為湯姆想向溥立徹追問有關她的事情。

「文靜？不。」溥立徹終於開口說道。

「不會啊，」珍妮絲閃過一絲微笑道。她正抽著一支加了濾嘴的香菸，她的手沉穩了點，雖然依舊緊緊握著，即使拿著菸，她的手也緊握著。她不斷地來來回回看著她丈夫和湯姆。

辛西雅將整件事洩漏給珍妮絲和大衛・溥立徹——這表示什麼？湯姆簡直無法相信此事。倘若如此，就讓溥立徹夫婦明講了吧：巴克馬斯特畫廊的人是騙子，德瓦特最後六十幅作品也是假的。

「她結婚了嗎？」湯姆問。

「我想是，對吧，大衛？」珍妮絲問，同時用手掌搓了她右上臂一會。

「我忘了，」大衛說，「總之——我們見面的那幾次她都是孤單一人。」

在哪裡與她見面，湯姆納悶。又是誰介紹辛西雅給他們認識的？但湯姆不敢進一步打探。珍妮絲的手臂瘀青嗎？湯姆想知道。那就是她在八月大熱天穿上奇怪的長袖棉衫的原因嗎？為了隱藏她那具有侵略性的丈夫施加於她的瘀傷嗎？「你們常去看藝術展嗎？」湯姆問。

「藝術——哈哈！」大衛瞥了她太太一眼後發出由衷的大笑。

手上沒菸的珍妮絲又開始撥弄起她的手指，她的膝蓋併攏。「我們難道不能談點比較愉快的事情嗎？」

「有什麼比藝術更令人愉快的？」湯姆微微一笑問道。「看著一幅塞尚的風景畫多麼令人開心啊！栗子樹，鄉間小路——屋頂那些溫暖的橙色調。」湯姆放聲大笑，笑聲相當愉悅。該是離開的時候了，但他努力思考該說些什麼來獲得更多的資訊。珍妮絲把開胃小點心端到他面前，他便拿了一個乳酪口味的。湯姆不打算提起和傑夫・康斯坦及艾德・班伯瑞有關的任何事情。傑夫是個攝影師，艾德則是特約記者，數年前班伯瑞基於貝納德・塔夫茲的假畫及他們可能從中獲得的利潤買下了巴克馬斯特畫廊。湯姆也從售出的德瓦特假畫獲得部分的利潤，近幾年利潤只不過是平平，但這情況很正常，因為貝納德・塔夫茲死後，假畫就不再問世。

湯姆針對塞尚發表的誠摯言論可能是對牛彈琴。他瞄了一眼他的手錶。「我想到我太太，」湯姆說，「我該回家了。」

「要是我們多留住你一會呢？」大衛說。

「留住我？」湯姆這時已站起來了。

「不讓你走出去。」

「哦，大衛！你和雷普利先生玩遊戲嗎？」珍妮絲顯然難堪極了，但她歪著頭咧嘴笑。「雷普利先生不喜歡玩遊戲！」她的聲音又變得尖銳。

「雷普利先生很喜歡玩遊戲，」大衛·溥立徹說。這時他在沙發上端坐，一雙結實的大腿歷歷在目，同時一雙大手插在腰上。「假如我們不讓你走，你現在就不能走。而且我也會柔道。」

「真的啊，」湯姆心想，前門，或者說他進來的那個門位於他後方六公尺左右。他沒興趣和溥立徹打架，但萬一打起來，他準備自衛。例如，他會一把抓起位於他們兩人之間的厚重菸灰缸。佛雷迪·邁爾斯在羅馬正是讓菸灰缸打中額頭一命嗚呼，砰地一擊，佛雷迪魂歸西天。湯姆凝視溥立徹。討厭鬼，太胖、平凡、庸庸碌碌的討厭鬼。「我要走了。多謝了，珍妮絲。還有溥立徹先生。」湯姆微微一笑並轉身。

湯姆沒聽見背後有任何動靜，走到通往玄關的門口時他回頭望。溥立徹先生只不過是漫步走向他，好似將他的遊戲拋在腦後。珍妮絲焦急地趨近。「你們在這附近找到你們所需要的一切東西了嗎？」湯姆問，「超市？五金行？莫黑仍是最方便的，什麼都有。總之，距離最近。」

肯定的答覆。

「葛林里一家人有和你聯絡嗎？」大衛·溥立徹問，頭往後仰彷彿要增加身高。

「偶爾，是的。」湯姆仍舊泰然自若。「你認識葛林里先生嗎？」

「哪一個葛林里？」大衛戲謔地問，語氣有點粗魯。

「那就表示你不認識他。」湯姆說。他抬頭看著映在天花板上顫動的水影。太陽幾乎已消失在樹後方。

「下雨的時候這水池大得可以淹死人了！」注意到湯姆視線的珍妮絲說。

「水池多深？」

「哦——五呎左右吧，」溥立徹說，「池底濕軟，我想，不適合涉水。」他咧嘴而笑，露出了方方正正的牙齒。

這笑容看似愉悅天真，但湯姆現在比較了解他了。湯姆走下階梯來到草坪。「謝謝你們兩位，希望我們很快會再見面。」

「一定的！謝謝你的光臨，」大衛說。

怪人，湯姆在開車回家的路上如此想著。或者他如今已百分之一百和美國脫節？美國的每個小鎮都有像溥立徹夫婦一樣的夫妻嗎？有不正常的精神困擾？就像有些男女——十七、十九歲大——吃個不停，直到腰圍有兩公尺以上粗嗎？湯姆在某篇文章上讀到，這種情形多半發生在佛羅里達州和加州，這些極端份子大吃大喝之後開始進行嚴酷的節食，一旦骨瘦如柴後又開始循環。湯姆猜想，這是一種自戀的形式。

湯姆家的門開著，他一路開上麗影前院嘎吱嘎吱令人平靜的灰色碎石路，然後再開進左邊的車庫停在紅色賓士旁。

諾愛爾・哈斯樂和赫綠思坐在客廳的黃沙發上，諾愛爾的笑聲傳來，開朗如昔。這天晚上諾愛爾的黑髮是她自己的頭髮，又長又直。她喜歡戴假髮——簡直是喜歡喬裝打扮，湯姆永遠猜不透她會以何種面目出現。

「女士們！」他說，「晚安，女士們。妳好嗎，諾愛爾？」

「很好，謝謝，」諾愛爾說，「你呢？」

「我們在談人生，」諾愛爾用英語附帶了一句。

「啊，至高無上的主題，」湯姆用法語繼續說道，「希望晚餐沒因為我而延誤吧？」

「當然沒有啊，親愛的！」赫綠思說。

湯姆很喜歡看著她此刻坐在沙發上的修長身形，赤足的左腳翹在右膝上。赫綠思和那個緊張兮兮的珍妮絲・溥立徹簡直是天壤之別！「在晚餐前我想打一通電話，如果可以的話。」

「有何不可呢？」赫綠思說。

「失陪一下。」湯姆轉身上樓到他自己的房間，迅速在浴室洗了手，每逢經歷像剛才在溥立徹家那種不愉快的事情之後，他總是習慣洗手。湯姆發覺赫綠思今晚會和他共用他的浴室，因為浴室旁第二道門，亦即通向赫綠思臥室的門沒上鎖，只要一有客人，她的浴室就會讓給他們用。真是令人不快，當壯得像頭牛的溥立徹說「要是我們多留住你一會兒呢？」，而且珍妮絲死盯著他的那個時刻。珍妮絲會幫她丈夫嗎？湯姆認為她會，也許她會像個機器人一樣幫他。為什麼？

湯姆將手巾丟回毛巾架上，然後走向他的電話。他的棕色皮革通訊錄在電話旁，他需要它，因為他不記得傑夫・康斯坦或艾德・班伯瑞的電話。

先聯絡傑夫。據湯姆所知，他仍住在倫敦西北八區的攝影工作室。湯姆的手錶顯示七時二十二分，他撥了電話。

電話響了三聲後出現答錄機的聲音，湯姆抓了一支原子筆抄下另一個號碼：「……直到九點。」傑夫的聲音說道。

那表示湯姆這裡的時間十點。他撥了他抄下來的號碼。一名男子接起電話，背後的雜音聽來像是派對現場。

「我找傑夫・康斯坦，」湯姆重複道，「他在嗎？他是個攝影師。」

「哦，攝影師啊！請稍等。您的大名是？」

湯姆討厭別人這麼問他。「就說是湯姆，好嗎？」

過了很久傑夫才接電話，他聽起來有點氣喘吁吁。派對的吵鬧聲繼續響起。

「哦，湯姆啊！我以為是另外一個湯姆……哦，是婚禮——婚禮後的招待會。什麼事啊？」

湯姆現在很高興背後有那一片吵雜聲了。傑夫必須用力喊，使勁聽。「你認識一個叫大衛・溥立徹的人嗎？差不多三十五歲的美國人？黑髮，他太太叫珍妮絲，金髮？」

「不認識。」

「你可以問問看艾德・班伯瑞認不認識這個人嗎？能聯絡得上艾德嗎？」

「能，可是他不久之前搬家了。我會問他。我不記得他的地址。」

「嗯，我跟你說——這兩個美國人在我的村莊上租了一棟房子，而且他們宣稱最近在倫敦見過辛西雅・葛瑞諾。溥立徹夫婦，他們說了些很刻毒的話。不過，倒是沒提到——貝納德。」湯姆吞了一口水才說出這個名字。他幾乎可以聽見傑夫的腦海響起滴答聲。「他怎麼會見到辛西雅？她有去畫廊嗎？」湯姆指的是位於舊龐德街上那家巴克馬斯特畫廊。

「沒有。」這點傑夫很肯定。

「我甚至不確定他是否見過辛西雅。但就算他聽過她——」

「和德瓦特的假畫有關嗎？」

「我不知道。你不認為辛西雅會那麼賤，是吧，無意中說——」湯姆住了口，驚覺溥立徹或他們夫妻倆鑽研了他的檔案，甚至遠溯至狄奇・葛林里那件事。

「辛西雅不是賤人，」傑夫說，聲音低沉誠懇，背後那瘋狂的喧鬧聲依舊。「聽著，我會探探艾德的口風，還有——」

「今天晚上就去，假如你可以的話。回我電話，不管——嗯，到你的時間午夜。我明天也在家。」

「你想這個溥立徹有什麼目的？」

「好問題。是一種惡意，別問我哪一種，我還看不出來。」

「你的意思是說他可能知道的比他說出來的還多？」

「沒錯。還有——不用我說你也知道辛西雅討厭我。」湯姆盡量輕聲細語，音量仍在對方聽得見的範圍。

「她都不喜歡我們任何一個！我或者艾德會打電話給你，湯姆。」

他們掛了電話。

接下來是晚餐，安奈特太太先上一道嘗起來像放了五十種材料、味美無比的清湯，再來是美乃滋檸檬小龍蝦，佐著一瓶清涼的白酒。夜晚依然溫暖，兩扇落地窗都開著。女人家談論著北非，因為諾愛爾似乎去過那裡至少一次。

「……計程車不跳錶，司機說多少就付多少……還有氣候宜人！」諾愛爾幾近狂喜地高舉雙手，然後拿起她的白色餐巾擦手指尖。「微風！天氣不熱，因為一整天都持續吹著舒服到極點的微風……哦，對！法語！誰會說阿拉伯文啊？」她大笑，「法語沒問題的——到處都通。」

接下來她又說了些小祕訣。喝礦泉水，塑膠瓶裝叫西狄牌什麼的。萬一腸子出了問題，買一種叫溫痢寶（Imodium）的藥丸。

「買一些抗生素帶回來，不需要處方。」諾愛爾興高采烈地說，「例如，露比塔心（Rubitracine），超便宜！而且有五年的保存期限！我知道，因為……」

這些資訊赫綠思照單全收。她的確喜愛新地方，湯姆暗忖，她的家人竟然從未帶她到這個前法國保護地去，不過皮里松夫婦似乎一向比較喜歡在歐洲度假。

「那個普力克夫婦，湯姆！他們人怎麼樣啊？」赫綠思問。

「溥立徹夫婦，親愛的。大衛和——珍妮絲。嗯——」湯姆瞥了諾愛爾一眼，諾愛爾只是因為禮貌而注意聽。「很典型的美國人，」湯姆繼續說，「他在楓丹白露的歐洲商學院學行銷。她呢，我就不知道她做些什麼來打發時間。他們的家具真糟糕。」

諾愛爾大笑：「怎麼說呢？」

「鄉村風。超市買來的，重得不得了。」湯姆抖了一下。「而且，我也不怎麼喜歡溥立徹夫婦。」湯姆溫和地一語帶過，並笑了笑。

「他們有小孩嗎？」赫綠思問。

「沒有。我想他們不是我們喜歡的類型，我親愛的赫綠思。所以我很高興我去了而你不必去活受罪。」湯姆說著哈哈大笑了起來，並伸手拿酒瓶替每個人倒了點酒。

用過晚餐後，他們用法語玩拼字遊戲。湯姆正需要這類遊戲來放鬆心情。他已經開始因為平庸的大衛・溥立徹而心神不寧，不斷納悶他有什麼目的，傑夫剛才也這麼說過。

到了午夜，湯姆上樓回到他的房間，準備帶著《世界報》和《論壇報》週末版上床。

不久之後，湯姆的電話在黑暗中響起，吵醒了他。湯姆立刻想起他之前已叫赫綠思將她房間的電話線拔掉，以防深夜有他的電話，此刻他很高興他那麼做。赫綠思和諾愛爾聊到很晚。

「喂？」湯姆說。

「嗨，湯姆！我是艾德・班伯瑞。抱歉這麼晚打給你，可是我幾分鐘前回到家的時候收到傑夫的一通留言，我猜事情相當重要。」艾德柔和精確的措詞聽來比以往精確。「一個叫溥立徹的人？」

「沒錯，還有他太太。他們——他們在我的村莊租了一棟房子，而且他們宣稱見過辛西雅・葛瑞諾。這件事你清楚嗎？」

「不清楚，」艾德說，「可是我聽說過這個人，尼克——尼克・霍爾是我們畫廊新來的經理，他跟我說過有個美國人到畫廊來問——問莫奇森的事。」

「莫奇森！」湯姆輕柔地覆述道。

「是的，真令人驚訝。尼克——他到我們畫廊工作不滿一年，根本不知道有個叫莫奇森的人失蹤這回事。」

艾德・班伯瑞說得彷彿莫奇森就像單純的失蹤似的，然而他卻是死在湯姆手裡。「艾德，請問溥立徹當時有沒有說過或者問起和我有關的任何事？」

「這點我不知道。我向尼克打探，當然不想讓他因此起疑心！」語畢，艾德放聲大笑，回復以往口氣。

「尼克有提到辛西雅嗎？——例如，溥立徹和她談過話嗎？」

「沒有。這件事傑夫告訴我了。尼克不會認識辛西雅的。」

湯姆知道艾德一向和辛西雅很熟。「我在想溥立徹是怎麼和辛西雅碰面的——或者他是否真的和她見過面。」

「可是這個溥立徹在搞什麼呢？」艾德問。

「他在挖我的過去，真該死，」湯姆答道，「我希望他在黑暗中淹死——不管怎麼淹死都好。」

艾德笑了一聲。「他有提到貝納德嗎？」

「沒有，謝天謝地。而且他也沒提到莫奇森——沒對我提。我和溥立徹喝了一杯，僅止於此。溥立徹是個愛戲弄人的人（tease），他是個蠢蛋（prick）。*」

他們兩人因此笑了一陣。

「嘿，」湯姆說，「請問一下，這個尼克知道貝納德等等的事情嗎？」

「我想他不知道。他有可能知道，但是假如是這樣的話，他選擇將懷疑往肚裡吞。」

「懷疑？艾德，他可能會勒索我們。要不就是尼克・霍爾不懷疑——要不他就是和我們同一陣線。一定得這樣。」

艾德嘆了口氣。「我沒有理由懷疑他，湯姆——我們有共同認識的朋友。尼克是個失敗的作曲家，現在仍在嘗試作曲。他需要一份工作，也在我們這裡找到了一份工作。他不懂也不太在乎畫作，這點毫無疑問，他在畫廊只握有售價之類的一些基本資料，如果有人真的有興趣買東西的話，他就會打電話給傑夫或是給我。」

「尼克年紀多大？」

「三十歲左右。布萊頓人，他老家在那裡。」

* 譯注：此處湯姆使用雙關語，暗指溥立徹為prick-tease——激起男子性慾而不與其性交的女子。

「我不希望你問尼克和辛西雅有關的任何事，」湯姆脫口而出，「但是我很擔心她可能說了些什麼。她知道所有的事情，艾德。」湯姆悄聲說道。「她若是洩漏一個字，幾個字——」

「她不是那種人。我發誓，我想她覺得若是她洩漏祕密，對貝納德將是一種傷害。她尊重他的回憶——就某種程度來說。」

「你偶爾會見到她嗎？」

「不會。她從來不到畫廊來。」

「你知不知道她結婚了沒？」

「不知道，」艾德說，「我可以查一下電話簿，看看她現在是不是還登記在葛瑞諾名下。」

「嗯，好啊，有何不可呢？我好像記得她住在貝斯瓦特，但我從來不知道她的地址。假如你突然想到溥立徹是怎麼可能遇到她的，假如他真的遇到過她的話，告訴我，艾德。也許事關重大。」

艾德・班伯瑞答應說他會這麼做。

「哦，你的電話幾號，艾德？」湯姆寫下電話號碼及艾德在柯芬園地區的新家地址。

他們互道祝福，就此打住。

湯姆回到床上睡覺，但在那之前他先在走廊聆聽了一會，又查看一下是否有哪扇門底下露出一道燈光（他沒發現任何燈光），以便得知剛剛那通電話是否吵到任何人。

莫奇森，天啊！莫奇森在維勒佩斯湯姆家過夜之後從此失去音訊。他的行李在奧利機場被發現，事情就是這樣。莫奇森大概——不，絕對——沒登上他應該搭的那班飛機。莫奇森所剩的東西都沉下一條叫盧萬的河或者另外一條運河裡去了。巴克馬斯特畫廊那兩個小子，傑夫和艾德，幾乎不過問。懷疑德瓦特畫作是贗品的莫奇森就此從人間蒸發，於是湯姆一干人都得救了。當然湯姆的名字曾出現在報紙上，但為時短暫，因為湯姆說他開車送莫奇森至奧利機場的故事令人信服。

那又是一樁他既後悔、也不願做或犯下的殺人罪行，不像他勒死黑手黨份子那樁罪行讓他感到痛快與心滿意足。貝納德・塔夫茲曾協助他將莫奇森的屍體從麗影後面挖出來，在那之前幾天湯姆親手將莫奇森埋在那裡，埋得很淺，墳墓不夠深也不夠安全。湯姆記得，他和貝納德在夜深人靜的時候將用防水布或某種帆布裹著的屍體以旅行車載至盧萬河上一座橋，兩人當場不怎麼費力地便將身上壓著石頭的莫奇森甩過護欄丟下河。那段時間貝納德像個士兵般服從湯姆的命令，因為那時他置身在不同事件有著不同榮譽標準的環境中，就像個獨行俠：貝納德的良心讓他無法承受多年來刻意模仿他的偶像德瓦特，創作六十至七十幅油畫或數不清的素描所帶來的罪惡感重擔。

莫奇森案調查期間，倫敦或美國（莫奇森是美國人）的報紙可曾提過辛西雅・葛瑞諾？湯姆不認為有。報上絕對未將貝納德・塔夫茲扯進莫奇森失蹤案。湯姆記得，莫奇森和泰德畫廊的一名男性工作人員相約要討論他認為德瓦特作品是假畫的理論。他先到巴克馬斯特畫廊和兩名老闆——艾德・班伯瑞與傑夫・康斯坦談話，事後傑夫很快就警告湯姆。湯姆立刻飛往倫敦試圖扭轉局勢，藉著假扮成德瓦特本人並驗證幾幅油畫真偽，成功地化險為夷。後來莫奇森為了要看湯姆的兩幅德瓦特作品而到湯姆麗影府上拜訪。據莫奇森在美國的妻子表示，湯姆是莫奇森失蹤前最後一個和他見面的人。莫奇森到巴黎及維勒佩斯湯姆家之前，一定在倫敦和他太太通過電話。

湯姆以為他當天晚上一定噩夢連連，夢到莫奇森倒臥在酒窖的一片血泊酒漬中，或夢到貝納德・塔夫茲穿著一雙破沙漠靴腳步沉重的走到薩爾斯堡的一個懸崖邊，從此消失無蹤。可是他沒做噩夢。夢與潛意識就是如此怪誕又不合邏輯，湯姆一夜好眠，隔天早上醒來備感神清氣爽，心曠神怡。

5

湯姆沖了澡，刮了鬍子，打扮整齊，八點半剛過就下樓。早上陽光燦爛，但還不熱，和煦的微風吹得樺樹葉輕輕搖曳。安奈特太太當然早就起床待在廚房，開著她那台「住」在麵包箱旁的手提小收音機聽新聞和法國電台多得是的聊天兼流行音樂節目。

「早安，安奈特太太！」湯姆說。「我在想——因為哈斯樂小姐可能今天早上離開，我們可以吃一頓豐盛的早餐。coddled eggs*？」最後兩個字他用英文說。他在字典裡找得到「coddle」（嬌生慣養）的法文，可是和蛋無關。「妳記得我不知道該怎麼翻這個詞吧？放在小瓷杯煮的那種蛋。我知道小瓷杯在哪裡。」湯姆從餐具櫃取出小瓷杯，櫃子內一共有一套六個瓷杯。

「啊，是的，湯姆先生！我記得。四分鐘。」

「至少四分鐘。可是我得先問問女士們要不要吃。好，我的咖啡。求之不得！」湯姆花了幾秒鐘等待安奈特太太將她長備的一壺熱水倒進他的滴濾式咖啡機，然後他將滴濾式咖啡機放在托盤上端進客廳。

＊譯注：卡多蛋，將整顆生雞蛋放進將沸未沸的熱水裡浸泡數分鐘而成的半生不熟的蛋，也可將蛋打在抹了奶油的容器內放入鍋子隔水浸泡，生蛋內可依各人不同口味加入其他材料。

麼。

湯姆喜歡站著喝咖啡，同時凝望後院草坪。他這時可以胡思亂想，也可以思索花園需要些什

幾分鐘之後，湯姆走出戶外到他的香草園去摘了一些荷蘭芹，以備吃卡多蛋的提議通過之後用。卡多蛋的做法是將切碎的荷蘭芹，加上奶油、鹽和胡椒丟進放了生蛋的小瓷杯，然後扭緊瓷杯蓋放入熱水中。

「哈囉，湯姆！你已經在工作啦？早安！」說話的是諾愛爾，穿著黑色棉質休閒褲，涼鞋，和一件紫色襯衫。湯姆知道她的英文不錯，但是她幾乎都和他說法語。

「早！非常辛苦的工作呢。」湯姆將他那把荷蘭芹呈給她。「妳要不要嚐嚐看？」

諾愛爾取了一支開始一口一口慢慢地咬。她已經畫好了淡藍色眼影和淺色唇膏。「啊，好好吃哦！」她繼續以法語說，「赫綠思和我昨天晚上晚餐後有聊到，我可能會和你們去坦吉爾玩，假如我能把巴黎的一些事情處理好的話。你們兩個下週五去，我說不定週六可以出發。也就是說，假如沒打擾到你的話，也許只去五天——」

「真是個驚喜！」湯姆答道，「妳認識這個國家，我認為這個想法很棒。」湯姆這話當真。

女士們的確想吃卡多蛋，一人一個，歡樂的早餐需要更多的吐司、茶和咖啡。他們才剛吃完，安奈特太太便從廚房過來宣布一件事情。

「湯姆先生，我想我應該告訴你，對面有個男人在拍麗影的照片。」她帶著敬意說出「麗影」兩個字。

湯姆站了起來。「對不起，」他對赫綠思和諾愛爾說。湯姆懷疑來者可能是「某人」。「謝謝妳，安奈特太太。」

他走到廚房窗前去一探究竟。沒錯，壯碩的大衛・溥立徹正在拍照，他正從屋子對面那棵湯姆喜愛的傾斜大樹陰影下走進陽光中，相機舉到眼睛高度。

「也許他認為這棟房子很漂亮，」湯姆以比實際感覺冷靜得多的語氣對安奈特太太說。倘若他家有來福槍，他很樂意射殺大衛・溥立徹，當然前提是他能脫罪。湯姆聳了下肩膀。「若是你注意到他出現在我們家草坪的話，」湯姆笑著附帶一句，「那就另當別論，要告訴我。」

「湯姆先生——他可能是觀光客，但是我認為他住在維勒佩斯。我想他是那個和他太太一起在那裡租了一棟房子的那個美國人。」安奈特太太用手指著右邊方向。

消息在小鎮傳得真快啊，湯姆心想，大部分的清潔婦都沒有車，只有窗戶和電話。「真的啊，」湯姆說，同時立刻覺得內疚，因為安奈特太太可能知道，或不久就會知道他昨天傍晚去了這同一個美國人的家裡喝餐前酒。「八成無關緊要。」他邊說邊走向客廳。

他發現赫綠思和他們的客人站在客廳面向馬路的窗前向外望，諾愛爾稍微掀開長窗簾，微微笑著和赫綠思說了些什麼。湯姆這時離廚房夠遠，安奈特太太聽不見他們說話，但是他在開口前依然回頭瞥了一眼。「對了，是那個美國人，」他輕聲地用法語說，「大衛・溥立徹。」

「你剛剛去哪裡了，親愛的？」赫綠思急轉過來面對著他，「他幹嘛拍我們？」

的確，大衛・溥立徹並未收手，他已經越過馬路到這條名巷起頭那塊三不管地帶去了。那附近有樹及灌木叢，溥立徹從巷子那裡無法看清楚這棟房子。

「我不知道，親愛的，不過他是那種喜愛惹惱別人的人。他會很高興看到我出去顯露不悅的臉色，這正是為什麼我寧願悶不吭聲的原因。」他俏皮地瞄了諾愛爾一眼，然後走回飯廳，飯廳桌上擺著他的香菸。

「我想他看見我們了——看見我們向外望，」赫綠思用英語說道。

「很好，」正在享受一天第一根菸的湯姆答道，「其實，他只不過是要我出去問他為什麼要拍照。」

「真是個怪人！」諾愛爾說。

「的確是。」湯姆回答。

「他昨天傍晚沒說他要拍你們家的照片？」諾愛爾繼續說道。

湯姆搖頭。「沒有。我們忘了他吧。我已經要求安奈特太太若是他踏上——我們家土地，就通知我。」

他們的確換了話題——去北非國家用旅行支票或威士卡好。湯姆說他比較喜歡兩種都用。

「兩種都用？」諾愛爾問。

「例如，有些飯店不收威士卡，只收美國運通卡，」湯姆說，「但是——旅行支票永遠行得通。」他所在的位置靠近向陽台的落地窗，他便趁機左右掃視草坪，先往左看那條巷子，再往右瞧角落那間寧靜的溫室。湯姆看見赫綠思注意到他的憂慮。湯姆懷疑，溥立徹把車停在哪裡。或者珍妮絲載他過來，她會飛馳過來接他嗎？

女士們查了一下開往巴黎的火車時刻表。赫綠思希望送諾愛爾到莫黑去，那裡有火車直達里昂車站。湯姆表示他願意送諾愛爾，但赫綠思似乎希望自己送她朋友一程。諾愛爾的過夜用行李箱超小，而且已經整理好，她一下就提著它下樓來。

「謝謝你，湯姆！」諾愛爾說，「那麼看來我們似乎比平常更快就再見面——只還有六天！」她大笑。

「希望是。一定很好玩。」湯姆想幫她提行李，可是諾愛爾不讓他提。

湯姆陪著她們出去，並目送紅色賓士左轉往村莊方向駛去。接著他看見一輛白色汽車從左方減速接近，同時一個人影從灌木叢中走出來到馬路上——穿著皺巴巴的褐色薄外套和深色長褲的溥立徹。他上了那輛白色汽車。湯姆走到麗影大門一邊比波茨坦衛兵還高的樹籬後面，觀察動靜。

自信滿滿的溥立徹夫婦緩緩駛過，大衛對著興奮的珍妮絲咧著嘴笑，珍妮絲看著他卻沒看路。溥立徹瞥了一眼麗影敞開的大門，湯姆差一點希望他有膽命令珍妮絲停車，倒車開進來——湯姆想痛揍他們兩個一頓——但是顯然溥立徹並未下此命令，因為車子慢慢駛去。湯姆注意到這輛白色標緻有巴黎的車牌。

如今莫奇森還剩下什麼，湯姆很懷疑。經年累月緩慢平穩的水流早就如肉食性的魚或猶有過之地消蝕了莫奇森。湯姆不確定盧萬河是否有對肉有興趣的魚類，當然除非有鰻魚，湯姆聽說

——他抑止了噁心的想法。他不願想像。湯姆記得，有兩枚戒指他決定保留在死者的手指上。石頭也許會將屍體卡在原處；頭顱會從頸骨上鬆落，逕自滾到某處，因而消除牙齒鑑定的疑慮嗎？防水布或帆布一定早就爛了。

別再想了！湯姆告訴自己，並抬起頭。變態的溥立徹夫婦離去已一陣子，他這時才回到未上鎖的家門口。

安奈特太太已經將早餐桌收拾乾淨，這時大概在廚房做些雜活，例如檢查白胡椒與黑胡椒是否需要補充。或者她甚至可能待在她房間替自己或某個朋友（她有一台電動縫紉機）縫紉，或者寫信給她在里昂的姊姊瑪麗奧蒂。週日就是週日，發揮了其影響，湯姆察覺到也對他產生了影響：一到週日就是不想和平時一樣辛苦工作。週一是安奈特太太的正式休假日。

湯姆凝視著有著黑色與米色鍵盤的米色大鍵琴。他們的音樂老師羅傑・樂波堤每週二下午來給他們兩個上課。湯姆目前正練習彈古老的英國敘事民謠，他喜歡史卡拉第勝過英國敘事民謠，可是敘事民謠比較有個人風格，也比較溫暖，當然也是變換口味。他喜歡聽，或偷聽（赫綠思不喜歡別人專心聽她彈琴）赫綠思認真彈舒伯特。她的天真，她的善意，聽在湯姆耳裡似乎將這位音樂大師那廣為人知的曲調帶入了一個全新的領域。讓湯姆更加喜愛欣賞她彈舒伯特的原因是樂波堤先生長得很像年輕時的舒伯特——舒伯特當然一直都很年輕，湯姆明白。樂波堤先生不到四十歲，有點柔弱矮胖，像舒伯特一樣戴著一副無框眼鏡，未婚，和他母親同住，如同園丁巨人恩立一樣。這兩人的差別可真大啊！

別再作夢了，湯姆告訴自己。溥立徹今天早上拍照的用意是什麼？照片或底片會送去中情局這個湯姆記憶中約翰·甘迺迪曾說過想親眼見他們被吊死、開腸破肚然後分屍的組織嗎？或者大衛和珍妮絲會仔細研究這些照片——這其中也許有一些會被放大，然後有說有笑的聊起入侵顯然沒有人或狗看守的雷普利堡壘？溥立徹夫婦喋喋不休說的是想像或實際計畫？

他們到底哪裡看他不順眼，又為了什麼？他們和莫奇森有什麼關係，或者莫奇森和他們有什麼關係？他們有關係嗎？湯姆無法相信。莫奇森受過相當良好的教育，比溥立徹夫婦高一等。湯姆也曾和他太太見過面，他丈夫失蹤後她曾到麗影來和湯姆會面，兩人聊了大約一小時。湯姆記得她是個修養很好的女人。

他們是有特殊收藏癖好的收藏家嗎？溥立徹夫婦並未要求他的簽名。他們會趁他不在家的時候破壞麗影嗎？湯姆考慮是否該報警，向警方說他看到一個可能是闖空門的小偷的男人，而且因為雷普利夫婦要出門一陣子——

赫綠思回來時湯姆仍然在考慮。

赫綠思心情很好。「親愛的，你怎麼沒請那個人——拍照的——進來？普力卡——」

「溥立徹，親愛的。」

「溥立徹。你去過他家。出了什麼事？」

「他其實不友善，赫綠思。」一直站在通往草坪的落地窗前的湯姆，雙腳稍微分開，他刻意放鬆。「一個無聊的小探子，」湯姆更加鎮定地繼續說，「包打聽——他正是這樣的人。」

「他幹嘛四處打探？」

「我不知道，達令。我知道——我們必須保持距離——不要理他。也不要理他太太。」

翌晨，週一，湯姆趁赫綠思在浴室時撥了通電話到楓丹白露那家溥立徹說他修行銷學的教育機構。湯姆花了一段時間講這通電話，首先表示想和行銷研究部門的人說話。湯姆本來打算說法語，但接電話的女子說英語，而且一點口音也沒有。

待湯姆找到他要找的人時，他便詢問對方大衛・溥立徹此刻是否在大樓內，或者他是否可以留言。「行銷學，我想，」湯姆說。湯姆說他找到一棟溥立徹先生可能有興趣租的房子，事關重大，所以他要通知溥立徹先生。湯姆聽得出來歐洲商學院的那名男子相信他說的話，因為找房子是常見的事。男子回到電話線上時告訴湯姆他們的註冊名單上沒有大衛・溥立徹這個人，行銷或任何部門都沒有。

「那麼我一定是哪裡弄錯了，」湯姆說，「謝謝您，麻煩您了。」

湯姆到花園蹓躂。當然他早就知道那個大衛・溥立徹——倘若那是他的真實姓名——玩了一場說謊遊戲。

再來是辛西雅。辛西雅・葛瑞諾，那個謎。湯姆倏地彎腰從他的草坪上摘了一朵閃亮又纖細的金鳳花。溥立徹如何得知她姓名的？

湯姆吸了口氣，然後轉身走回屋內。他決定唯一的辦法就是請艾德或傑夫打電話給辛西雅，直接問她是否認識溥立徹。湯姆可以打這通電話，可是他強烈懷疑辛西雅會掛他電話，或者故意不幫忙，無論他需要什麼，她討厭他更勝討厭其他人。

湯姆剛走進客廳，前門門鈴正好響起，蜂鳴聲，響了兩次。湯姆抬頭挺胸，握緊又鬆開他的拳頭。門上有個窺孔，湯姆透過這個窺孔向外看，他看見一個戴藍色棒球帽的男人。

「誰呀？」

「快捷，先生。寄給雷普利先生的。」

湯姆開了門。「我是，謝謝您。」

郵差遞給湯姆一個結實的小牛皮紙信封，然後面無表情地敬了禮後離去。他一定是從楓丹白露或莫黑來的，湯姆暗忖，也許透過酒吧咖啡店得知湯姆家的地理位置。這是漢堡的瑞夫斯・米諾寄來的神祕物件，瑞夫斯的姓名和地址都寫在信封左上角。湯姆在信封內發現一個白色小盒，這盒子裡裝著一個看起來像裝在透明盒裡的迷你打字機色帶。另外還有一個白色信封，信封上瑞夫斯寫著「湯姆」。湯姆打開了信。

哈囉，湯姆：

就是這樣東西。請在五天之內將它寄給喬治・沙迪，紐約州皮克斯基市坦波街三〇七號，郵遞區號一〇五六九，可是不要寄掛號，信封上標明錄音帶或打字機色帶。請寄航空郵件。

祝萬事如意，一如往常。

R.M.

湯姆將透明盒子放回白色盒子中時心想，不曉得這盒子裡面裝的是什麼。某種國際機密？金融交易？販毒所得洗錢紀錄？或者是令人反感的私人勒索物件，兩人的對話錄音，趁聲音的主人以為只有他們兩人獨處時錄下的？湯姆很高興自己對這捲帶子毫不知情。做這種工作他並未收取酬勞，也不希望別人付他酬勞，而且倘若瑞夫斯要付他酬勞或甚至危險工作津貼，他也不接受。

湯姆決定先打電話給傑夫・康斯坦，請他——甚至堅決要求他查出大衛・溥立徹如何得知辛西雅・葛瑞諾的姓名。還有辛西雅的近況——結婚了嗎？在倫敦工作嗎？湯姆思忖，艾德與傑夫輕而易舉就能高枕無憂。他，湯姆・雷普利，已經替他們所有人除掉湯瑪斯・莫奇森，而如今湯姆和他家上空卻有一隻化身為溥立徹的禿鷹盤旋。

赫綠思已經從浴室出來，而且此刻在她位於樓上的房間，這點湯姆確定，但他仍然偏好在他自己房間關起門來打這通電話。他一步跨越兩級階梯快跑上樓。湯姆查了位在聖約翰伍德的電話號碼並撥電話，預期會聽到答錄機的聲音。

電話那端傳來奇怪的聲音，一名男子接起電話說康斯坦先生現在很忙，並問湯姆是否要留言？康斯坦先生正在一個指定的地點拍某人的照片。

「你可不可以告訴康斯坦先生說湯姆在線上，想要和他只說一會兒的話？」

不到三十秒，傑夫便在線上。湯姆說，「傑夫。不好意思，可是這件事有點急。你可不可以和艾德再費點心思查出這個大衛‧溥立徹是怎麼得到辛西雅‧葛瑞諾的姓名？這件事很重要。還有——辛西雅和他見過面嗎？溥立徹是個噁心的騙子，我從來沒見過這種騙子。我前天晚上和艾德通過電話。他有打給你嗎？」

「有，今天早上九點前打來的。」

「很好。我的消息——溥立徹昨天早上站在我家外面的路上拍我家。這件事你覺得如何？」

「拍照！他是警察嗎？」

「我正在想辦法查出來，我必須查出來。再過幾天我要和我太太去度假，我希望你了解為什麼我考慮到我家的安全。邀請辛西雅喝一杯或吃午餐，或不管做什麼，來得到我們要的訊息，可能是個好主意。」

「那不會——」

「我知道不是很容易，」湯姆說，「可是值得一試。這和你的一大筆收入一樣值得，還有艾德的也是。」湯姆不想在電話上提到這也可能預防傑夫與艾德被控詐欺，還有他自己被控一級謀殺。

「我會試試看，」傑夫說。

「再回頭來談談溥立徹：年約三十五歲的美國人，黑色直髮，六呎高左右，體格壯碩，戴一副黑框眼鏡，髮線退得快出現風流尖了。」

「我會記得。」

「如果因為某種原因艾德做這份工作可能比較得心應手的話——」但湯姆不知道這兩人誰比較得心應手。「我知道辛西雅很難相處，」湯姆語氣稍微和緩地繼續說道，「可是溥立徹在追查莫奇森的下落——或者至少提到他的名字。」

「我知道。」傑夫說。

「好吧，傑夫，你和艾德盡力讓我知道消息，我會在這裡待到禮拜五一大早。」

湯姆掛斷電話。

湯姆抓住半小時的時間練習大鍵琴，他心想，這次練得真是出奇地專心。二十分鐘或半小時的短暫練習，他會彈得比較好，也更進步，若是他敢用「進步」這個字眼的話。湯姆的目的不在臻於完美，甚至也不求達到適當水準。哈！什麼是適當水準？連彈給別人聽他都沒有過，也不願意，因此他中等程度的琴藝又和別人有什麼關係呢？對湯姆而言，練琴和跟著有舒伯特風格的羅傑・樂波提每週上一次課，是一種他愛上的訓練形式。

湯姆的腦海與手錶還差兩分鐘才到三十分鐘，電話響起。湯姆到玄關接起電話。

「喂，請幫我接雷普利先生——」

湯姆立刻聽出來是珍妮絲・溥立徹的聲音。赫綠思已經接起她房間的電話，於是湯姆說：「沒關係，親愛的，我想是我的電話。」他聽到赫綠思掛電話。

「我是珍妮絲・溥立徹，」聲音繼續說道，語氣緊張不安。「我想為昨天早上的事道歉。我先生偶爾會有這種荒謬無禮的想法——例如拍你家的照片！我確定你看到他，或者你太太看到。」

聽她說話，湯姆想起她在車上注視她丈夫時那副明顯贊同他的笑臉。「我想我太太有看到，」湯姆說，「這不是什麼嚴重的事，珍妮絲。不過他為什麼想要我們家的照片？」

「他不想要，」珍妮絲尖聲說道，「他只是想惹毛你——還有其他人。」

湯姆笑了起來，笑得困惑，同時壓抑他渴望衝口而出的話。「他覺得這樣好玩是吧？」

「沒錯。我不懂他。我告訴過他——」

湯姆打斷她虛情假意地捍衛她丈夫，「請問一下，珍妮絲，妳從哪裡得知我的電話號碼的？還是妳丈夫弄到的？」

「哦，很簡單啊。大衛問我們的水管工人。他是地方上的水管工人，他馬上就把你家電話號碼給我們了。我們家有點小問題，水管工人因此過來。」

一定是維克．賈侯那個堅持不懈清理頑強水塔的人，堵塞水管的打擊者。這種人有隱私的觀念嗎？「原來如此，」湯姆立刻怒火上升，但不知該如何應付賈侯，除了告訴他請他無論如何都別將湯姆的電話給任何人。他想，同樣的事也可能發生在加燃料用油——暖氣用油——的工人身上。這些人認為這個世界只繞著他們的行業打轉。「妳先生到底在做什麼？」湯姆問道，試著碰碰運氣。「也就是說——我簡直無法相信他在研究行銷。行銷他大概很懂呢！所以我覺得他是在開玩笑。」湯姆不打算跟珍妮絲說他在歐洲商學院查過了。

「哦——等一下——沒錯，我想我聽到車聲。大衛回來了。雷普利先生，我必須掛電話了。

再見！」她掛了電話。

唉！還得偷偷打電話給他呢！湯姆不禁微笑。她的目的呢？為了道歉！道歉對珍妮絲・溥立徹是更進一步的侮辱嗎？大衛真的進門了嗎？

湯姆大聲笑了起來。遊戲，遊戲啊！祕密和公開的遊戲。表面上公開，其實偷偷摸摸，神祕兮兮。但是當然從頭至尾祕密的遊戲關起門繼續進行，遊戲規則如此。相關人士只是玩家，玩著他們無法掌控的東西。哦，一定是。

他轉身盯著他此刻不想回去彈的大鍵琴，然後走出戶外來到離他最近的一簇大理花。他用折疊小刀只割下一朵他稱之為捲毛橙的種類，他的最愛，因為花瓣讓他想到梵谷的素描，想到亞爾勒附近的田野，想到用蠟筆或畫筆深情款款地細心描繪而成的葉子與花瓣。

湯姆走回屋裡去。他想著他正在練習並有希望進步的史卡拉第第三十八號作品，或者樂波堤先生所謂的D小調奏鳴曲。他喜歡（對他而言）這首曲子的主題，聽起來像是與困境抗鬥——然而卻很美。他不想太常練習這首曲子，以免曲子變得了無新意。

他也想到傑夫或艾德會打電話來告知辛西雅・葛瑞諾的事。知道即使傑夫想辦法和辛西雅談到話了，電話大概也不會在二十四小時內打來，想到這點湯姆就沮喪。

當天下午五點電話響起，湯姆抱著一線小小的希望，非常微小，希望是傑夫打來的，可卻不是。一聽就知道是艾格妮斯・葛瑞悅耳的聲音，她問湯姆與赫綠思當天晚上七點左右是否能去她家喝餐前小酌一番。「安東的週末假期延長，他明天一大早就離開，而且你們兩個很快就要出門。」

「謝謝，艾格妮斯。我去和赫綠思說，妳能不能等一下？」

赫綠思答應要去，於是湯姆回到線上告知艾格妮斯。

湯姆與赫綠思將近七點時離開麗影。湯姆開車時心想，溥立徹新租來的房子位於葛瑞家同一條路上，在葛瑞家後面。關於「承租人」，葛瑞夫婦注意到了什麼嗎？可能什麼也沒注意到。這個地區少不了的野生樹木——湯姆喜歡這些樹木——在屋宇之間的田野生長，偶爾會阻擋遠方房屋的燈光。

一如往常，湯姆發覺自己站著與安東聊天，雖然他之前已稍微發誓說這次不要聊得太深入。他和勤奮的右翼建築師安東沒什麼話題，反之赫綠思與艾格妮斯就具備女性的天份，一見面就聊起來，而且聊個不停，臉上的表情也很愉快，倘若有需要，她們可以聊上一整晚。

然而，安東這次沒談湧進巴黎要求住宅的外國人，反而聊起摩洛哥。「喔，差不多六歲的時候我父親帶我去過，我一直都記得。當然在那之後我又去了幾次。摩洛哥有種魅力，有種魔力。想想它以前是法國的領地，當年的郵政服務正常，電話服務，街道……」

湯姆聆聽。安東形容他父親對坦吉爾與卡薩布蘭加的愛時幾乎詩意了起來。

「是人民造就了這個國家，當然是。」安東說，「他們理所當然擁有他們的國家——可是從法國人的觀點來看，他們弄得亂七八糟。」

哦，是啊。那有什麼可說的呢？只有嘆氣的份。湯姆大膽地說：「換一個話題，」他搖動手上的琴湯尼，冰塊喀啦作響，「你們的鄰居安靜嗎？」他朝溥立徹家點了點頭。

「安靜？」安東噘起下唇。「既然你問了，」他咯咯笑道，「他們有兩次音樂都放得很大聲。很晚，大約午夜。午夜之後！流行音樂！」他說流行音樂的口氣彷彿午夜十二點過後有人播放流行音樂實在令人驚訝。「可是放的時間不長，只有半小時。」

這個時間長度很可疑，湯姆思忖，只有安東這種人會用錶計算這種現象持續多久。「你是說，你從這裡聽得到？」

「哦，聽得到啊。而且我們離他們將近半公里的距離！他們開得真的很大聲！」

湯姆笑了起來。「還有其他的抱怨嗎？他們還沒向你們借除草機吧？」

「沒有。」安東咕噥道，然後喝著他的金百利。

湯姆打算絕口不提溥立徹拍麗影照片的事。萬一說了，安東對湯姆隱約的懷疑會因此稍微強化，這是湯姆最不希望發生的事。全村的人都知道法國與英國警方在莫奇森失蹤之後立刻到麗影找湯姆談話。警方並未大肆招搖，沒開警車也沒鳴警笛，可是在一個小鎮，大小事每個人都知道，湯姆可承受不起這樣的事情再發生。來到葛瑞家之前他已事先警告赫綠思別提溥立徹拍照之事。

葛瑞家的一子一女從某處游完泳回來了，臉上掛著笑容，頭髮濕漉，赤足，但並未大聲喧嘩：葛瑞夫婦不准他們這麼做。愛德華和他姊姊道了聲「晚安」之後便朝廚房走去，艾格妮斯尾隨其後。

「莫黑一個朋友有一座游泳池，」安東向湯姆解釋。「對我們很好。他也有小孩，他送我們的小孩回來，我送他們過去。」安東又露出難得一見的微笑，營養充足的臉上出現了笑紋。

「你們什麼時候回來？」艾格妮斯問道，同時撥弄頭髮，她這問題是問湯姆與赫綠思。安東不知道到哪裡去了。

「或許三個禮拜後吧？沒確定。」赫綠思說。

「我又回來了，」安東從彎曲的樓梯下樓來，手上拿著一樣東西。「艾格妮斯親愛的，拿幾個小杯子來好嗎？湯姆，這是一份很好的地圖，舊了——可是你知道啊！」他的口氣暗示舊東西最好。

湯姆發現這是一份經常使用的摩洛哥路線圖，折了很多次，而且用透明膠帶修補。

「我會十分小心使用它的，」湯姆說。

「你應該要租車，絕對要租，開車到小地方看看。」語畢，安東便專心處理他裝在瓦瓶內的私藏荷蘭琴酒。

湯姆記得安東的工作室有一個小冰箱。

安東倒酒，然後將擺了四個小杯子的托盤先傳給女士。

「哇！」赫綠思客套地驚叫了起來，雖然她不喜歡琴酒。

「乾杯！」他們一同舉杯時安東說道。「祝你們旅途愉快，然後平安歸來！」

眾人一飲而盡。

荷蘭琴酒喝來特別順口，湯姆不得不承認，但安東表現得一副酒是他調出來的樣子，湯姆認識的安東從來不會請喝第二杯酒。湯姆察覺溥立徹夫婦尚未結識葛瑞夫婦，或許因為溥立徹不知道雷普利伉儷是葛瑞夫婦的老友。還有葛瑞家與溥立徹家之間那棟屋子呢？據湯姆所知，空了很多年，也許要出售；湯姆心想，無足輕重，毫不重要。

湯姆和赫綠思準備離開，承諾一定會寄明信片來，安東立刻警告他們摩洛哥的郵政很糟。湯姆想到瑞夫斯的帶子。

他們才剛進家門，電話便響起。

「我在等一通電話，親愛的，所以——」湯姆接起玄關的電話，萬一是傑夫打來而且談話內容變得複雜，他準備上樓到他房間接電話。

「親愛的，我想吃優格，我不喜歡那個琴酒，」赫綠思說道，並朝廚房方向走去。

「湯姆，我是艾德，」艾德・班伯瑞出聲說。「我聯絡上辛西雅了，傑夫和我——分工合作。我沒辦法約到她，可是我得知了幾件事。」

「是嗎？」

「好像是辛西雅前一陣子參加一場記者的派對，一個幾乎人人都可以進去站著的大派對，而且——這個溥立徹當時好像也在場。」

「等一下，艾德，我想我要換另外一支電話。別掛斷。」湯姆一路跳上樓到他房間拿起電話，然後再跑下樓掛上玄關的電話。赫綠思正在客廳開啟電視電源，沒理他。可湯姆不想在她的聽力範圍內提起辛西雅的名字，免得她想起辛西雅是她口中那個瘋子貝納德・塔夫茲的未婚妻。赫綠思在麗影這裡見到貝納德時，貝納德嚇了她一跳。「我回到線上了，」湯姆說，「你和辛西雅談過了。」

「透過電話談的，今天下午。派對上有一個辛西雅認識的男人走到她身邊告訴她有個美國人問他是否認識湯姆・雷普利，好像是突然問的。所以這個男人——」

「也是美國人嗎？」

「我不知道。總之，辛西雅要她朋友——這個男的——去跟這個美國人說要他查雷普利和莫奇森的關聯。事情就是這樣，湯姆。」

湯姆聽得糊里糊塗。「你不知道這個中間人的名字？辛西雅那個和溥立徹說話的朋友？」

「辛西雅沒透露，而我也不想——不想逼問。首先，我打電話給她的理由是什麼呢？說一個相當不善交際的美國人知道她姓名？我沒說是你告訴我這件事的。我突然就聊起這件事來！我必須那樣假裝。湯姆，我想我們至少知道了一些事情。」

沒錯，湯姆心想。「可是辛西雅從來沒見過溥立徹嗎？那天晚上？」

「我想沒有。」

「那個中間人一定對溥立徹說『我去問我的朋友辛西雅・葛瑞諾有關雷普利的事。』」溥立徹當場將她的姓名聽得一清二楚，而且這也不是常見的名字。」湯姆暗忖，也許辛西雅費心透過她的中間人將她的姓名當成名片一樣說出去，心想倘若事情傳到雷普利這裡，或許能引起雷普利對上帝的恐懼。

「你還在嗎，湯姆？」

「在啊。朋友，辛西雅對我們沒好處，溥立徹也沒有，可是他簡直是瘋了。」

「瘋了？」

「某種精神病患，別問我哪一種。」湯姆深吸了一口氣。「艾德，謝謝你，麻煩你了。也跟傑夫說聲謝謝。」

他們互掛電話，湯姆顫抖了一會兒。辛西雅對莫奇森的失蹤有所懷疑，這點很明確，而且她有勇氣冒險插手管這件事。她應該知道倘若有誰是湯姆計畫除掉的人，那一定是她本人，因為偽造畫作的事情她一清二楚，很可能連貝納德‧塔夫茲第一幅偽造的畫（連湯姆都不確定）和其日期都清清楚楚。

湯姆在想，溥立徹可能是在看報紙上雷普利的檔案新聞時無意中看到莫奇森這個名字。據湯姆所知，湯姆的名字只出現在美國報紙上一天。安奈特太太看見湯姆在該送莫奇森前往奧利機場搭機的時刻提著莫奇森的行李箱到他的（湯姆的）車上，因而誤打誤撞地告訴警方說她看見雷普利先生和莫奇森先生提著行李出門走到雷普利先生的車。這就是暗示的力量，表演的力量，湯姆暗想。當時莫奇森在湯姆的地窖內被舊帆布草草裹著，而且湯姆非常害怕安奈特太太會在他能處理屍體之前下到地窖去拿葡萄酒。

辛西雅抖出莫奇森的姓名，可能讓溥立徹夫婦又多了一個熱中的新對象。湯姆毫不懷疑辛西雅知道莫奇森拜訪湯姆之後就「失蹤」。湯姆記得這件事上了英國的報紙，即使新聞篇幅很小。莫奇森堅信德瓦特所有近期作品都是偽造的。彷彿莫奇森的看法不夠強而有力，貝納德・塔夫茲經由在倫敦莫奇森下榻的飯店當面告訴莫奇森「別買任何德瓦特的畫作」加強了這項看法。莫奇森跟湯姆說貝納德沒透露他的姓名。當時正在跟蹤莫奇森的湯姆本人，心懷恐懼親眼看見他和貝納德面對面，這種恐懼湯姆至今仍然感覺得到：湯姆知道貝納德在說什麼。

湯姆時常懷疑貝納德・塔夫茲後來是否到辛西雅身邊，試圖贏回她的芳心，因為他已誓言不再畫任何假畫。但倘若貝納德真這麼做，辛西雅並未重新接納他。

6

湯姆想過珍妮絲・溥立徹可能會再次設法「聯絡」（她可能會用這個說詞）他，週二下午她果然這麼做。下午兩點半，麗影的電話響起。湯姆隱約聽到電話鈴聲，當時他人在靠近屋子的一座玫瑰花床除草。赫綠思接起電話，幾秒鐘後來到敞開的落地窗前大喊：「湯姆！電話！」

「謝謝，甜心。」他放下鋤頭。「誰打來的？」

「普力卡的太太。」

「啊哈！是溥立徹，親愛的。」惱怒但好奇的湯姆在玄關接起電話。這次他無法上樓聽電話，因為要上樓勢必一定得對赫綠思說明理由。「喂？」

「嗨，雷普利先生！我很高興你在家。我在想——你可能覺得我這樣很唐突——我很想和你當面說幾句話。」

「喔？」

「我有車。我差不多到下午五點以前都有空。我能——」

湯姆不希望她到他家來，也不想到那間天花板閃爍的屋子裡去。他們約定三點十五分在楓丹白露方尖碑（湯姆的提議）附近一家叫「Le Sport」的工人階級咖啡吧，或東北轉角類似的咖啡吧見面。樂波堤先生四點半要來給湯姆與赫綠思上音樂課，但湯姆沒對珍妮絲提起這件事。

赫綠思眼裡帶著一絲興趣看著他，通常他的電話很少引起她興趣。

「沒錯，偏偏是她打來的。」湯姆討厭這麼說，但繼續說道，「她想見我。我可能會得知一些事情，所以我就答應了，今天下午。」

「得知一些事情？」

「我不喜歡她丈夫。他們兩個我都不喜歡，親愛的，可是——若是我得知一些事情，這對我有幫助。」

「他們問你奇怪的問題嗎？」

湯姆淡淡地笑了笑，感激赫綠思了解他們共同的問題，其實主要是他的問題。

「沒問太多。別擔心，他們戲弄人，兩人都是。」湯姆以比較愉快的口氣說，「我回來後再跟妳一五一十的報告，我會趕上樂波堤先生的課。」

數分鐘後湯姆出門，在方尖碑附近找到一個停車位，他不確定是否會被開違規停車罰單，可是他不在意。

珍妮絲・濤立徹已經到了，正不安地站在吧檯邊。「雷普利先生。」她對湯姆報以熱情的微笑。

湯姆點頭，但不理會她伸出來的手。「午安。我們不能找位置坐下來嗎？」

他們坐了下來，湯姆替珍妮絲點了茶，替他自己點了義式濃縮咖啡。

「妳先生今天好嗎？」湯姆開心地笑著問道，預期珍妮絲會說她先生在楓丹白露的歐洲商學院，她若是真的這麼說，湯姆就準備請她更明確說明她丈夫在研究些什麼。

「他今天下午去按摩，」珍妮絲．溥立徹甩了一下頭說，「在楓丹白露。我四點半要接他。」

「按摩？他背痛嗎？」湯姆很討厭「按摩」這個詞；按摩讓他聯想到色情理容院，雖然他知道有正派的按摩院存在。

「不是。」珍妮絲一臉痛苦。她瞪著桌面，再盯著湯姆。「他就是喜歡按摩。隨處按摩，到處按摩，總之，每個禮拜兩次。」

湯姆嚥了口水，痛恨這段對話。客人大喊「來杯力加茴香酒！」的聲音和玩電子遊戲的勝利歡呼都比珍妮絲談她的怪咖丈夫更令人愉快。

「我是說——即使我們人在巴黎，他都有辦法立刻找到一家按摩院。」

「怪了，」湯姆喃喃說道，「那他對我有什麼不滿？」

「對你不滿？」珍妮絲說道，一臉訝異。「唉呀，沒有啊。他尊敬你。」她直盯著湯姆。

湯姆早料到她會這麼說。「他為什麼明明不在歐洲商學院唸書，卻說他在那兒唸？」

「哦——你知道那件事？」這時珍妮絲的眼神平穩多了，愉悅，淘氣。

「不，」湯姆說，「我根本不確定。我只是不相信妳丈夫說的一字一句。」

珍妮絲咯咯大笑，顯得異常高興。

湯姆並未跟著笑，因為他不想笑。他看著珍妮絲用大拇指搓著右手腕，彷彿不知不覺地按摩。她穿著一件整潔的白襯衫和單調的藍色休閒褲，衣領下面戴著一條綠松石項鍊（不是真品，但很漂亮）。她搓著手腕的同時將袖口推了上來，湯姆這時發現她手腕上的瘀傷。湯姆發覺她左側頸項上的一個藍點也是瘀傷，她想要他看她的瘀傷嗎？「嗯，」湯姆終於開口說，「如果他沒在歐洲商學院唸書——」

「他喜歡說奇特的故事，」珍妮絲說道，眼睛向下盯著玻璃菸灰缸，菸灰缸內擺了之前顧客留下來的三根菸蒂，其中一根加了濾嘴。

湯姆會心一笑，盡力讓笑容看來真心誠意。「但是妳當然依然愛他。」他發現珍妮絲皺起眉頭，表情猶豫。湯姆覺得她在假扮不幸或幾近不幸的少女，同時喜歡他讓她盡情發揮。

「他需要我。我不確定他——我是說，我不確定我愛他。」她抬眼瞧著湯姆。

哦，天啊，說得好像這件事很重要似的，湯姆暗忖。「請教妳一個非常美式的問題，他靠什麼維生？他的錢哪裡來的？」

珍妮絲頓時眉開眼笑。「哦，錢沒問題。他家人在華盛頓州做木材生意，他父親死後生意轉讓給別人，大衛和他弟弟分到一半所得。這些錢全都用來做某種投資，所以大衛的收入就從那裡來。」

她說「某種投資」，湯姆因此認為她完全不懂股票與債券。「從瑞士嗎？」

「不，不是。紐約一家銀行，他們全權處理。錢夠我們用，可是大衛老想要更多。」珍妮絲幾乎甜甜地笑了起來，像是在說一個吵著要另一塊蛋糕的小孩。「我想他父親對他不耐煩，在他二十二歲左右將他逐出家門，因為他不做事。即使在那個時候，大衛的零用錢也很多，可是他要更多。」

湯姆可以想像。得來容易的錢滋養了他生存的幻想元素，確保他得以繼續不切實際，同時冰箱和桌上的食物也不虞匱乏。

湯姆喝了一口咖啡。「妳為什麼想見我？」

「哦——」他的問題可能將她從夢中驚醒。她搖了搖頭，注視著湯姆。「為了告訴你他在和你玩遊戲。他想傷害你，他也想傷害我，可是你——現在引起他的興趣。」

「他怎麼能傷害我呢？」湯姆抽出他的吉普賽女郎香菸。

「哦，他懷疑你——懷疑你的一切。所以他只是想要你感覺很難—過。」她慢吞吞地把「難過」二字說了出來，彷彿這種傷害令人不悅，但只是場遊戲。

「他還沒成功。」湯姆將菸盒遞過去，她搖頭並從她自己的菸盒抽出一根菸。「例如，懷疑我什麼？」

「哦，我不告訴你。若是我告訴你，他會打我。」

「打妳？」

「哦，是的。他有時候會發脾氣。」

湯姆假裝有點震驚。「可是妳一定知道他到底對我有什麼不滿。一定不是私人恩怨，因為我幾天前才第一次見到他。」接著他放膽說，「他完全不知道我的事情。」

她瞇起眼睛，她那無力的微笑這時幾乎算不上微笑。「是不知道，他只是假裝知道。」湯姆不喜歡珍妮絲的程度和不喜歡她丈夫一樣，然而他努力不形於色。「他習慣到處打擾別人？」湯姆問道，一副被這想法逗樂似的。

珍妮絲再度發出孩子氣的咯咯笑聲，雖然她眼睛周圍的小皺紋顯示她至少三十五歲，她丈夫看來也相同歲數。「你可以那麼說。」她瞥了一眼湯姆隨即瞄向別處。

「在我之前他騷擾過誰？」

珍妮絲一語未發地看著骯髒的菸灰缸，彷彿它是水晶球，彷彿她在裡面瞥見往事的片段。她的眉毛甚至上揚——她現在是為了她自己的樂趣在扮演某個角色嗎？——這時湯姆首度看見她的右邊額頭有一道新月形的疤。某一天晚上飛舞的碟子造成的結果嗎？

「他想從打擾別人中獲得什麼？」湯姆輕聲細語問道，像是在一場降神會上問問題。

「哦，他從中作樂。」這下珍妮絲發自內心微笑。「美國有位歌手——兩位歌手！」她呵呵大笑補充道。「一個是流行樂歌手，另一個重要多了，是歌劇女高音。我忘了她的姓名，說不定這樣最好，哈－哈！挪威人，我想是。大衛——」珍妮絲又盯著菸灰缸。

「一個流行樂歌手？」湯姆催促著她說道。

「沒錯。大衛寫一些無禮的紙條給他。『你的人氣正下滑』或者『兩名刺客等著你』之類的。大衛想把他逐出演藝圈，讓他在表演時戰慄不安。我根本不確定這些信是否送到了這位歌手的手上，歌手都收到很多信，而且他相當受到兒童喜愛。我記得他的名字叫東尼，可是我想毒品讓他而不是——」珍妮絲又停頓，接著繼續說，「大衛就是喜歡看著別人頹喪——若是他可以讓他們頹喪。」

湯姆聚精會神地聽她說。「他收集這些人的檔案資料嗎？新聞剪報之類的？」

「不常收集，」珍妮絲若無其事地說道，同時瞄了湯姆一眼，然後她喝了幾口茶。「首先，他不希望和他們相關的事物在家裡出現，萬一他——呃，達成目的。舉例來說，我不認為他有成功扳倒那個挪威歌劇演唱家，不過我記得他不斷開著電視監視她，說她開始顫抖——過氣。唉呀，胡說八道，我想。」珍妮絲直視湯姆的眼睛。

睜眼說瞎話，湯姆心想。倘若她感覺如此強烈，那她還和大衛・溥立徹住在同一個屋簷下做什麼？湯姆深吸了一口氣，別問已婚的女人合理的問題。「那他想對我做什麼？就只是騷擾嗎？」

「哦——大概吧。」珍妮絲又侷促不安了起來。「他認為你太有自信了，自負。」

湯姆強忍住笑。「騷擾我，」湯姆沉吟道，「然後呢？」

珍妮絲的薄嘴唇向一邊上揚，露出他從未見過的狡詐淘氣神態，而且她避免與他四目交會。「誰知道呢？」她又搓起她的手腕。

「大衛是怎麼發現我的？」

珍妮絲瞧了他一眼，然後沉思了一會。「我依稀記得他在一個機場看到你，注意到你的外套。」

「外套？」

「毛皮外套。總之，很有質感的外套，當時大衛說：『那件外套真漂亮，不曉得那人是誰。』不知怎地，他查出來了。可能是排隊排在你後面，因此他可以查到你的名字。」珍妮絲聳聳肩。

湯姆拼命回想，但想不起任何事情。他眨眨眼睛。當然，有可能在機場發現他的姓名，因為他持有美國護照。然後查詢——什麼？大使館嗎？湯姆沒有在大使館登記，也不認為大使館有他的資料，例如，巴黎的大使館就沒有。那麼是查新聞檔案嗎？那需要毅力。「你們結婚多久了？妳是怎麼和大衛邂逅的？」

「哦——」她的窄臉又是一臉歡樂，她同時伸出一隻手撥弄杏桃色的頭髮。「是-是的，我想我們結婚三年多了。我們是在——一場秘書、會計——甚至是老闆都來參加的大型會議上認識的。」她又呵呵大笑。「在俄亥俄州克里夫蘭。當時會場上人很多，我不知道我和大衛是怎麼聊起來的，可是大衛有一種魅力，也許你看不出來。」

湯姆確實看不出來。溥立徹這種人看起來想要為所欲為，即使這表示扭一個男人或女人的手臂或者掐得他們幾乎窒息，湯姆明白這種行為對某種女人而言有種魅力。他拉起袖口。「對不起，我幾分鐘後有約，可是我現在還不急。」他很想提到辛西雅，很想問出溥立徹打算利用她什麼，然而湯姆不想強調這個姓名。還有他當然也不想顯現不安。「冒昧請問一下，妳先生想從我這裡得到什麼？例如，他為什麼要拍我家的照片？」

「哦，他想讓你怕他，想看你怕他。」

湯姆寬容地笑笑。「抱歉，不可能。」

「大衛只是想顯示他有力量，」她用尖銳刺耳的聲音說道，「那個我已經跟他說過很多次了。」

「我再問一個乾脆的問題——他有沒有去看過精神科醫生？」

「哈－哈！嘻！」珍妮絲笑得花枝亂顫。「當然沒有！他嘲笑他們，每次他一提起他們，就說他們是騙子。」

湯姆舉手召喚服務生。「可是——珍妮絲，妳不認為丈夫毆打太太不正常嗎？」湯姆幾乎忍不住笑，因為珍妮絲肯定享受被打的滋味。

珍妮絲稍微挪動身體，眉頭緊蹙。「打——」她瞪著牆壁。「或許我不該那麼說。」

湯姆聽說過包庇另一半的類型，珍妮絲正是這種類型，至少此刻她是。他從皮夾中取出一張鈔票，帳單金額少過鈔票面額，湯姆以手勢示意服務生收下餘款。「我們保持歡快吧。告訴我大衛的下一個動作，」湯姆快活地說道，彷彿這是一場很有意思的遊戲。

「什麼動作？」

「對付我。」

她的眼神黯然，好似她腦海中充滿了許多可能性。她勉強擠出微笑。「我實在不能說，也許不能用言語說清楚，假如我——」

「為什麼不能？試試看。」湯姆停頓了一下，等著看她反應。「丟一顆石頭進我家窗戶？」

她沒答腔，湯姆感到厭惡，站了起來。

「對不起——」他說道。

或許感覺受到侮辱，她靜靜地站了起來，湯姆讓她先走到門口。

「對了，我禮拜天看見妳在我家前面接大衛，」湯姆說，「現在妳又要去接他。妳真體貼。」

珍妮絲依然沒回答。

湯姆頓時火冒三丈，他發覺這是挫敗使然。「妳為什麼不離開？妳為什麼留在他身邊忍氣吞聲？」

珍妮絲‧溥立徹當然不會回答這個問題，那個問題幾乎一針見血。他們走在路上，大概是要走到珍妮絲的車子那裡，因為領頭的是她，湯姆發現一顆淚珠在珍妮絲的右眼打轉。

「還是你們根本沒結婚？」湯姆繼續追問。

「哦，別說了！」這下她淚水奪眶而出。「我是那麼想要喜歡你。」

「省省吧，夫人。」說這話的同時，湯姆想起上個週日早上她從麗影載走大衛‧溥立徹時露出的滿意微笑。「再見。」

湯姆轉身朝他的車子前進，並快步走完最後的幾碼距離。他很想揮拳打某樣東西，打樹幹，任何東西。在回家的路上，他必須小心翼翼地別太用力踩油門。

湯姆樂見前門鎖著，赫綠思替他開門。她本來坐在大鍵琴前，她的舒伯特樂譜擺在大鍵琴架上。

「聖母瑪利亞，天啊！」湯姆狂怒道，同時兩手抱著頭。

「怎麼了，親愛的？」

「那個女人瘋了！實在令人沮喪。可怕！」

「她說了什麼？」赫綠思很鎮靜。

要讓赫綠思驚惶失措很不容易，看著她的沉著對湯姆有用。「我們喝了咖啡。我喝了，她——唉，妳知道，這些美國人。」他遲疑了一下。湯姆仍然覺得他，他和赫綠思，可以乾脆不理溥立徹夫婦。為什麼要拿他們的怪癖來煩赫綠思呢？「我的甜心，妳知道人，某些人，經常讓我感到厭煩。煩得我大發雷霆，抱歉。」在赫綠思還來不及問另一個問題，湯姆說了一聲「對不起」，便朝玄關的洗手間走去，在那裡用冷水洗臉，用肥皂和水洗手，用刷子刷指甲。等羅傑．樂波堤先生來了之後，湯姆可以完全沉浸在另一種氛圍裡。湯姆和赫綠思永遠不知道他們兩人誰先上羅傑．樂波堤先生前半小時的課，因為樂波堤先生總是突然選人並客氣笑著說「那麼，先生」或「夫人，請？」。

數分鐘後，樂波堤先生抵達，經過一番針對天氣及花園例行的寒暄讚嘆之後，他那紅潤的雙唇泛起淡淡微笑對赫綠思示意，同時舉起他略顯肥胖的手說：

「您，夫人？您要開始嗎？好嗎？」

湯姆留在後面，依然站著。他知道赫綠思彈琴時不介意他在場，這點湯姆很欣賞。他就很討厭嚴厲的樂評家。他點燃一根菸，站在長沙發後面，凝視壁爐上方那幅德瓦特的畫。這不是德瓦特的畫，湯姆提醒自己，而是貝納德．塔夫茲的假畫，名為《椅中男子》。這幅畫以紅棕色為主調，配上一些黃色線條，而且像所有德瓦特的作品一樣有多重輪廓，通常是暗色的筆觸，有些人說這種筆觸讓他們看了頭痛；從遠處看，這幅畫栩栩如生，甚至有點移動的感覺。椅子上的男人有張棕色、人猿似的臉，臉上表情可以形容為沉思，但絕對稱不上輪廓清晰。湯姆喜歡的是畫中人物的焦躁不安（即使坐在椅子上）、懷疑和混亂的心情；還有畫是贗品這個事實。它在他家中佔有一席榮譽之地。

客廳內另外一幅德瓦特，是幅中型油畫，畫中人物是兩名十歲左右的小女孩，緊張不安地坐在直背椅上，害怕地睜大雙眼。再一次的，椅子與人物的紅黃色輪廓重複畫了三筆、四筆，而且過了幾秒後（湯姆總是這麼認為，同時想像這是他第一次看這幅畫），看畫的人發覺背景可能是火，椅子可能著火。那幅畫現在值多少錢？英鎊六位數，很高的六位數。也許更高，視拍賣的人而定。湯姆的保險公司總是不斷抬高他那兩幅畫的價格，而湯姆一點也不想賣。

倘若低俗的大衛・溥立徹想方設法揭露了所有的德瓦特假畫，當然他永遠也動不到這幅年代久遠而且出自倫敦的《紅色椅子》。湯姆尋思，溥立徹無法用他的笨腦袋探聽到這幅畫並且破壞它。溥立徹根本沒聽過貝納德・塔夫茲這個人。舒伯特優美的音樂節奏給了湯姆力量與勇氣，儘管赫綠思的演奏未達音樂會水準：演奏的意圖與對舒伯特的尊敬都流露出來，正如在德瓦特的——不，貝納德・塔夫茲的——《紅色椅子》，貝納德在模仿德瓦特風格時也流露對德瓦特的尊敬。

湯姆放鬆肩膀，活動手指並看著他的指甲。整齊乾淨。湯姆記得，德瓦特偽作價格不斷上揚時，貝納德・塔夫茲從來都不想分享利潤。貝納德總是接受足夠讓他在倫敦的畫室繼續作畫的酬勞。

如果像溥立徹這種人拆穿假畫事件——他要如何拆穿？——湯姆猜想，貝納德・塔夫茲也會曝光，雖然他已離開人世。傑夫・康斯坦和艾德・班伯瑞必須出面回答畫假畫的人是誰，當然辛西雅・葛瑞諾知道答案。有趣的問題是，她對她的舊愛貝納德・塔夫茲還有足夠的尊敬，而不至於出賣他的名聲嗎？出於驕傲，湯姆感到一股奇怪的欲望想保護充滿理想又孩子氣的貝納德，最後因為罪惡親手（或親身，跳下薩爾斯堡一處懸崖）結束自己生命的貝納德。

湯姆的說法是貝納德將圓筒帆布袋留給湯姆，然後出發去找旅館，因為他想換旅館；貝納德就此一去不回。事實上，湯姆跟蹤貝納德，親眼看著他跳下懸崖。隔天湯姆盡力火化貝納德的遺體，並宣稱遺體是德瓦特的遺體。眾人相信湯姆的說法。

奇怪，辛西雅是否因為不斷自問「貝納德的遺體到底在哪裡？」而積怨很深？湯姆知道她恨他和巴克馬斯特畫廊小子。

7

飛機右翼急劇傾斜，機身開始下降，湯姆腰間拉扯著安全帶，盡力站起來。赫綠思坐靠窗的位置，就坐前湯姆堅持要她靠窗坐，啊，出現了——坦吉爾港那兩條搶眼的支流，向內彎並匯流進直布羅陀海峽，彷彿想要捕捉什麼東西。

「記得那張地圖嗎？就在那裡！」湯姆說道。

「是的，親愛的。」赫綠思似乎不若他一般興奮，但是她的眼睛也沒離開圓形窗戶。很不幸地，窗戶很髒，視野不清晰。湯姆彎腰，試圖眺望直布羅陀海峽。看不見，可他的確看見西班牙最南端阿爾赫西拉斯（Algeciras）所在之處。所有的地點看來都很渺小。

機身打直，朝另一方向左轉，毫無景色可言。然而飛機右翼再度傾斜，湯姆與赫綠思這時可以看到窗外距離更近的風景：一片高地上擠成一團的白屋，有著方形小窗戶的白堊小屋。飛機在地面上滑行了十分鐘，乘客解開安全帶，迫不及待想離座。

他們走進一間天花板很高的護照檢查室，陽光從緊閉的高窗灑落。有點熱，湯姆脫掉身上的薄外套，掛在手臂上。排在兩行緩緩前進的隊伍內的人似乎是法國觀光客，湯姆心想，也有摩洛哥人，有些人穿著長袍。

在隔壁房間內，湯姆從地上提取行李——非常不正式的安排，他兌換一千法郎等值的迪拉姆，然後向坐在服務台的一名黑髮女子詢問去市中心最好的方式。計程車。車資呢？差不多五十迪拉姆，她用法語回答。

赫絲思出發前很「理智」，因此他們兩人不需要行李伕，可以自行搬運少數幾個行李箱。湯姆行前已提醒過赫絲思說她可以在摩洛哥購物，甚至買一只行李箱裝東西。

「到市區五十迪拉姆，對吧？」湯姆用法語對打開車門的計程車司機說道。「明澤飯店？」湯姆知道計程車不跳錶。

「上車。」司機用法語粗魯地說道。

湯姆和司機一起將行李搬上車。

計程車立刻向前急衝，湯姆覺得他們如火箭般飛馳，然而這感覺乃因有點顛簸的路面加上從開著窗戶灌進來的風使然。赫絲思抓著她的座椅和一條吊帶。灰塵從司機那面的窗戶飛進來。但至少路很直，他們似乎正朝著湯姆在飛機上看到的那一簇白屋前進。

道路兩旁聳立著外觀簡陋的紅磚房，四至六層樓高。他們開上某一條大街，街上有穿著涼鞋走在路上的男男女女，人行道上一兩家咖啡館，還有胡亂衝越馬路的小孩，造成司機不得不緊急煞車。這一定是市中心，積滿灰塵，購物和閒逛的人群熙攘往來的繁忙灰色城市。計程車司機左轉駛了幾碼後停車。

明澤飯店。湯姆下車付了車資，再多給十迪拉姆，一名穿著紅色衣服的飯店行李員從飯店走出來協助他們。

湯姆在相當正式的飯店挑高大廳辦理住房登記。至少飯店看來很乾淨，裝潢以紅色與暗紅色為主調，雖然牆壁是奶油白。

數分鐘後，湯姆與赫綠思來到他們的「套房」，湯姆總是覺得「套房」這個名詞優雅得可笑。赫綠思迅速俐落地洗了手和臉，準備打開行李，湯姆則審視窗外景色。按照歐洲的算法，他們住在四樓。湯姆俯瞰熱鬧的灰白色建築，沒有一棟高過六層樓，零亂地晾曬在戶外的衣服，幾面懸掛在屋頂天線杆上破爛得難以辨認的國旗，大量的電視天線，和更多晾在屋頂上的衣服。從房間另一扇窗戶可以看見正下方樓下的有錢人（湯姆大概是有錢人）伸長四肢躺在飯店的土地上做日光浴。陽光這時已照不到明澤飯店泳池區。在那一排平躺的比基尼與泳褲後方是一排白色桌椅，再過去是賞心悅目、照料得很好的棕櫚樹、灌木叢和開花的九重葛。

在湯姆大腿高度的一台冷氣機送出涼風，他伸出雙手讓涼風吹上衣袖。

「親愛的！」赫綠思發出一聲輕微痛苦的吶喊。接著短促地笑了一下。「停水了！突然間！」她繼續說道，「正如諾愛爾所說的。記得嗎？」

「一天停四小時，她是這麼說的吧？」湯姆笑吟吟。「馬桶呢？浴缸呢？」湯姆走進浴室。「諾愛爾不是說——沒錯，妳看這個！一桶乾淨的水！我才不想喝，可是用來洗——」

湯姆設法用冷水洗了手和臉，然後他們將行李放在兩人中間，幾乎取出了所有的東西。接著他們出門散步。

湯姆手伸在右邊褲袋內叮叮噹噹把玩奇怪的硬幣，不曉得該先買些什麼。一杯咖啡，明信片？他們來到法國廣場，根據湯姆的地圖，這片廣場匯聚五條街道，包括他們飯店所在的自由路。

「這個！」赫綠思指著一只精工皮革錢包說道。這只錢包與圍巾和用途可疑的銅碗一起吊在一家店外面。「很漂亮吧，湯姆？很特別。」

「嗯——應該還有其他商店吧，甜心？我們逛逛吧。」時間已近晚上七點。湯姆發覺兩三個店家開始準備打烊。他突然牽起赫綠思的手。「很棒吧？一個新國家！」

她對他甜甜一笑。他看見她淡紫色的眼珠內奇怪的黑線條，像輪條從輪軸放射般自瞳孔四散；對赫綠思美麗的眼睛而言，這些線條太過沉重。

「我愛妳。」湯姆說道。

他們走上巴斯特大道，巴斯特大道是條稍微下斜的寬闊大街。更多商店，一切都更密集。一身長袍的女孩與女人飄過他們身旁，她們赤足穿著涼鞋，男孩與年輕人則似乎比較喜歡穿藍色牛仔褲、球鞋和薄襯衫。

「妳要不要喝一杯冰茶，寶貝？還是來杯基爾？我敢說他們一定知道怎麼調基爾。」

走回他們下榻的飯店途中，湯姆根據手上飯店手冊內的簡略地圖在法國廣場上找到巴黎咖啡館。這家咖啡館沿著人行道排了一長串桌椅，人聲吵雜。湯姆搶到了似乎是最後一張空著的小圓桌，還從附近一張桌子弄了一把椅子。

「給妳一點錢，親愛的，」湯姆說道，同時從他的皮夾抽出一半的迪拉姆紙鈔給赫綠思。她打開手提包的動作很優雅，這只手提包有點像鞍囊，但尺寸小一點，鈔票或任何東西放進去立刻消失蹤影，然而適得其所。「這是什麼？」

「差不多——四百法郎。我今天晚上在飯店會換更多，我發覺明澤飯店的匯率和機場一樣。」

赫綠思看來對他說的這件事不感興趣，但湯姆知道她會記得。他沒聽到周圍有人說法語，只聽見阿拉伯語或根據他讀來的資訊，是一種巴巴里方言*。無論哪一種，湯姆都聽不懂。座上客幾乎清一色是男人，其中幾位是中年男子，有點胖，穿著短袖襯衫。事實上，只有遠方一張桌子由一個穿著短褲的金髮男子和一名女子佔據。

服務生很少。

「我們是不是應該替諾愛爾確認房間，湯姆？」

「對，再確認一次並無妨。」湯姆微笑道。他辦住房登記時已經問過明天晚上抵達的哈斯樂夫人的房間情況。櫃台人員說哈斯樂夫人預定了一間房。湯姆三度舉手召喚服務生，這名服務生穿著白色外套，端著一個托盤，完全不注意現場狀況。但這回他走過來了。

服務生告訴湯姆說不供應葡萄酒與啤酒。

他們兩人都點了咖啡。兩杯咖啡。

* 譯注：巴巴里方言（Berber），摩洛哥、阿爾及利亞等北非國家使用的一種方言。

湯姆這時想起了辛西雅・葛瑞諾，北非有這麼多人可想，他偏偏想起她。辛西雅，冷淡、金髮碧眼、英國式高傲的縮影。她對貝納德・塔夫茲沒有很冷淡嗎？最後對他無情嗎？欸，湯姆無法回答這個問題，因為情侶一旦有了性關係，在公開場合與私底下的表現就可能大不相同。在不讓她自己和貝納德・塔夫茲曝光的情況下，她會揭發他——湯姆・雷普利，到何種程度？奇怪的是，辛西雅與貝納德雖然沒結婚，湯姆卻認為兩人在精神上結為一體。他們是情侶沒錯，而且在一起很久——但肉體關係並不重要。辛西雅尊敬貝納德，深愛著他，而受盡折磨的貝納德或許最後認為自己根本連和辛西雅做愛都「不配」，因為他模仿德瓦特的畫作讓他深感內疚。

湯姆嘆了一口氣。

「怎麼了，湯姆？你累了嗎？」

「不累！」湯姆並不疲倦，他再度笑容滿面，真心感到逍遙自在，因為領悟到他此刻所在距離他的「敵人」數百哩，倘若他能將他們稱為敵人。他想，他可以叫他們擾亂份子，而他們不只包含溥立徹夫婦，辛西雅・葛瑞諾也算。

一時之間，湯姆腦中一直縈繞這個想法，於是他又皺起了眉頭。他感覺自己眉頭緊蹙，因此動手搓揉額頭。「明天——我們要做什麼？去富比士博物館看玩具士兵？那是在卡斯巴。記得嗎？」

「記得！」赫綠思頓時容光煥發地說道。「卡斯巴！然後去 Sacco。」

她指的是大市集。他們會買東西，殺價，討價還價，湯姆不喜歡殺價，但他明白他必須殺價，否則就被當成傻瓜，付冤大頭的價格。

回飯店的半路上，湯姆懶得殺價就買了一些淡綠色和深綠色的無花果，兩種都熟得恰到好處，還買了一些很漂亮的青葡萄和幾顆橘子。湯姆將水果推車小販給他的兩個塑膠袋裝滿。

「這些水果擺在我們房間會很漂亮，」湯姆說，「我們也分給諾愛爾一點。」

回到飯店後，湯姆欣見回復供水。赫綠思沖了澡，湯姆隨後沖，然後兩人穿著睡衣舒服地躺在特大號床上，享受涼爽的冷氣。

「有電視耶。」赫綠思說道。

湯姆早就看見了。他走過去開啟電視電源，或是試著開啟。「只是出於好奇，」他對赫綠思說道。

電視沒開。他檢查插頭，插頭似乎好好地插在亮著的落地燈插著的同一個插座上。

「明天，」湯姆根本不在意地乖乖低聲說，「我去問問看怎麼回事。」

隔天早上他們去卡斯巴之前先去了大市集，逛完大市集後不得不叫一輛不跳錶的計程車回飯店放下赫綠思買的東西：一只棕色手提皮包和一雙紅色皮涼鞋，他們兩人都不想拿著這些東西逛一整天。湯姆讓計程車等他將東西寄放在飯店櫃台。然後他們去郵局，湯姆在郵局將那一包看來像打字機色帶的神祕物件寄了出去。他在法國重新包裝過這包東西，並如瑞夫斯所願，以未加掛號的航空郵件寄送。湯姆沒寫回信地址，連捏造的都沒有。

接著他們改搭另一輛計程車穿過幾條窄巷一路上坡來到卡斯巴。約克堡就在這裡，他好像讀過山繆・佩皮斯*曾被派駐在這裡一陣子？約克堡俯瞰港口，和坐落在城堡兩邊較小的白屋相較，城堡石牆顯得相當堅固巨大。城堡附近有一座綠色高圓頂的清真寺。湯姆正凝視這座清真寺，響亮的吟誦聲突然響起。一天五次，湯姆讀過，叫拜人會呼叫回教徒祈禱，如今都是播放叫拜人事先的錄音。湯姆思忖，人們懶得起床爬樓梯，但在清晨四點叫醒別人卻毫不留情。他猜信徒必須起床面對麥加方向吟誦，然後再睡回籠覺。

湯姆認為他比赫綠思還喜歡有鉛製士兵的富比士博物館，但他不確定。赫綠思沒說什麼，可是她似乎和湯姆一樣著迷那些戰爭場面、收留頭上纏著沾了血跡繃帶的傷兵的野戰醫院，和許多騎在馬上的各支軍團隊伍，這些全都擺在玻璃展示櫃內。士兵與軍官看起來全是四、五吋高，大砲與四輪馬車的比例適當。好棒啊！若是能再回到七歲的年紀將是多麼令人興奮的事——湯姆的思緒頓時中斷。他父母親在他年紀尚未大得足以欣賞鉛製士兵之前雙雙溺斃，後來都是朵蒂姑媽照顧他，她永遠不會懂鉛製士兵的魅力，也永遠不會拿錢買任何鉛製士兵。

「這裡只有我們兩人真好！」湯姆對赫綠思說道，因為，很奇怪地，他們逛過的展覽室都見不到任何人影。

博物館不收門票。待在大廳的博物館管理人穿著白長袍，看來很年輕，他只詢問他們是否能在訪客簽到簿上簽名。赫綠思乖乖簽了名，湯姆隨後也簽。這是一本有奶油色頁面的厚重簽到簿。

「謝謝，再見！」他們異口同聲說道。

「現在要叫計程車嗎？」湯姆問道。「妳看！妳認為那輛可能是計程車嗎？」

他們走下大片綠色草坪之間一條人行道，來到路緣石旁看來像計程車招呼站的地方，一輛積滿灰塵的車子停在那裡。他們運氣很好，那是輛計程車。

「請到巴黎咖啡館。」兩人上車前湯姆探頭進窗口說道。

這時他們想起了諾愛爾，她幾個鐘頭後會在戴高樂機場登機。他們會放一盤新鮮水果在她房間（在他們樓上），然後搭計程車去機場接她。湯姆喝著上面浮著一片檸檬的番茄汁，赫綠思喝她聽過卻從未試過的薄荷茶。薄荷茶聞起來很香，湯姆試了一口。赫綠思說她熱得發燙，薄荷茶應該有助於消暑，可是她無法想像它會如何消暑。

他們的飯店只在幾步之遙。湯姆買了單，從椅背上拿起白外套，突然感覺好像在左邊的大道上看到一個熟悉的頭和肩膀。

大衛・溥立徹嗎？那個頭形側影看來像是溥立徹。湯姆踮起腳尖，但是有太多人來來往往，即使那人是溥立徹，也已經消失在人群中。湯姆暗忖，不值得衝到角落去盯著他，更不值得去追他。很有可能他看錯人。戴著圓框眼鏡的黑髮頭顱：一天不是可以看見這種類型好幾次嗎？

「走這裡，湯姆。」

＊譯注：山繆・佩皮斯（Samuel Pepys, 1633-1703），歷任英王查理二世與詹姆士二世任內的海軍大臣，他的日記相當出名。

「我知道。」湯姆在路上發現一個賣花小販。「花呢！我們買一點吧！」

他們買了九重葛配棕櫚葉，幾朵金針花和一束比較短的茶花。這些是要給諾愛爾的。

有給雷普利夫婦的留言嗎？沒有，先生，桌後穿紅色制服的服務員告知湯姆。

撥了一通電話請客房清潔人員送來兩只花瓶，一只擺在諾愛爾房間，一只放在湯姆和赫絲思的房間。畢竟，他們有足夠的花。接著在出門找地方享用午餐之前快速地沖了澡。

他們決定找諾愛爾推薦的「酒吧」，「靠近巴斯特大道，在市中心，」湯姆記得她這麼說過。湯姆詢問路邊一個賣領帶與皮帶的攤販是否知道「酒吧」在哪裡。第二條街右手邊，他就會看到。

「感激不盡！」湯姆說道。

「酒吧」可能有一點冷氣，也可能沒有，但無論如何，這地方舒適又有趣。連赫絲思也喜歡，因為她知道有些英式酒吧是什麼樣。這裡的老闆或老闆們很用心：棕色的椽子，一座掛在牆上的老式擺鐘，牆上貼著的運動代表隊照片，黑板上的菜單，還有顯眼的海尼根啤酒瓶。這地方有點小，而且客人不多。湯姆點了一份巧達芝士三明治，赫絲思點了一盤乳酪和一瓶啤酒，她只有在很熱的情況下才喝啤酒。

「我們是不是應該打電話給安奈特太太？」他們喝了第一口啤酒後赫絲思問道。

湯姆有點訝異。「不，達令。為什麼要打？妳擔心嗎？」

「不，親愛的，擔心的人是你。不是嗎？」赫絲思稍微皺起眉頭，但她實在是太少皺眉頭，因此看起來像繃著臉。

「沒有啊，甜心。擔心什麼？」

「擔心這個普里卡，不是嗎？」

湯姆一手擱在眼睛上方，感覺自己面紅耳赤。或者是熱氣使然？「溥立徹，天啊！沒有，」湯姆堅決說道，他的芝士三明治和調味料正好這時送到他面前。「他能幹嘛呢？」湯姆補充道。「謝謝，」湯姆向服務生道謝。湯姆覺得他說的那句「他能幹嘛呢？」是個愚蠢又空洞的問題，說來安撫赫綠思的。溥立徹可以做很多事情，端視他能證明多少。「妳的乳酪怎麼樣？」湯姆趁機問一個不相關的問題。

「親愛的，普黎夏不是那個打電話來假裝葛林里的人嗎？」赫綠思動作優美地在一些乳酪上塗了芥末。

她說「葛林里」的發音方式，加上也省略「狄奇」二字，讓狄奇這個人和他的屍體因而變得遙遠，甚至不真實。湯姆鎮靜地說：「絕對不可能，親愛的。溥立徹的聲音低沉，總之，聽起來不是很年輕。妳說那個聲音很年輕。」

「沒錯。」

「說到電話呢，」湯姆沉吟道，同時舀了調味料放到他的盤子邊緣。「我想起了一個蠢笑話。要聽嗎？」

「好啊。」赫綠思說，這時她的淡紫色眼睛流露淡淡卻持續不斷的興趣。

「瘋人院一位醫生看到一個病人在寫東西，就問他在寫什麼。一封信。寫給誰的信，醫生問道。寫給我自己，病人回答。醫生又問，信上寫些什麼呢?病人答說，我不知道，我還沒收到信。」

赫綠思聽了並未大笑，但至少面露微笑。「我認為這笑話確實很蠢。」

湯姆深吸了一口氣。「甜心——明信片。我們得買一堆，駱駝飛奔、市場、沙漠景色、倒立的雞——」

「雞?」

「雞在明信片上經常是倒立的。例如，在墨西哥就是，在被送到市場的路上。」湯姆不想加一句「等著脖子被扭斷」。

再來兩瓶海尼根啤酒就結束午餐。啤酒瓶很小。回到明澤飯店天花板挑高的優雅氛圍中，又沖澡，這回兩人一起沖。然後他們發覺想睡個午覺，出發去機場之前還有很充裕的時間。

湯姆在四點多穿上藍色牛仔褲和襯衫，下樓去買明信片。他在飯店櫃台買了十二張。他身上帶了一支原子筆，打算開始寫一張赫綠思也能加幾句的明信片，寫給忠誠的安奈特太太。啊，時光一去不復返——他上次從歐洲寫明信片給朵蒂姑媽是很久以前的事嗎?湯姆心裡承認，寫明信片給她的目的是為了讓她持續寵愛他，以便繼承她的某些東西。她遺留給他一萬美元，卻將她那棟湯姆喜歡也抱持些許希望能得手的房子給了別人，這人的姓名湯姆已忘記，或許因為他想忘記。

他坐在明澤飯店酒吧一把凳子上，因為酒吧內的光線比較亮。寫一張明信片給克雷格夫婦也是友好的表示，湯姆猜想，他們是住在梅朗附近的老鄰居，兩人都是英國人，他是個退休律師。湯姆用法語寫道：

親愛的安奈特夫人：

這裡很熱。我們看過幾隻山羊走在路上，沒人牽著！他說的是真的，可是和山羊在一起的那個穿涼鞋的男孩掌控得很好，必要時他會抓著山羊角。他們要去哪裡呢？他繼續寫道：

請轉告恩立溫室附近那株小連翹現在要澆水。再見。

湯姆

「先生？」酒保說道。

「謝謝，我在等人。」湯姆答道。穿紅西裝的酒保應該知道他住在這裡，摩洛哥人像義大利人一樣，都一副觀察人的表情，也記得陌生人的臉孔。

湯姆希望溥立徹沒在麗影附近盤旋，打擾安奈特太太。安奈特太太目前一定和湯姆一樣能在遠處就認出溥立徹。克雷格夫婦的地址是？湯姆不記得他們的街道號碼，但反正他可以先寫明信片，赫綠思一向很樂於盡量擺脫寫明信片這份雜事。

正準備再度下筆，湯姆瞥向他右邊。

他不必擔心溥立徹出現在麗影了，因為他正坐在吧檯，只隔了四把凳子的距離，深色的眼睛盯著湯姆。他戴著圓框眼鏡，穿著一件短袖藍襯衫，面前擺了一只玻璃杯，但他的眼睛死盯著湯姆。

「午安，」溥立徹說。

兩、三個人從溥立徹身後的泳池進門來，穿著涼鞋和泳裝朝吧檯踱步而來。

「午安，」湯姆沉著地答道。他最糟最誇張的懷疑似乎成真：可惡的溥立徹夫婦在楓丹白露發現他手上拿著機票或口袋中放有機票，當時他才離開旅行社不遠！普吉島！湯姆回想起旅行社海報上那座島的寧靜海灘。湯姆再度低頭看著他的明信片，明信片分割成四個畫面：駱駝，一座清真寺，披著條紋披肩的市場女販，一片藍黃色的海灘。親愛的克雷格伉儷。湯姆握緊了筆。

「你打算在這待幾天呢，雷普利先生？」溥立徹問，這時他大膽地握著酒杯接近湯姆。

「哦——我想我們明天會離開。你和你太太一起來的？」

「是的，可是我們不是住這家飯店。」溥立徹的口氣冷淡。

「對了，」湯姆說：「你拍我家的那些照片，你打算用來做什麼？禮拜天拍的，記得嗎？」

湯姆想起他問過溥立徹的太太同樣的問題，他依然相信，也希望珍妮絲・溥立徹沒告訴她丈夫她和湯姆・雷普利喝過一次下午茶。

「禮拜天。沒錯。我看見你太太或某個人從前窗向外望。嗯——那些照片只是用來做記錄。我說過了，我——我有很多你的檔案資料。」

湯姆心想，溥立徹並未這麼說過。「你替某個調查局工作嗎？國際潛行者公司？」

「哈—哈！沒有，只是為了我個人的樂趣——還有我太太的，」他語氣加重地補了這麼一句。「你真是一塊肥沃的土地，雷普利先生。」

湯姆在想旅行社那個相當遲鈍的女孩大概回答了溥立徹的問題：妳上一個顧客買機票去哪裡呢？他是我的一個鄰居：雷普利先生。我們剛剛跟他打招呼，可是他沒看見我們。我們沒辦法下定決心，可是我們想到不同的地方去。那女孩可能說：「雷普利先生剛剛替他和他太太買了去坦吉爾的機票。」湯姆想，她可能呆得主動提供飯店的訊息，尤其因為顧客透過旅行社訂飯店，旅行社就會獲得飯店的佣金。「你和你太太跑那麼遠到坦吉爾只為了見我？」湯姆說道，他的口氣聽起來好像是說他受寵若驚。

「有何不可呢？很有趣，」溥立徹說道，他的深棕色眼睛緊盯著湯姆。

也很討人厭。湯姆每次見到溥立徹，他似乎體重都增加一磅左右，真是怪了。湯姆瞥向左邊，看看赫綠思是否下樓來到大廳，因為她這時應該下來了。「一想到我們在這裡停留這麼短的時間，我就認為這樣對你們有點麻煩。我們明天離開。」

「喔？你們應該要去看一看卡薩布蘭加，不是嗎？」

「哦，當然，」湯姆答道：「我們會去卡薩布蘭加。你和珍妮絲住哪家飯店？」

「住──嗯，法國別墅大飯店，就在──」他朝湯姆的方向揮起一隻手，「差不多離這一條街的距離。」

湯姆半信半疑。「我們共同的朋友好嗎？我們有這麼多共同的朋友。」湯姆笑嘻嘻說道。他這時站了起來，左手握著明信片與筆放在黑皮革包覆的吧檯凳子上。

「哪些共同的朋友啊？」溥立徹咯咯笑，笑聲聽起來像個老頭。

湯姆真想痛毆他凸出的太陽神經叢。「莫奇森太太？」湯姆大膽問道。

「是的，我們有聯絡，和辛西雅・葛瑞諾也有。」

這姓名又一次輕易地從溥立徹的嘴說出來。湯姆退後了幾步，顯示他即將經由寬闊的門口離開。「你們──隔著大西洋交談？」

「哦，對呀。有何不可嗎？」溥立徹露出了方形的牙齒。

「可是──」湯姆不解地說，「你們談些什麼呢？」

「談你呀！」溥立徹笑嘻嘻答道。「我們整合我們所知道的事實。」他再度點頭強調。「同時計畫。」

「你們的目的是什麼？」

「好玩啊，」溥立徹答道，「也許是報復。」他放聲咯咯大笑。「當然，對某些人來說。」

湯姆點點頭，愉悅地說：「祝你好運。」他轉身離開。

湯姆發現赫綠思坐在大廳其中一張安樂椅上。她正在看一份法國報紙，或至少是用法文印刷的報紙，但湯姆也看見頭版下方有一個阿拉伯文專欄。「親愛的——」湯姆知道她看見了溥立徹。

赫綠思跳起來。「又來了！那個某某某！湯姆，我不敢相信他在這裡！」

「我和妳一樣火大，」湯姆用法語低聲說，「可是我們先冷靜一下，因為他可能正在吧檯那裡監視我們。」湯姆筆直站著，態度沉著。「他宣稱他和他太太住在這附近的大飯店，我不大相信他，但他今天晚上一定是住在某家飯店。」

「他竟然跟蹤我們到這裡來！」

「親愛的，甜心，我們可以——」湯姆突然住口，覺得就要失去理智。他本來要說他和赫綠思當天下午離開，換一家飯店，趁溥立徹不注意就溜走，也許可以順利在坦吉爾擺脫他，可是這樣就掃了諾愛爾‧哈斯樂的興，她可能已經告訴她的朋友說她會在明澤飯店住幾天。而且，他和赫綠思為什麼必須因為那個叫溥立徹的怪胎給自己造成不便？「妳的房間鑰匙留在櫃台了嗎？」

赫綠思回答說是。「普利卡的太太和他一起來嗎？」他們走出飯店大門時赫綠思問。

湯姆根本沒察看溥立徹是否離開吧檯。「他說她有來，那大概表示她沒來。」她太太！什麼關係啊，她太太在楓丹白露的咖啡館親口對湯姆坦承說她丈夫專制又殘暴，然而他們仍舊緊緊相依。噁心。

「你很緊張，親愛的。」赫綠思挽著他的手臂，主要是因為這樣他們才能在擠來擠去的人群中走在一起。

「我在想事情。對不起。」

「想什麼？」

「想我們的事，想麗影，想每件事。」趁著赫綠思用左手將頭髮撥到後面，他匆匆瞄了一眼她的臉。我希望我們平安無事，湯姆本來可以補充這麼一句，但是他不想再讓赫綠思心煩。「我們過街吧。」

他們又再度走下巴斯特大道，彷彿人群和店面是磁鐵。湯姆看見一塊紅黑色小招牌掛在一家店門口上方：露碧酒吧燒烤，英文招牌，下面有阿拉伯文。

「我們要不要進去看看？」湯姆問。

這是一家小酒吧兼餐廳，裡面有三、四個非觀光客站或坐著。

湯姆與赫綠思站在吧檯前，點了一杯濃縮咖啡與一杯番茄汁。酒保推了一小碟白蘿蔔和一小碟黑橄欖給他們，再送上叉子與紙巾。

赫綠思身後一把凳子上坐著一個體型壯碩的男子，他正聚精會神地看著一份阿拉伯文報紙，似乎正就著小碟子享用午餐。他穿著一件黃色調的長袍，長度幾乎到他的皮鞋。湯姆看見他將手塞進一道開口以便伸進褲袋，開口邊緣有點髒。男子擤了鼻涕，再將手帕塞回他的口袋，眼睛都沒離開過報紙。

湯姆靈光乍現。他要買一件長袍，而且，鼓起勇氣穿。他這麼告知赫綠思，她聽了呵呵大笑。

「那我幫你拍照——在卡斯巴拍？還是在我們的飯店外面拍？」她問。

「哦，哪裡都行。」湯姆在想這種寬鬆的衣服多麼實用，因為在它下面可以穿短褲或者西裝，甚至泳裝都行。

湯姆運氣很好，露碧酒吧燒烤那條街轉角就有一家店門口吊著長袍與披肩。

「對不起，我想看長袍。」湯姆對店家說。「不要粉紅色的，不要，」看到老闆拿給他的第一件，湯姆繼續用法語說道。「長袖的？」湯姆用食指指著他手腕。

「啊！有！這裡，先生。」他的平底涼鞋在老舊的木地板上啪噠啪噠響。「這裡——」一排的長袍，一部分讓幾個展示櫃給遮住。店家站的地方根本連側身擠進去的多餘空間也沒有，湯姆指了一個淡綠色的編號。這件是長袖，而且有兩道開口可以摸到口袋。湯姆拿起長袍在身上比長度。

赫絲思彎腰，禮貌性地咳了幾聲，隨即朝門口走去。

「好吧，就這樣，」湯姆問了價錢並覺得合理之後說道。「這些呢？」

「啊，是——」店家隨即拼命誇讚他賣的刀的品質，雖然他說法語，但湯姆無法聽懂每一個字。打獵用的，辦公室用的，廚房用的。

這些都是隨身小折刀。湯姆火速選定一把淺棕色木柄鑲了黃銅、刀鋒尖利、刀背下凹的小刀。三十迪拉姆。他的小刀折起來還不到六吋長，很適合放在任何口袋。

「要搭計程車嗎？」湯姆對赫綠思說，「快速遊覽一下——到哪裡都好。這合妳意嗎？」

赫綠思看了一下手錶。「可以。你不換上你的長袍嗎？」

「換？我在計程車上就可以換！」湯姆對正看著他們兩人的店家揮別。「謝謝，先生！」

店家對湯姆說了些他聽不懂的話，湯姆希望他說的是「願主與你同在」，無論是哪一個主。

「去帆船俱樂部嗎？」計程車司機問。

「我們有一天會去那裡吃午餐，」赫綠思跟湯姆說，「諾愛爾想帶我們去。」

一滴汗滑下湯姆臉頰。「去涼爽的地方？有微風的地方？」他用法語對司機說。

「哈法？兩風—海洋。粉近。茶！」

湯姆聽得糊里糊塗，然而他們還是上車任由司機擺佈。湯姆鄭重表示：「我們必須在一小時內回到明澤飯店。」並確定司機明白他所說。

他們同時察看手錶，七點得接諾愛爾。

又一次搭計程車飛速前進，車內上下顛簸，彈簧嘎吱嘎吱響。司機顯然正朝某處前進。湯姆心想，他們正往西行，市中心逐漸消失。

「你的衣服，」赫綠思淘氣地說道。

湯姆從塑膠袋取出摺好的衣服，攤開，低頭將淺綠色薄長袍從頭上拉下來。接著他站著搖動了一兩下，長袍便套在他的牛仔褲上，確定不會將它坐裂成兩半，他才坐下來。「看吧！」他得意洋洋地對赫綠思說道。

她眼神發亮地審視著他，眼裡盡是讚賞。

湯姆檢查褲袋：摸得到。小刀在他的左褲袋內。

「哈法，」司機說道，同時將計程車停在有好幾道門的一面水泥牆前，其中一道門開著。從牆上的破洞看得見後方湛藍的直布羅陀海峽。

「這是什麼？博物館嗎？」湯姆問。

「茶咖啡館，」司機說，「我等嗎？半小時？」

湯姆尋思，說「好」是最明智的做法，於是他答道：「好，半小時。」

赫綠思已經下車，正抬頭凝視湛藍的海水。微風不斷將她的秀髮吹向一邊。

一個身穿黑長褲與鬆垮垮的襯衫的人影站在石板門口緩緩點頭召喚他們進去，湯姆思忖，他像個惡靈引領他們下地獄或至少步向墮落。一條營養不良、瘦巴巴的混種黑狗，開始嗅他們，但顯然力氣不足，於是一拐一拐地拖著三條腿走開。無論牠的第四條腿有什麼毛病，這毛病似乎已跟了牠很久。

湯姆幾乎是心不甘情不願地跟隨赫綠思穿過石板門口，踏上一條通往海洋方向的石板路。湯姆看見他們左邊有一間勉強稱得上是廚房的地方，那裡有一個可以燒熱水的爐子。沒有欄杆的寬石板階梯向下通往海洋。湯姆瞄向兩邊的小房間，房間面海的那一面都沒有圍牆，竹竿頂著草蓆就當屋頂，地板上鋪了草蓆，一件家具也沒有。這時也一個客人都沒有。

「奇怪，」湯姆對赫綠思說。「妳要喝薄荷茶嗎？」

赫綠思搖搖頭。「現在不要。我不喜歡這個地方。」湯姆也不喜歡。服務生沒出來招呼。湯姆可以想像這地方在晚上或日落時和朋友來熱鬧一下，一盞油燈點在地板上一定很迷人。在那些草蓆上必須盤腿而坐，或者像希臘人一樣斜躺。然後湯姆聽見笑聲從另一間房間傳來，房間內有三個男人盤腿坐在鋪了草蓆的地板上抽著某樣東西。湯姆好像看見陰暗處有茶杯和一個白盤，陽光如一顆顆小金塊般灑落。

他們的計程車在等他們，司機和那個穿白襯衫的瘦皮猴有說有笑。回到明澤飯店後，湯姆付了司機車資，然後和赫綠思走進飯店大廳。湯姆從他所站之處四下不見溥立徹蹤影。而他欣見他身上的長袍相當引人注目。

「達令，我現在想辦件事——說不定要一小時。妳可不可以——妳介意一個人去機場接諾愛爾嗎？」

「不——」赫綠思若有所思地說，「我們會立刻回到這裡來，當然。你要做什麼？」

湯姆微微一笑，有些遲疑。「不是什麼重要的事。只是——我要獨處一會。稍後見——八點好嗎？或者等下就見？代我問候諾愛爾，和妳們兩個回頭見囉！」

8

湯姆又走進豔陽下，拉起他的長袍，從後面口袋取出一份簡要的地圖。溥立徹提到的法國別墅大飯店確實走兩步就到，顯然從荷蘭路走得到。湯姆邁開腳步，拉起淺綠色長袍上半部抹去額頭上的汗珠，然後提著長袍兩邊往上拉，邊走邊從頭上脫掉它。可惜他沒有塑膠袋，但是這件衣服摺起來倒是一個相當小的方塊。

沒人看他，湯姆也沒盯著路人看。大部分男男女女手上都拿著購物袋，不是出來散步的。湯姆走進法國別墅大飯店的大廳，東張西望。這家飯店不如明澤飯店豪華；大廳有四個人坐在那裡，沒有一個是溥立徹或他太太。湯姆走向櫃台詢問是否能和大衛・溥立徹說話。

「或是溥立徹夫人，」湯姆附帶說道。

「我應該報上什麼姓名？」櫃台後面的年輕人問。

「就說湯瑪斯。」

「湯瑪斯先生？」

「是。」

溥立徹先生似乎不在，雖然年輕人回頭看了一下並說他的房間鑰匙不在。

「我可以和他太太說話嗎？」

年輕人掛上電話，同時表示溥立徹先生一人入住。

「非常感謝。麻煩你轉告他說湯瑪斯先生來找過他好嗎？不用，謝謝，溥立徹先生知道到哪裡找我。」

湯姆轉身朝門口走去，這時正好看到溥立徹從電梯出現，肩上背了一架相機。湯姆慢慢走向他。「午安，溥立徹先生！」

「哦——嗨！真是驚喜。」

「是啊。我想我應該過來問候你一聲。可以耽誤你幾分鐘嗎？還是你有約？」

溥立徹有點訝異，深粉紅色的嘴唇因而張開，或者是因為開心？「嗯——可以啊，有何不可呢？」

「有何不可」看來是溥立徹最愛的一句話。湯姆假裝友善，往門口走去，可是必須等候溥立徹寄放房間鑰匙。

「很不錯的相機，」溥立徹回來後湯姆說道。「我剛剛去了這附近海岸一個很棒的地方。欸，這城市全都在海岸上，是吧？」他自在地哈哈大笑。

離開有冷氣的地方又走進炙熱的陽光下。湯姆發現將近六點半。

「坦吉爾你熟嗎？」湯姆開口問，準備扮演坦吉爾通。「哈法你知道嗎？就是那個風景很特別的地方。或者——你想去咖啡館？」他用手指畫了一圈指著附近。

「我們去你第一個提到的地方吧，風景特別的那個地方。」

「也許珍妮絲也想來？」湯姆停在路上。

「她在睡午覺，」溥立徹說。

他們在大道上等了幾分鐘後上了計程車，湯姆請司機開到哈法。

「這微風真舒服，」湯姆稍微打開窗戶讓空氣灌進來。「你會說阿拉伯語嗎？會說巴巴里方言嗎？」

「只會說一點點。」溥立徹說。

湯姆也準備謊稱說他懂一點。溥立徹腳蹬一雙可以透氣的皮編白鞋，這種鞋湯姆無法忍受。真奇怪，溥立徹的一切他都討厭，連他那只有伸縮金錶帶的手錶他都厭惡。那只手錶昂貴俗豔，金錶殼，連錶面都是金色的，很適合皮條客，湯姆心想。湯姆非常喜歡他自己那只有棕色皮錶帶的百達翡麗，款式傳統，看來像骨董。

「你看！我想我們已經到了。」通常第二次到一個目的地的距離似乎比第一次短。儘管溥立徹吵著不讓湯姆付車資，湯姆依然付了二十迪拉姆給司機並請他離去。「這是個喝茶的地方，」湯姆說，「薄荷茶。說不定還有其他的東西。」湯姆咯咯一笑。湯姆猜想，麻醉品，印度大麻，也許點了就有。

他們走進石板門口再走下石板路，湯姆發覺幾名穿白襯衫的服務生其中一人注意到他們。

「你看看那個景色！」湯姆說道。

太陽依然漂浮在湛藍的直布羅陀海峽上。望著海水，一個人可能會認為微塵並不存在，然而低頭一望，腳下和左右兩邊積了薄薄一層塵沙，石板階梯上鋪了幾張手工編的草蓆，植物在乾涸的土地上看來相當渴。一個小房間，或者不管那隔起來的空間叫什麼，很擁擠，六個男人或坐或斜躺，正聊得很熱烈。

「這裡好嗎？」湯姆指著一個小隔間問道。「這樣服務生來的時候我們才可以點東西。喝薄荷茶嗎？」

溥立徹聳了一下肩，動手調整相機。

「有何不可呢？」湯姆說道，他以為會搶在溥立徹之前說這句話，但溥立徹異口同聲說出這句話。

板著一張臉的溥立徹將相機擺到眼睛前方瞄準海水。

服務生拿著一個空托盤來了。這位服務生打著赤腳。

「請給我們兩份薄荷茶好嗎？」湯姆用法語問道。

給了一個肯定答覆後，男孩離去。

溥立徹又慢慢地再拍了三張照片，他大半個身體都背對著站在小隔間下陷的屋頂陰影中的湯姆。接著溥立徹轉過來淡淡笑道：「拍一張你的照片？」

「不，謝謝，」湯姆親切地答道。

「我們要坐在這裡嗎？」溥立徹慢慢走進陽光點點灑落的小隔間問道。

湯姆乾笑了一聲。他可沒心情坐下來。他拿起左臂下摺起來的長袍，輕輕將它丟在地上。他的左手伸進褲袋，大拇指摸向他的摺疊小刀。湯姆發覺地上也有幾個套了布套的枕頭，若是斜躺，手肘一定很舒服。

湯姆放膽問：「你太太沒和你一起來，你為什麼說她和你一起來了？」

「哦——」溥立徹嘴角雖然掛著淺笑，但他的大腦很忙。「我只是開開玩笑，我想。」

「為什麼？」

「好玩啊。」溥立徹舉起相機對準湯姆，彷彿要報復湯姆侮辱他。

湯姆粗暴地向相機一揮，好像要將相機拍打到地上，雖然他沒碰到相機。「你可以馬上停止那個動作。我不喜歡被拍。」

「比那還糟，你似乎痛恨相機。」但溥立徹放下了相機。

湯姆暗忖，真是一個殺掉這個混帳的好地方，因為沒人知道他們有約，沒人知道他們在這裡會面。打倒他，用小刀拼命刺他，讓他流血流到死，再將他拖到另一個小隔間（或者不用），然後離開。

「不會呀，」湯姆說，「我家有兩三台相機。我也不喜歡別人以一副研究調查的表情拍我家的照片——好像拍了留做日後使用。」

大衛・溥立徹將相機握在手上及腰的高度，和善地笑道：「你在擔心嗎，雷普利先生？」

「一點也不。」

「你說不定在擔心辛西雅・葛瑞諾——和莫奇森那件事。」

「我一點也不擔心。首先，你根本沒見過辛西雅・葛瑞諾。你為什麼暗示說你見過她呢？只是為了樂趣嗎？什麼樣的樂趣？」

「你知道是什麼樣的樂趣。」溥立徹正在挑起摩擦，但小心翼翼。他顯然喜歡冷嘲熱諷、冷漠的對峙局面。「看著你這麼一個自大又驕傲的騙子完蛋的樂趣。」

「哦。溥立徹先生，祝你好運。」湯姆鎮定地站著，雙手插在褲袋裡面，恨不得立刻出手攻擊。他察覺他在等茶，茶正好送來。

年輕的服務生將托盤放在地上，從一個金屬茶壺倒薄荷茶進兩個杯子裡，並祝兩位先生喝茶愉快。

茶聞起來的確很香，很清新，幾乎讓人著迷，溥立徹則完全相反。還有一碟薄荷葉。湯姆拿出皮夾，不管溥立徹抗議，堅持買單，還付了小費。「喝吧？」湯姆說道，隨即彎腰拿杯子，小心地一直保持與溥立徹正面相對。他不打算把溥立徹的杯子遞給他。杯子有金屬握把，湯姆丟了一枝薄荷葉進杯子裡。

溥立徹彎身拿起他的杯子。「唉呀！」

可能是濺出了一點茶在他身上，湯姆不清楚也不在乎。湯姆納悶，這個變態的溥立徹是否正享受和他的這場茶會，即使除了他們雙方對彼此更加厭惡之外沒有任何事發生？兩人越痛恨對方，溥立徹是否就越開心？有可能。湯姆又想到莫奇森，但角度不同：奇怪，溥立徹目前處在莫奇森的位置，表現得像個可以出賣他的人，也可能會揭發德瓦特假畫事件和現在由傑夫・康斯坦與艾德・班伯瑞聯名經營的德瓦特美術用品公司。溥立徹會像莫奇森一樣堅持不懈嗎？溥立徹握有確鑿的證據嗎？或者他只是憑空威脅？

湯姆喝了一口茶，站了起來。湯姆發覺溥立徹和莫奇森相似之處是，他都必須問兩人要停止調查還是被殺。他請求莫奇森放任假畫不管，他沒威脅莫奇森，但莫奇森堅定不移——

「溥立徹先生，我想請求你一件對你來說不可能的事。離開我的生活，別再窺探我，乾脆搬離開維勒佩斯好了？除了騷擾我之外，你在那裡還做什麼？你連歐洲商學院也沒讀。」湯姆漠不關心地大笑，彷彿溥立徹那些關於他自己的故事都很幼稚。

「雷普利先生，我有權利住我想住的地方。和你一樣。」

「沒錯，假如你的行為舉止和我們其他人一樣。我打算將你交給警方，請他們在我住了好幾年的維勒佩斯監視你。」

「你竟敢報警！」溥立徹很想笑。

「我可以跟他們說你拍我家。那件事我有三個目擊證人，當然不含我在內。」湯姆也可以說出第四個：珍妮絲・溥立徹。

湯姆把茶放在地上。溥立徹在被茶燙到之後也將茶杯放在地上，一直沒再端起來。

夕陽在湯姆右邊、溥立徹後方西下，離湛藍的海面更近了。溥立徹這時努力保持鎮定。湯姆記得溥立徹說過他會柔道之類的，也許他騙人？湯姆突然發火，大發雷霆，伸出右腿朝溥立徹腹部踢一腳——柔術招式，也許吧——但是踢的位置太低，結果踢到溥立徹的胯部。

溥立徹痛得彎腰壓著胯部，湯姆趁機朝他下巴俐落地揮了一拳。溥立徹猛撞到石地板上的草蓆，聽來他像是全身癱軟而且不省人事，或許不是。

絕對別踢一個倒下的人，湯姆心想，但立即又用力踢了溥立徹的橫隔膜。湯姆盛怒得想抽出小刀上前刺他幾刀，可是時間可能太短。不過湯姆依然抓起溥立徹襯衫前襟，朝他下巴又揮了一記右拳。

這場小小的爭鬥毫無疑問是他贏了，湯姆將長袍往頭上套時暗忖。茶沒濺出來。也沒流血。湯姆心想，走進來小隔間的服務生看到溥立徹背對著任何人往左側的臥姿，可能會認為他在打盹兒。

湯姆離開現場，走上石板階梯，似乎毫不費力便爬上廚房所在高度，走了出去，對站在門外穿著鬆垮襯衫的年輕人點頭致意。

「計程車？叫得到嗎？」

「可以——也許五分鐘？」他搖搖頭，看起來好像不相信計程車五分鐘就會到。

「謝謝。我等。」湯姆沒看見其他的交通工具，例如，公車；視線所及並沒有公車站。他仍舊渾身是勁，於是刻意放慢腳步沿著路邊走——沒有人行道——享受微風吹拂他汗濕的額頭。蹦，蹦，蹦。湯姆像個沉思的哲學家般走著，看了手錶，七點二十七分，然後掉頭閒晃回哈法。

湯姆邊走邊想事情，想像溥立徹向坦吉爾警方控告湯姆襲擊並毆打他？會像那樣嗎？湯姆實在無法想像。難以言喻的重重困難。湯姆思忖，溥立徹永遠也不會這麼做。

這時萬一一個服務生衝出來（在英國或法國的服務生就會）說「先生，您的朋友受傷了！」湯姆會聲稱對這起不幸毫不知情。但茶點時間（這裡什麼時候不是茶點時間呢？）如此悠閒，而且湯姆也付過服務生錢了，湯姆懷疑會有哪個興奮的人衝進哈法的石板門口尋找他。

大約十分鐘後，一輛計程車從坦吉爾方向駛近，停下來，放三名男子下車。湯姆急忙趨前攔住計程車，同時順手將口袋中的零錢給門口那個男孩。

「請到明澤飯店！」湯姆說，然後向椅背一靠，享受這趟旅程。他取出他那包壓得變形的吉普賽女郎菸，點燃了一根。

他開始喜歡摩洛哥了。卡斯巴地區一簇簇可愛的白色小屋越來越近，接著湯姆感覺計程車讓城市給吞沒，在長長的大馬路上毫不起眼。一個左轉，他的飯店就在眼前。湯姆拿出皮夾。

在明澤飯店入口前面的人行道上，他沉著地伸手拉長袍下襬，往上從頭頂脫掉，再和之前一樣摺好。他右手食指上一道小傷口在長袍上留下幾滴血跡，湯姆在計程車上就發覺到，但傷口目前幾乎已經不流血了。比起湯姆可能受的傷，例如，被溥立徹的牙齒咬傷，或被他的皮帶扣環打傷，這傷口實在很小。

湯姆走進挑高的飯店大廳，時間已近九點。赫綠思一定從機場接了諾愛爾回來。

「鑰匙不在這裡，先生，」櫃台的男子說道。

也沒留言。「哈斯樂夫人呢？」湯姆問。

她的房間鑰匙也不在，於是湯姆請那個男人打電話到哈斯樂夫人的房間。

諾愛爾接起電話。「喂？湯姆！我們在聊天——我在換衣服。」她大笑。「快換好了。你喜歡坦吉爾嗎？*」由於某種原因諾愛爾說英文，而且聽起來心情很愉快。

「非常有趣！」湯姆說，「很迷人！我想我幾乎可以極力讚揚它了！」他察覺他的口氣很興奮，或許過於熱情，但其實他腦子裡想的是溥立徹躺在那張草蓆上，很可能還沒人發現。溥立徹明天不會感覺很舒服。湯姆聽著諾愛爾解釋說倘若湯姆欣然同意，她和赫綠思半小時以內就可以準備好到樓下與他會合。然後她將電話轉交給赫綠思。

「嗨，湯姆。我們在聊天。」

「我知道。樓下見——二十分鐘左右？」

「我現在回我們房間。我想梳洗一下。」

這事令湯姆不悅，可是他不知道該如何阻止。而且，鑰匙在赫綠思手上。

湯姆搭電梯上他們的樓層，比走樓梯的赫綠思早了幾秒到他們房門口。

「諾愛爾聽起來精神超好，」湯姆說。

「對呀。哦，她愛死了坦吉爾！她今天晚上想邀請我們到海邊一家餐廳。」

湯姆正在開門。赫綠思進房去。

「粉好，」湯姆裝出中國腔說道，這腔調偶爾逗得赫綠思開心。湯姆火速吸他手指上的傷口。「我可以先用浴室嗎？粉快就好。快，快！」

「哦，可以啊，湯姆，去吧。可是如果你要沖澡，我就用盥洗台。」赫綠思走向大窗下的冷氣機。

湯姆打開浴室門。浴室有兩個盥洗台，並排著，和許多飯店一樣，湯姆猜想，目的是讓客人舒適，但他無可避免地想到一對夫婦，一起剔牙，或者太太拔眉毛，先生在旁邊刮鬍子，這缺乏美感的畫面令他沮喪。他從他的盥洗用具袋裡面取出塑膠袋裝著的洗衣粉，他和赫綠思旅行總是會帶洗衣粉。但首先，冷水，湯姆提醒自己。只有一點點血跡，可湯姆想要完全去除血跡。他搓揉幾處血跡，顏色看來比較淡了，於是他將水排掉。現在再用溫水和肥皂洗第二遍，肥皂雖然不起泡，但還是有效。

他走進寬敞的臥室到衣櫥拿一支塑膠衣架，臥室裡有特大的床，仍舊是兩張，而且也是並排合併在一起。

「你今天下午做了什麼？」赫綠思問，「你買了什麼東西嗎？」

「沒有，甜心。」湯姆微笑道，「我到處走走——然後喝茶。」

「喝茶，」赫綠思覆述了一遍。「在哪裡喝？」

「哦——小咖啡館——和其他咖啡館沒什麼兩樣。我只是想看路上的行人。」湯姆回到浴室將長袍掛在浴簾後，好讓水滴到浴缸內。接著他脫衣，將衣服掛在毛巾架上，快速沖了冷水澡。

＊譯注：Ow do you like Tangier? 法國人不發 "h" 音，因此這裡作者刻意將 "how" 寫成 "ow"。

赫綠思進來使用盥洗台。湯姆穿著浴袍、打著赤腳進臥室找乾淨的內衣褲。

赫綠思換好衣服，這時正穿著白色休閒褲和綠白條紋襯衫。

湯姆套上黑色棉長褲。「諾愛爾喜歡她的房間嗎？」

「你的長袍已經洗了？」正在上妝的赫綠思從浴室對他大喊。

「都是灰塵！」湯姆答道。

「上面沾到什麼東西？油嗎？」

她發現他沒洗到的血跡嗎？就在這時，湯姆聽見附近塔樓傳來叫拜人哀嚎似的尖銳聲音。湯姆暗想，倘若他選擇認為赫綠思發現他沒洗到的血跡，這就可能是個警訊，表示更糟的事情將接踵而來，但他沒這麼想。油？他可以說是油就這麼應付過去嗎？

「這看起來像血跡，湯姆，」她用法語說道。

他扣著襯衫鈕釦，同時向前移動。「應該不太像吧，甜心。沒錯，我稍微割傷我的手指，撞到東西。」他說的是實話。他伸出右手，掌心朝下。「傷口很小，可是我不想血跡留在長袍上。」

「哦，顏色很淡，」她臉色沉重地說，「可你是怎麼沾到血跡的？」

湯姆之前在計程車上就覺悟到他必須對赫綠思解釋幾件事情，因為他準備提議他們明天中午之前離開。他甚至連今晚住在這裡都有點不放心。「呃，親愛的——」他在想該如何啟口。

「你見到這個——」

「溥立徹，」湯姆替她說出來。「對。我們稍微扭打了一下，在茶館——咖啡館外面吵架。我被他氣得出手打他，狠狠揍他一頓。可是他沒有傷得很嚴重。」赫綠思等他多說一些，過去她常有這種反應。他和她在一起很少發生事情，因此他不習慣和她分享消息——無論如何，若非必要，他絕不說。

「嗯，湯姆，你在某個地方看到他？」

「他住在這附近一家飯店。他太太沒跟他一起來，雖然我在樓下酒吧看到他的時候他跟我說她有來。我猜想她在維勒佩斯，我不禁納悶她在忙什麼。」他想到麗影。湯姆覺得，鬼鬼祟祟跟蹤人的女人比男人還恐怖。首先，其他人可能比較不會質疑她。

「這個溥黎夏到底怎麼回事？」

「親愛的，我跟妳說過他們瘋了。瘋子！別破壞妳的假期。妳有諾愛爾陪妳。這個怪胎想要惹惱我，不是妳，這點我很確定。」湯姆抿了嘴唇，走到床邊坐下來穿鞋襪。他想回到麗影去查事情，然後再去倫敦。他迅速地綁好鞋帶。

「你們在哪裡打架？為什麼打？」

他搖搖頭，沉默無語。

「你的手指還在流血嗎？」

湯姆看著他的手指。「沒有。」

赫綠思走進浴室，拿了ＯＫ繃回來，撕開它備用。

一瞬間小小的ＯＫ繃便貼好，湯姆覺得好多了，至少好像他不會在某處留下一絲粉紅色的血跡。

「你在想什麼?」她問。

湯姆看錶。「我們不是應該在樓下和諾愛爾會合嗎?」

「是的。」赫綠思冷靜說道。

湯姆將皮夾放進西裝口袋內。「今天這場架我打贏了。」湯姆想像溥立徹今晚回到飯店「休息」的畫面，可是他明天會做什麼，誰也猜不著。「不過我想溥——溥立徹先生會想反擊，也許明天。妳和諾愛爾最好換飯店，我不希望妳們在這裡發生任何不愉快。」

赫綠思的眉毛稍微抖了一下。「怎麼反擊?而你還想要繼續留在這裡?」

「這我還不知道。我們下樓吧，達令。」

他們讓諾愛爾等了五分鐘，但她心情似乎很好。她看來好像回到睽違已久的某個地方。他們走近她，她正和酒保聊天。

「晚安，湯姆!」諾愛爾說道，接著繼續用法語說，「我可以請你們喝什麼開胃酒?今天晚上我請客。」諾愛爾甩頭，她的直髮唰地如窗簾般晃動。她戴著一副薄薄的圓圈金耳環，穿著有刺繡的西裝外套和黑色休閒褲。「你們兩個今天晚上不會冷吧?」諾愛爾說道，同時像隻母雞般檢查赫綠思是否手上帶著一件毛衣。

湯姆與赫綠思已事先獲得警告：坦吉爾的夜晚絕對比白天還涼。

兩杯血腥瑪麗，一杯琴湯尼給男士。

赫綠思提出湯姆剛才和她說的事情。「湯姆認為他明天也許必須離開這家飯店——我們可能會離開。妳記得那個拍我家照片的男人嗎，諾愛爾？」

湯姆很高興赫綠思私下沒對諾愛爾提起溥立徹。諾愛爾確實記得他。

「他在這裡嗎？」諾愛爾大叫，實在很驚訝。

「而且還惹麻煩！湯姆，攤牌！*」

湯姆哈哈大笑。攤牌！「看了我的傷，妳們就必須相信我說的話，」湯姆露出他的OK繃沉著臉說。

「赤手空拳的打鬥！」赫綠思說道。

諾愛爾看著湯姆。「可是他為什麼生你的氣？」

「這就是問題所在。他實在是陰魂不散，願意買一張機票好離我更近，大部分的人不是這樣。詭異。」湯姆用法語答道。

赫綠思告訴諾愛爾，溥立徹住在附近一家飯店，他太太沒和他一起來，萬一溥立徹意圖發動奇怪的攻擊，他們所有人還是離開明澤飯店比較妥當，因為溥立徹知道她和湯姆下榻在這裡。

「還有其他飯店，」湯姆於事無補地說道，但他故作輕鬆。他發覺他很高興諾愛爾與赫綠思明白他的困境或他現在的壓力，即使諾愛爾不知道莫奇森神祕失蹤的原因與德瓦特業務。業

＊譯注：赫綠思其實是想說「把手給她看！」用法錯誤，說成了Show your hand。

務——有兩種意思，湯姆邊喝飲料邊想：產業，以前是，虛假，目前一半是。湯姆費力地將心思轉回女士身上。他和赫綠思一樣站著，只有諾愛爾坐在凳子上。

兩位女士正在討論在大市集買珠寶，兩人同時各說各話，但她們顯然依舊完全明白對方所說的內容。

一名男子走過來向他們兜售紅玫瑰，從他的裝扮來看，他是一個街頭小販。仍然全神貫注和赫綠思聊天的諾愛爾揮手要他走開，酒保陪著那人走到門口。

晚餐在「諾堤綠思海灘」享用，諾愛爾已事先預訂。這是一家位於海邊的露台餐廳，熱鬧但相當雅致，桌子間隔寬敞，桌上還備有點亮的蠟燭讓客人看菜單。招牌菜是魚。他們聊了很久才逐漸聊回明天換飯店的話題，諾愛爾篤定她可以輕易解救他們脫離必須在明澤飯店住五天的不成文義務。她認識明澤飯店的人：明澤客滿，她只要說她想避開某個即將入住的房客就好。

「我想我說的是事實吧？」她對湯姆揚起眉毛笑道。

「的確是，」湯姆說道。湯姆心想，諾愛爾似乎已將最近讓她意志消沉的那個情人拋在腦後。

9

隔天湯姆很早起床，他不小心在八點之前吵醒赫綠思，但似乎沒打擾到她。

「我要到樓下喝咖啡，親愛的。諾愛爾說她幾點要退房——十點嗎？」

「十點多，」赫綠思說道，眼睛依然緊閉。「行李可以由我來打包，湯姆。你要去哪裡？」

她知道他要出去。可是湯姆不知道自己到底要去哪裡。「我去巡視一下，」他說，「要我幫妳點一份歐陸式早餐嗎？外加一杯柳橙汁？」

「我想喝的時候——會叫你點的。」她蜷縮在枕頭上。

湯姆開門回頭拋給她一個飛吻時心想，美麗的配偶正舒適地躺在床上。「我差不多一小時後回來。」

「你帶長袍幹什麼？」

湯姆又將摺好的長袍拿在手上。「我不曉得。為了買一頂帽子來配吧？」

湯姆來到樓下又和櫃台人員說話，同時提醒他們他和他太太這天早上要離開。諾愛爾昨晚接近午夜的時候通知過櫃台人員，然而湯姆認為禮貌上現在還是要再說一遍，因為櫃台人員換了班。接著他到男士專用洗手間，裡面有一個中年美國男子，或至少看來像美國人的男子，在盥洗台前刮鬍子。湯姆抖開他的長袍並穿上。

那名美國人在鏡子裡看他。「你們穿那種衣服不會被絆倒嗎？」美國人一手拿著電動刮鬍刀，咯咯笑道，同時一臉茫然，不曉得對方是否聽懂他說的話。

「哦，當然會啊，」湯姆答道，「然後我們就趁機說個冷笑話，例如——絆倒愉快嗎？*」

「哈—哈！」

湯姆揮一揮手離開。

又走下稍微下坡的巴斯特大道，店家已在人行道上擺好了攤位，或正在架設。男人頭上都戴些什麼？大部分的人都沒戴，湯姆四下張望時發現。有幾個人纏了某種白布，看來像理髮師的熱毛巾，不大像頭巾。湯姆最後買了一頂黃色調的寬邊草帽，二十迪拉姆。

戴上草帽後，湯姆朝法國別墅大飯店的方向走。途中，他駐足在巴黎咖啡館喝一杯義式濃縮咖啡並吃了像牛角麵包的東西。然後繼續向前走。

他在法國別墅大飯店門口徘徊了兩、三分鐘，希望溥立徹出現，那麼他就可以向前壓低草帽，緊盯著溥立徹。但溥立徹沒出現。

湯姆走進飯店大廳，東張西望，然後走向櫃台。他像個從豔陽下走進來的觀光客般將帽子往後拉高，然後用法語說：「早安。請問我可以和大衛・溥立徹先生說話嗎？」

「溥黎夏——」櫃台人員查了一下本子，隨即在湯姆左邊的一張桌上撥了一個號碼。

湯姆看見櫃台人員點頭，蹙眉。「抱歉，先生，」他說，「可是溥黎夏先生不想受到干擾。」

「請跟他說我是湯姆・雷普利，」湯姆口氣很急地說道。「我深信——這事很重要。」

櫃台人員又撥了電話。「先生，是湯姆・雷普利先生。他說——」

顯然溥立徹打斷了櫃台人員，過了一會，櫃台人員告知湯姆說溥黎夏先生不想和任何人說話。

第一回合與第二回合都獲勝，湯姆謝過櫃台人員掉頭離開時心想。溥立徹下巴脫臼了嗎？一顆牙齒被打得鬆動了嗎？可惜他的傷不是很嚴重。

現在該回到明澤飯店了。退房付帳時他要多換點錢給赫綠思。沒多看看坦吉爾真是可惜！可是呢——湯姆的精神一振，自信也隨之大增——也許他可以搭下午的晚班機回巴黎。他想，必須打電話給安奈特太太。先打電話到機場，如果可能，搭法國航空。湯姆想將溥立徹引誘回維勒佩斯。

他向街頭小販買了一束綁得很緊的茉莉花，這束花有一種耐人尋味又純正的香味。

回到他們的房間後，湯姆發現赫綠思已打扮好，正在打包行李。

「你的帽子！我想看你戴上它。」

湯姆一進飯店便不知不覺摘下帽子，這時他戴上。「妳不覺得我這樣很像墨西哥人嗎？」

「不，親愛的，你穿那件長袍就不像，」相當認真審視他的赫綠思說道。

＊譯注：enjoy your trip? Trip 有「旅行」或「絆倒」之意。

「諾愛爾有什麼消息？」

「我們先去林布蘭特飯店，然後——諾愛爾提議搭計程車去斯巴特角。她說我們一定要看這個地方，也許在那裡吃午餐。吃點點心，不是大餐。」

湯姆記得在地圖上看過斯巴特角，是坦吉爾西部的一個海角或海岬。「去那裡要多久時間？」

「諾愛爾說不超過四十五分鐘，可以騎駱駝，風景很漂亮。湯姆——」這時赫綠思的眼神頓時悲傷了起來。

湯姆知道，她感覺得出來他可能會離開，而且就在今天。「我——嗯——我必須打電話到航空公司去，甜心。我惦念著麗影！」他像個臨行前的武士般說道。「可是——我會試著搭今天下午的晚班機，我也想去看看斯巴特角。」

「你——」赫綠思將一件摺好的襯衫丟進她的行李箱。「你今天早上有見到溥黎碩嗎？」

湯姆不禁微笑。那個姓名赫綠思有說不完的版本。他本來想說那該死的傢伙在飯店但不想見他，可是他最後說：「沒有。我只是去逛一逛，買頂帽子，喝了一杯咖啡。」他喜歡對赫綠思隱瞞一些小事，一些只會擾亂她的小事。

十一點四十五分不到，諾愛爾、赫綠思與湯姆坐在計程車內往西朝斯巴特角方向前行，穿越空曠乾涸的大地。湯姆在林布蘭特飯店大廳打電話，透過飯店經理的協助與關說，預定了法航下午五點十五分從坦吉爾飛往巴黎的班機。飯店經理向湯姆保證機位確認等湯姆抵達坦吉爾機場再做即可，因此湯姆覺得他可以專心欣賞風景等等的。沒有時間打電話給安奈特太太，但他意外出現嚇不了她，而且他的鑰匙鍊上串著家門鑰匙。

「現在這個地方很重要——一向都是，」在湯姆好不容易擺脫諾愛爾的抗議，付了計程車司機車資後，諾愛爾開始大力介紹斯巴特角。「羅馬人曾經來過——所有人都來過，」她攤開雙臂說道。

她的皮包掛在肩上，穿著一條黃色休閒棉褲，襯衫外罩著一件寬鬆的外套。持續不斷的微風將他們的衣服與秀髮固定往西吹，湯姆看來似乎如此。風吹得男人的襯衫與長褲鼓脹。兩家長形的酒吧與咖啡館似乎是這地區唯二的兩棟建築。斯巴特角高坐在直布羅陀海峽上，直布羅陀海峽的景色比湯姆之前見過的還美，因為西邊就是遼闊的大西洋。

兩三頭傻笑的駱駝舒適地躺在幾公尺外的沙地上看著他們，四腳屈在身體下面。一個穿著白長袍、纏著頭巾的隨從在駱駝附近逗留，但似乎從未看他們一眼。他正抓著手中好像花生的東西在吃。

「現在要騎，還是午飯後再騎？」諾愛爾用法語問道。「看啊！你們看到了嗎？我差一點忘記了呢！」她指著西邊曲折壯觀的海岸喊道，湯姆看見了像褐色泥磚廢墟的斷垣殘壁。「羅馬人在這裡製造魚油，送回羅馬。這裡曾經全都歸屬於羅馬人。」

這時，湯姆瞧著山丘上一個男子下了機車，立刻擺出祈禱的姿勢，低頭翹臀，顯然是面對麥加。

兩家咖啡館都有室內與戶外的座位，其中一家還有面對大西洋的露台。他們選擇了有露台的那家，坐在一張白色金屬桌邊。

「天空好美！」湯姆說道。確實是讓人印象深刻，難以忘懷，一片湛藍，萬里無雲，連一架飛機或一隻鳥也沒有，只有一片寂靜與永恆感。湯姆尋思，從乘客沒有相機的遠古時代迄今，駱駝數千年來有改變嗎？

他們午餐吃小點心，赫絲思最喜歡的一種餐點。番茄汁、沛綠雅礦泉水、橄欖、白蘿蔔和小條的炸魚。湯姆低頭看著桌下的手錶，將近下午兩點。

女士們正討論騎駱駝之旅。諾愛爾細長的臉龐與細窄的鼻子已曬黑，或者是防曬化妝品的關係？諾愛爾與赫絲思會在坦吉爾待多久呢？

「說不定三天以上？」諾愛爾看著赫絲思問道。「我在這裡有一些朋友。還有高爾夫俱樂部，吃午餐很不錯的地方。我今天早上才聯絡上一個朋友。」

「你會和我們保持聯絡吧，湯姆？」赫絲思問。「你把林布蘭特的電話記下來。」

「當然，達令。」

「真可恥，」諾愛爾激烈地說，「像溥黎夏這種野蠻人竟能破壞別人的假期！」

「哦——」湯姆聳聳肩。「他沒破壞。我家裡有些事要處理，別的地方也有事。」湯姆不覺得他語意不明，雖然他是。諾愛爾對他的活動還有他的謀生方式一點也不感興趣，湯姆隱約記得，諾愛爾靠家人支助及前夫留下的錢度日。

吃完了點心，他們緩緩走向駱駝，但中途先停下來撫摸「小毛驢」，小毛驢的男主人穿著涼鞋牽著驢媽媽用英語大喊，引起路人注意小毛驢。小毛驢毛絨絨的身體與耳朵緊貼著驢媽媽。

「拍照？」小毛驢和驢媽媽的主人問。「小毛驢。」

諾愛爾在她容量大的手提袋內放了一架相機。她拿出相機並給了驢子主人一張十元迪拉姆的鈔票。「把妳的手放在小毛驢的頭上，」諾愛爾對赫綠思說。喀嚓！赫綠思露齒微笑。「換你了，湯姆！」

「不要。」或者也許要。湯姆朝驢媽媽、小毛驢和赫綠思跨了一步，隨後搖頭。「不了，我幫你們兩個拍一張。」

湯姆幫她們拍了一張合照，然後他留下女士們和駱駝主人用法語交談。他必須搭計程車回坦吉爾去拿行李，他本來可以順道帶出來，但是他想回林布蘭特飯店看看溥立徹是否在那裡窺探他們。他們告訴明澤飯店人員說他們要去卡薩布蘭加。

湯姆必須等計程車。數分鐘前他請咖啡館的吧檯人員打電話叫車，吧檯人員已經叫了。同時，湯姆在露台來回踱步。

一輛計程車載著打算在這裡下車的乘客來到。湯姆上車後說：「請到林布蘭特飯店，巴斯特大道。」

他們疾駛而去。

湯姆並未回頭看駱駝，不想看到赫綠思可能讓站起來的公（母）駱駝東甩西甩。湯姆不想去想像從駱駝背上俯瞰遙遠沙地的感覺，雖然騎著駱駝的赫綠思大概笑得很開心，到處張望。而且晚一點她會安全返回地面上，沒有骨折。湯姆拉上窗戶，只留了四分之一吋的空隙，因為計程車速度快，讓風強烈地灌進來。

他騎過駱駝嗎？湯姆不是十分肯定，即使被高舉上去的感覺如此真實，在他記憶裡真實得讓他感覺自己曾經騎過駱駝。他討厭騎駱駝，騎駱駝就像站在離水面五、六公尺高的跳水板上俯視泳池。跳！他為什麼要跳？曾經有人命令他跳嗎？在夏令營的時候嗎？湯姆不確定。有時候他的想像如記憶般清晰。他想，有些記憶逐漸消失，例如殺狄奇、莫奇森，甚至他勒死的那兩個壯碩的黑手黨成員。後面那兩個可能是杜恩斯柏利*口中所謂的人類，對他來說毫無意義，除了他特別厭惡黑手黨之外。他真的在火車上殺死了那兩人嗎？他的潛意識掩蓋了意識，讓他以為他可能沒殺死他們嗎？或者並非如此？但他確實看到報上刊登發現這兩人的屍體的新聞。他有看到嗎？當然他是不會剪下報導留在家裡的！湯姆發覺，事實與記憶之間確實有一道屏障，雖然他無法給它一個具體稱號。他想了幾秒鐘後心想，他當然能給它一個稱號，就是自我保護。

這時四周又是坦吉爾布滿塵土、人潮擁擠繁忙的街道和四層樓建築，他瞥見看來有點像威尼斯聖馬可廣場的舊金山紅磚塔，只不過是用白色磚頭建成的阿拉伯式塔樓。湯姆趨身向前坐在座位邊緣。「很接近了，」他用法語說道，因為司機開得很快。

終於司機一個左轉，停在巴斯特大道另一邊，湯姆下車，付了車資讓司機離去。

他出門前將行李寄放在樓下門房那裡。「有任何給雷普利的留言嗎?」他問櫃台人員。

沒有。

湯姆聽了很開心。他只有一個小行李箱和一只公事包。「請幫我叫一輛計程車,」湯姆說,「到機場去。」

「好的,先生。」那個男人伸出一根手指和行李員說了一些話。

「沒有人來這裡找我嗎?即使是沒留言就走的人?」湯姆問道。

「沒有,先生。我想沒有,」櫃台那名男子誠懇說道。

湯姆上了開來飯店的計程車。「麻煩到機場。」

他們往南行駛,等到他們出城後,湯姆往後向椅背一靠,點燃一根菸。赫綠思想在摩洛哥待多久?諾愛爾會說服她繼續到別處去嗎?埃及?湯姆看不出來赫綠思會想去埃及,但他看得出來她想留在摩洛哥。這正合湯姆之意,因為他感覺到麗影附近即將發生危險,也許會有暴力事件。湯姆暗想,他一定得想辦法將這個可憎的溥立徹引開維勒佩斯,因為身為局外人——更糟的是,美國人——他可不想替這個寧靜的小鎮帶來麻煩或騷動。

法航飛機上的氛圍充滿法式風情,搭頭等艙的湯姆接受一杯香檳(不是他最喜歡的酒),同時看著坦吉爾與非洲海岸線漸漸退離他的視線。如果有任何海岸線稱得上獨特(旅行社手冊上普

＊譯注:杜恩斯柏利(Doonesbury),美國漫畫家蓋瑞・杜魯多的漫畫《杜恩斯柏利》的主角。

遍濫用的字眼），那便是坦吉爾港那像兩支耙子的海岸線。湯姆希望有一天能再回來。他拿起刀叉準備享用晚餐，這時西班牙陸塊也漸漸消失，窗外又回復一貫的灰白與枯燥，這就是飛機旅客的命運。航空公司替他準備了新一期（對湯姆而言）的《焦點》（*Le Point*）週刊，湯姆打算在餐後閱讀，然後再從容不迫地一覺睡到飛機降落。

湯姆想要打電話向艾格妮斯・葛瑞問好，於是他在提領行李之後便在機場打。艾格妮斯在家。

「我在戴高樂機場，」湯姆回答她說。「我決定提早回來……是啊，赫綠思和她朋友諾愛爾繼續留在那裡。大後方一切都好吧？」他繼續以法語說道。

艾格妮斯告訴湯姆說據她所知一切都好。「你搭火車回來嗎？我去楓丹白露接你。無論多晚都沒關係……當然啊，湯姆！」

艾格妮斯查了一下火車時刻表，她會在午夜剛過的時候去接他。她要湯姆放心，接他是她的榮幸。

「還有一件事，艾格妮斯。妳現在可不可以打電話通知安奈特太太說我今晚會一個人回家？那麼我用我的鑰匙開門的時候就不會嚇她一跳？」

艾格妮斯表示她會打。

湯姆因此覺得好多了。他偶爾也幫葛瑞夫婦和他們的孩子類似的忙，鄰居互助是鄉村生活的一部分，尤其是要離開鄉村到任何地方去，或者回到鄉村來，正如此刻。湯姆搭計程車到里昂車站，然後再搭火車，在火車上向查票員買票，選擇付一點罰款，而不願對自動售票機動手腳。他本可以一路搭計程車回家，但他一向小心翼翼不讓計程車司機一路開到麗影大門。這樣就像讓一個潛在的敵人明確知曉你的住處。湯姆認清他內心這種恐懼，並自問他是否太過偏執。但萬一計程車司機是敵人，空想也太遲了。

抵達楓丹白露後，艾格妮斯已在那裡等候，一如往常笑容滿面。在回維勒佩斯途中，湯姆回答她有關於坦吉爾的問題。他沒提起溥立徹之事，同時希望艾格妮斯會說住在離她幾百公尺的珍妮絲‧溥立徹的一些事情，任何事情，可是艾格妮斯沒說。

「安奈特太太說她會等你。真的，湯姆，安奈特太太——」艾格妮斯無法用言語形容安奈特太太的奉獻，幸好。安奈特太太甚至門戶大開。

「那麼，你不確定赫綠思什麼時候回來？」他們開進麗影的前院時艾格妮斯問道。

「不確定。由她決定，她需要度一點假。」湯姆從後車廂拿出行李箱並向艾格妮斯道謝與道晚安。

安奈特太太打開前門。「歡迎您歸來，湯姆先生！」

「謝謝，安奈特太太！回到這裡我真高興。」再次聞到玫瑰花瓣與家具亮光漆那淡淡又熟悉的味道，聽到安奈特太太問他是否肚子餓，令他快樂。湯姆向她保證說他不餓，他只想上床睡覺。可是首先，有沒有郵件呢？

「這裡，湯姆先生。和平常一樣。」

在玄關桌上，湯姆發現郵件並不多。

「赫綠思夫人好嗎？」安奈特太太焦急地問道。

「哦，好啊。她和她朋友諾愛爾夫人在一起，妳記得的。」

「這些熱帶國家——」安奈特太太微微搖頭說道。「一個人必須非常小心。」

湯姆哈哈大笑。「夫人今天騎了駱駝。」

「哎呀！」

很不幸地這個時間打電話給傑夫・康斯坦或艾德・班伯瑞算相當晚，也顯得無禮，但湯姆照打不誤。先打給艾德，倫敦這時應該已近午夜。

艾德接起電話，聲音聽起來有些睡意。

「艾德，很抱歉這麼晚打電話給你。可是這件事很重要——」湯姆舔了一下嘴唇。「我想我應該到倫敦一趟。」

「喔？發生什麼事了？」艾德醒了。

「焦慮，」湯姆嘆了口氣道。「我最好和——那邊的人談一下，你知道嗎？你可以讓我在你家過夜嗎？或者傑夫可以？一個晚上左右？」

「我想我們兩個人都應該可以，」艾德說，他回復他原來緊張又清晰的聲音。「傑夫有一張空床，我也是。」

「至少住第一晚，」湯姆說，「然後我再看事情如何發展。謝啦，艾德。有辛西雅的任何消息嗎？」

「沒——沒有。」

「沒有任何暗示，沒有任何謠言嗎？」

「沒有，湯姆。你回到法國了？我以為你——」

「信不信由你，大衛・溥立徹在坦吉爾出現，他跟蹤我們到那裡。」

「什麼？」艾德被嚇到了。

「他對我們不懷好意，艾德，而且他會竭盡全力對付我們。他太太在家——在我住的鎮上。細節我到了倫敦再跟你說，明天我買了機票後再打電話給你。什麼時間打給你比較好？」

「倫敦時間十點半之前，」艾德說，「明天早上。溥立徹現在人在哪裡？」

「據我所知，他在坦吉爾。目前是。我明天早上打給你，艾德。」

10

湯姆一夜好眠，八點之前就起床。他下樓去看看花園。他之前擔心的連翹已經澆了水，或者至少看起來好端端的，恩立來過，湯姆從溫室旁堆肥邊一些新的枯玫瑰研判而知。兩天的時間幾乎不會發生什麼大災難，除非下了一場大冰雹。

「湯姆先生！——早安！」安奈特太太站在通向陽台的三扇落地窗其中一扇前面。

他的黑咖啡一定準備好了，湯姆一路快步走回屋內。

「我沒想到您會這麼早起床，」安奈特太太替他倒了第一杯咖啡後說。

他的托盤在客廳，上面擺著滴濾式咖啡壺。

「我也沒想到。」湯姆在沙發上坐了下來。「現在妳得告訴我新聞。坐下，安奈特太太。」

這項要求非比尋常。「湯姆先生，我還沒去買麵包呢！」

「向那個開著小貨車按喇叭的人買呀！」湯姆淺淺一笑。一輛賣麵包的貨車按著喇叭沿路叫賣，一群穿著晨衣的女人出來買麵包，湯姆見過這種情景。

「可是他不會在這裡停，因為——」

「妳說得對，安奈特太太。不過妳和我說兩分鐘的話，麵包店今天早上的麵包還會在的。」

她比較喜歡走路到村上買麵包，因為她在麵包店會碰到熟人，然後彼此八卦一下。「這一陣子都平靜嗎？」他知道這樣的問題會讓安奈特太太絞盡腦汁想出怪事。

「恩立先生來過一次。沒待很久，不到一個鐘頭。」

「沒有人再來拍麗影的照片了？」湯姆笑著問。

安奈特太太搖頭。她的十指在腰圍下緊扣著。「沒有，先生。可是——我的朋友伊芳跟我說那位女士——畢夏？那個太太——」

「畢夏，類似這個姓。」

「她在啜泣——她去買東西的時候。流眼淚！您想像得到嗎？」

「不，」湯姆說。「流眼淚啊！」

「而且她丈夫現在不在那裡，離開了。」安奈特太太說的好像他也許拋棄了他太太。

「說不定他出差去了。這個畢夏太太在村上有交了些朋友嗎？」

安奈特太太遲疑了一下。「我不認為有。她看起來很悲傷，先生。我可以先幫你準備一顆煮得半熟的蛋再去麵包店嗎？」

湯姆接受了這項計畫。他很餓，而且也沒理由不讓安奈特太太去麵包店。

安奈特太太轉身走向廚房。「啊，克雷格先生來過電話，我想應該是昨天。」

「謝謝。他有留言嗎？」

「沒有。只是向您問好，沒別的了。」

那麼溥黎夏太太在啜泣。又在演戲了，湯姆推測，或許只是為了自娛一番。湯姆起身走到廚房。當安奈特太太背著手提袋從她的地盤走進來並從掛鉤上取下購物袋時，湯姆說：「安奈特太太，請別告訴任何人我在家或者回來過。因為我想我今天會再出門……對了，哎呀，所以不要多買我的份！晚一點我再跟妳說得詳細點。」

湯姆九點鐘打電話聯絡楓丹白露那家旅行社，訂了一張飛往倫敦的頭等艙來回票，回程日期開放，當天下午一點多從戴高樂機場出發。湯姆整理了一只手提箱，裝了些盥洗用品，還有幾件隨洗隨乾的襯衫。

他對安奈特太太說：

「假如有人打電話來就說我和赫綠思夫人人還在摩洛哥，好嗎？我隨時會回來！說不定明天，說不定後天……不，不，我會打電話給妳，明天一定打，安奈特太太。」

湯姆告訴安奈特太太說他要去倫敦，但沒跟她說他會在哪裡留宿。他沒指示安奈特太太萬一赫綠思打電話來時該如何應對，他只希望她不會來電，因為摩洛哥的電信系統令人沮喪。

隨後湯姆從他樓上的臥室打電話給艾德・班伯瑞。雖然安奈特太太依然不會說英語，而且湯姆經常覺得她對語言似乎很遲鈍，他有些談話還是不想讓她聽見。湯姆告訴艾德他抵達的時間，還說下午三點剛過他可能就會出現在艾德家門前，倘若方便的話。

艾德表示他會配合。沒問題。

湯姆向艾德核對他在柯芬園的地址，以確定他手上的地址正確。「我們必須考慮到辛西雅，查出她在做什麼，」湯姆說，「我們需要祕密間諜。我們真的需要一個長期潛伏的間諜。你考慮看看。期待見到你，艾德！需要從青蛙國*帶什麼東西給你嗎？」

「嗯，哦，在免稅店買一瓶保樂（Pernod）茴香酒可以嗎？」

「說到做到。一會兒見。」

湯姆提著他的輕便行李下樓時，電話正好響起。湯姆希望是赫綠思打來的。結果是艾格妮斯・葛瑞。「湯姆——由於你一個人在家，我就想如果你今天傍晚過來我們家吃晚餐挺不錯的。只有孩子們在家，他們吃得比較早，你知道？」

「謝謝妳，親愛的艾格妮斯，」他用法語答道，「不好意思，我又要出門了……是的，今天。其實我正要打電話叫計程車，真可惜。」

「叫計程車到哪裡去？我現在要去楓丹白露買東西，可以順道載你嗎？」

那正如湯姆所願，於是他輕而易舉地搭了一趟遠至楓丹白露的便車。五或十分鐘後艾格妮斯抵達，趁著艾格妮斯・葛瑞的旅行車開進湯姆開啟的大門，湯姆還來得及向安奈特太太道別。然後兩人便離去。

「你現在要去哪裡？」艾格妮斯微笑著瞥了他一眼，彷彿認為他是經常四處遊蕩的人。

「倫敦。辦件小事——對了——」

＊譯注：Frogland，指法國，frog 指法國人。

「是的，湯姆？」

「如果妳不對任何人說我昨晚在家過夜，我會很感激。也別說我要到倫敦去個一兩天。這不是很重要——對任何人來說——不過我覺得我應該陪伴赫綠思，即使她有她的好友諾愛爾陪她。妳見過諾愛爾・哈斯樂嗎？」

「見過。兩次，我想。」

「幾天後我要回——卡薩布蘭加，很可能。」湯姆故作輕鬆，「妳知道那個奇怪的溥立徹太太最近淚汪汪的？這消息我從我最忠實的間諜安奈特太太那裡聽來的。」

「淚汪汪？為什麼？」

「我根本不知道！」湯姆不打算說溥立徹先生這會兒似乎不在家。假如艾格妮斯沒注意到珍妮絲的丈夫不在家，那珍妮絲・溥立徹太太一定是不大與人來往。「走進麵包店擦眼淚很奇怪，是吧？」

「很奇怪啊！而且很悲哀。」

艾格妮斯・葛瑞送湯姆到他臨時提議的地方：黑鷹餐廳門前。走下階梯穿過陽台而來的行李員也許認識或不認識湯姆的容貌，因為湯姆只光顧這家飯店的餐廳與酒吧，但他還是對行李員說他想叫一輛願意去機場的計程車，湯姆順便給了他小費。

似乎才一會兒的工夫，湯姆便坐在另一輛靠左行駛前往倫敦的計程車上。他腳邊是個塑膠袋，放了艾德的保樂力加茴香酒和一條高盧牌香菸。湯姆看見窗外的紅磚工廠與倉庫，公司行號的大型招牌，這些景象和他想像中探訪倫敦友人自在享受友情的情景實有天壤之別。他在他的英國－英格蘭信封中發現兩百多英鎊現金（他的藏寶箱內有個小抽屜專門用來放用剩的外幣），和一些英鎊旅行支票。

「到七鐘面（Seven Dials）那裡請注意一下，」湯姆語調客氣但焦急地對司機說，「假如你走那條路的話。」艾德．班伯瑞已事先警告過他計程車司機可能會轉錯方向，這一來麻煩可就大了。艾德說過他家那排翻修過的老公寓坐落在貝佛伯瑞街。湯姆付了錢讓司機離去。

艾德如約在家，他從對講機核對了湯姆的聲音後，按門鈴開門讓湯姆進來時，轟隆一聲雷聲響起，湯姆因而搖晃了一下。接著，湯姆打開第二道門時，他聽見開始下大雨的聲音，雨滴淅哩嘩啦落了下來。

「沒有電梯，」艾德在樓梯扶欄俯身說道，隨即開始下樓。「二樓。」

「嗨，艾德，」湯姆悄聲說道。當同一樓層兩棟公寓聲音可能會互相傳達時，湯姆不喜歡大聲說話。艾德接過了那個塑膠袋。木頭扶欄擦得亮晶晶，牆壁看來剛粉刷過白漆，地毯是深藍色。

艾德的公寓和大廳一樣有著又新又乾淨的外觀。艾德泡了茶，說是因為他通常這個時間都會泡茶，而且也因為下大雨。

「你和傑夫談過了？」湯姆問。

「哦，是的。他想見你，說不定今天晚上。我告訴他說等你人到了我會打電話通知他，我們談過了。」

他們在即將做為湯姆臥室的房間飲茶，這房間和客廳相通，像是書房，裡面有一張似乎是由罩了沙發套的單人床和幾個靠墊組合而成的沙發。湯姆快速地向艾德報告了大衛・溥立徹在坦吉爾的活動，還有最後以溥立徹不省人事躺在哈法茶館石地板上收場的那起事件。

「在那之後我就沒見過他了，」湯姆說，「我太太和一個叫做諾愛爾・哈斯樂的巴黎朋友還在那裡。我猜她們會繼續前往卡薩布蘭加。我不希望溥立徹傷害我太太，而且我不認為他會試著這麼做。他的目標是我，我不知道那個壞蛋在打什麼主意。」湯姆啜了一口美味的伯爵茶。「溥立徹可能是個瘋子，是的。可是我感興趣的是他可能從辛西雅・葛瑞諾那裡得到什麼訊息。在這方面有消息嗎？比如說，有任何那個中間人的消息嗎——那個在自由參加的大派對上和溥立徹談話的辛西雅的朋友？」

「有。我們找出了他的名字。喬治・賓頓。總之，傑夫弄到手了，過程不容易，必須從那場派對上拍的照片中找。傑夫得問問題，而他根本沒出席那場派對。」

湯姆很感興趣。「你確定名字是對的嗎？他人住倫敦？」

「我非常確定那名字正確。」艾德又翹起了二郎腿，並微微皺起眉頭。「我們在電話簿上找到了三個很有可能的賓頓。電話簿上有太多賓頓，而且名字還是G開頭的——我們沒辦法一一打電話聯絡他們，問他們是否認識辛西雅——」

湯姆不得不同意。「我現在擔心的是辛西雅到底洩漏到什麼程度。事實上，她現在是否還和溥立徹保持聯絡？辛西雅討厭我。」說到這湯姆不禁打了個寒顫。「她會很高興狠狠地打擊我。但是假如她決定揭穿假畫事件，透露貝納德·塔夫茲開始做假畫那天的日期，」湯姆這時降低了音量，幾乎是喃喃低語，「她也將背叛她的摯愛貝納德。我打賭她不會那麼過分。這完全是一場賭博。」湯姆坐回安樂椅上，可是仍舊沒放鬆。「這更像是一項希望與祈禱。我有幾年沒見過辛西雅，她對貝納德的態度或許已經改變——稍微，說不定她更有興趣向我報仇。」湯姆住口，看著艾德思考這個問題。

「湯姆，你明知我們全部都和這件事有牽扯，你為什麼說向你報仇？傑夫和我，我們用德瓦特的照片和畫作——舊的，寫了一些文章，」他微微一笑補充說道，「當時我們早就知道德瓦特已經不在人世。」

湯姆鎮靜地看著他的老友。「是因為辛西雅知道我是第一個出主意讓貝納德偽造假畫的人，你們的文章後來才出現。貝納德當時把這件事告訴了辛西雅，貝納德和辛西雅也就是從那時候開始不合。」

「對。沒錯，我記得。」

艾德、傑夫和貝納德，尤其是貝納德，和畫家德瓦特交情不錯。後來當德瓦特意志消沉，一個人到希臘某個小島投水自盡時，他在倫敦的朋友理所當然感到震驚與不解：其實，德瓦特只是在希臘「失蹤」，因為他的屍體從未尋獲。湯姆思索，德瓦特當時年約四十，正開始被公認為第一流的畫家，各方咸認他即將創作出他個人生涯最好的作品。湯姆於是提出讓也是畫家的貝納德・塔夫茲嘗試偽造一些德瓦特作品的想法。

「你笑什麼？」艾德問。

「我在想我的告解。我確定神父會說——你可以把那些都寫出來嗎？」

艾德仰頭大笑。「不——他會說一切都是你捏造的！」

「不對！」湯姆笑著繼續說，「神父會說——」

另一個房間的電話響起。

「不好意思，湯姆，我在等那通電話，」艾德說完便離開房間。

趁著艾德講電話，湯姆四下瞧了一下他要睡的「書房」。他發現兩個從地板直頂到天花板的書架上擺著許多精裝與平裝書。湯姆・夏普（Tom Sharpe）、莫瑞爾・史巴克（Muriel Spark）幾乎並排著。自從湯姆上次和艾德見面之後，艾德買了一些好家具。艾德的老家在哪裡？是赫佛（Hove）嗎？

赫綠思此刻在做什麼呢？將近下午四點？她越早離開坦吉爾到卡薩布蘭加去，他越開心。

「沒問題了，」一邊走回房間一邊將襯衫外的紅毛衣往下拉的艾德說，「我取消了一件不重要的事，整個下午都空出來了。」

「我們去巴克馬斯特吧。」湯姆起身。「它不是五點半關門嗎？還是六點？」

「六點吧。我把牛奶收起來就好，其他就先別管。如果你要掛東西，湯姆，左邊這個櫃子還有空間。」

「我把我多餘的長褲掛在這邊的一把椅子上——暫時這樣。我們走吧。」

艾德走到門口回過頭來，他穿上了件雨衣。「你曾提到有兩件事你想說。和辛西雅有關嗎？」

「哦——是的。」湯姆扣上他的 Burberry 外衣。「第二件事——細節。辛西雅當然知道我火化的遺體是貝納德的，不是德瓦特的遺體。這點不用我說你也知道。所以某種程度上這是更進一步侮辱貝納德——我告訴警方說他是另外一個人，這點好像更加玷汙了他的名聲。」

艾德手摸著門把思索了幾秒鐘，然後他緊張兮兮地鬆開手看著湯姆。「可是，湯姆，這些日子以來她都沒對我們說過什麼，對傑夫或者我。她只不過是不理我們，這點我們覺得沒關係。」

「她以前沒有像現在大衛・溥立徹呈獻給她的機會，」湯姆反駁道。「一個愛搗亂，虐待成性的瘋子。辛西雅正好可以利用他，你看不出來嗎？而她現在就是在進行這件事。」

他們搭了輛計程車去舊龐德街，來到巴克馬斯特畫廊鑲了黃銅與暗色原木、透著低調燈光的窗前。湯姆注意到藝廊精緻的古門那個光亮的黃銅門把依然存在。前窗擺了兩盆與一幅畫相鄰的棕櫚樹，遮住了後面大半個房間。

那個湯姆聽說年約三十，名喚尼克・霍爾的男子正與一名年紀比較年長的人談話。尼克一頭黑色直髮，體型有點壯，似乎喜歡老是抱著雙臂。

湯姆看見牆上掛了一些他認為不好不壞的畫，不是同一個人的展覽，而是三、四個畫家的聯展。湯姆和艾德站在一旁等尼克結束和那位較年長的先生的談話。尼克給了那人一張名片，那位先生隨即離去。看來藝廊此刻似乎沒有別人。

「班伯瑞先生，午安，」尼克笑吟吟地走過來，露出了一排湯姆不喜歡的那種短小整齊的牙齒。但尼克至少好像很直率，而且他顯然認識艾德，這顯示他們平常熟絡。

「午安，尼克。請容我介紹一位朋友——湯姆．雷普利。這是尼克．霍爾。」

「幸會，先生，」尼克又是一臉笑容。他並未伸出手，而是微微鞠躬。

「雷普利先生在這裡只待幾天，他想看看藝廊，見見你，說不定還看一、兩幅有趣的畫。」

艾德的態度輕鬆，湯姆也持同樣態度。尼克顯然之前沒聽過湯姆這個人，很好。和上次情況大不相同（也安全多了），湯姆記得，當時擔任尼克這個職務的是個叫雷納的同性戀小夥子，湯姆假扮德瓦特就在這家畫廊裡面的房間召開記者會時，這個人也在場。

湯姆和艾德信步走進隔壁房間（畫廊只有兩間展覽室）欣賞掛在牆上有著柯洛（J.-B. Camille Corot）風格的風景畫。第二間展覽室有幾幅油畫靠在後邊的牆角裡。湯姆曉得，在那扇有點髒汙的白門後面，湯姆假扮德瓦特舉行記者會（事實上召開兩次）的那個房間有更多的畫。

在待在前面房間的尼克聽不見的地方，湯姆要求艾德詢問尼克最近是否有人問起德瓦特。「然後，我想看一看訪客簽到簿——看看有哪些人簽了名。」大衛．溥立徹很可能簽了名。「反正，巴克馬斯特的工作人員——我是指你和傑夫，兩位老闆——知道我喜歡德瓦特的作品，不是嗎？」

艾德確實遵照湯姆要求去問了尼克。

「先生，我們現在正好有六幅德瓦特的作品，」尼克說道，灰色西裝畢挺的他立刻起立，彷彿生意上門。「先生，我現在確實想起您的名字了。那些畫擺在這個方向。」

尼克將那些德瓦特的作品靠著椅背放在椅子上一一展示。這些油畫全出自貝納德・塔夫茲之手，有兩幅湯姆記得，四幅不記得。《午后的貓咪》是湯姆最喜愛的作品，溫暖的紅棕色調和幾近抽象的構圖，呈現畫面上一隻無法一眼發覺的沉睡的橙白色花貓。再來是《無名小站》，一幅可愛的油畫，藍、棕和褐色色塊一點一點的，背景是一棟灰白但外觀骯髒的建築，應該是車站。然後——又是人物畫——《吵架的姐妹》，典型的德瓦特風格，但湯姆從日期得知這是貝納德・塔夫茲的作品：兩個女人張大了嘴面對面。德瓦特的多重輪廓傳達了一種動感，聲音的吵雜，還有恣意潑灑的紅色——貝納德・塔夫茲模仿的德瓦特最喜歡的手法——暗示憤怒，也許還有指甲的抓痕和流出來的血。

「這幅畫的售價多少？」

「《姐妹》——我想差不多三十萬英鎊，先生。我可以查一下。然後——要是幾近成交的話，我要通知其他一、兩個人，那幅畫很受歡迎。」尼克又是一臉笑瞇瞇。

湯姆不想買這幅畫回去擺在家裡，他是出於好奇才詢問售價。「那《貓咪》呢？」

「貴一點，這幅畫很搶手。我們可以拿到手。」

湯姆和艾德互相使了眼色。

「你這一陣子售價記得可真牢啊，尼克！」艾德和悅地說，「很好。」

「是，先生，謝謝您，先生。」

「有很多人詢問德瓦特的作品嗎？」湯姆問。

「嗯——不是很多，因為太貴了。我想他是我們的光榮。」

「或者是我們的鎮廊之寶，」艾德補充道，「湯姆，泰德畫廊的人，蘇富比的人都到我們這裡來看有些什麼畫，看是否有他們賣出的畫轉到這裡來賣。拍賣人員——我們不需要他們。」

湯姆猜測，巴克馬斯特有一套自己的拍賣方式，透過通知可能的買家而成。他很高興艾德・班伯瑞在尼克・霍爾面前毫無顧忌地談話，儼然一副湯姆和艾德是老友，客戶和畫商的關係。畫商：聽來怪異，然而艾德和傑夫確實負責挑選畫廊買進賣出的畫，及決定該代理哪些年輕畫家和老畫家。湯姆知道他們經常根據市場及流行來下決定，但艾德和傑夫的眼光好得足以讓他們支付舊龐德街的昂貴租金並且還獲利。

「我推測，」湯姆對尼克說，「再也沒有在閣樓之類的地方發現的德瓦特新作品？」

「閣樓！不——不可能，先生！素描——去年連張素描也沒有。」

湯姆若有所思地點頭。「我喜歡那幅《貓咪》。無論我買不買得起——我會考慮看看。」

「您有——」尼克似乎努力回憶。

「兩幅，」湯姆說，「《椅中男子》——我的最愛——還有《紅色椅子》。」

「沒錯，先生。我相信我們有紀錄。」尼克的神色並未顯示他記得或想起《椅中男子》是贗品，而另外一幅不是。

「我想我們應該離開了，」湯姆對艾德說，宛如兩人有約。然後再對尼克說，「你們有訪客簽到簿嗎？」

「哦，有啊，先生。在這邊的桌上。」尼克走向前面房間內的一張桌子，翻開一個大本子到當前的頁面。「這裡有筆。」

湯姆彎腰查看，順手拿起筆。都是潦草的簽名，蕭克羅什麼的，佛斯特，韓特，有些留下了地址，大部分都沒有留。湯姆瞄了前一頁，認為溥立徹無論如何沒在去年簽名。湯姆簽了名，但沒留下地址；他只簽下湯瑪斯・雷普利和日期。

不久，他們離開畫廊來到人行道上，外面正下著濛濛細雨。

「哦，我很高興看到你們顯然沒代理那個叫史拓曼的傢伙的作品，」湯姆笑嘻嘻地說。

「沒錯。你難道不記得——你從法國大發了一頓牢騷。」

「沒什麼不對吧？」這時兩人都留意有無計程車經過。艾德或傑夫——湯姆不想把矛頭單獨指向他們其中一個——數年前發掘了一個叫史拓曼的畫家，他們認為他偽造德瓦特的作品還算及格。及格？一想到這兒，即使此刻身穿雨衣的湯姆依然嚇出一身冷汗；倘若巴克馬斯特畫廊笨到著手推銷史拓曼的作品，史拓曼一定會搞砸一切。湯姆記得他是根據畫廊寄給他的彩色幻燈片而反對史拓曼。總之，他在某處看過那些幻燈片，史拓曼根本功力不夠。

艾德站在路中央招手，想在這個時段、這種天氣招到一輛計程車實在難上加難。

「你和傑夫今天晚上有什麼安排？」湯姆大聲喊叫。

「他七點左右會到我家。你看！」

一輛車頂前方閃著令人開心的黃燈的空計程車出現。他們上車。

「剛才看了德瓦特的畫真是一大享受，」陶醉在愉快回憶中的湯姆說。「我應該說——塔夫茲的畫。」湯姆輕聲輕氣地說出「塔夫茲的畫」這幾個字。「同時我還想到辦法解決辛西雅的問題——障礙——我該怎麼說呢？」

「什麼辦法？」

「我直接打電話問她。例如，我會問她是否和莫奇森太太有聯絡，還有和大衛・溥立徹有沒有聯絡。我會假裝成法國警察，從你家打電話，假如可以的話？」

「哦——當然可以啊！」突然領悟的艾德說。

「你有辛西雅的電話嗎？沒問題吧？」

「沒問題，電話簿上有。她不住在貝斯瓦特，而是住在——切爾西，我想。」

11

在艾德的公寓，湯姆接受一杯琴湯尼，並整理思緒。艾德已經將辛西雅的電話號碼抄在一張紙上給他。

湯姆對著艾德練習他法國警局局長的口音。「現在似（是）快七點。恰如（假如）傑夫來了——你讓搭（他）進來，跟平常一樣，懂嗎？」艾德點點頭，幾乎鞠躬哈腰了起來。

「懂。是！」

「我從警察局搭（打）來——我最好說是巴黎警局，別說梅朗警局——現在——」湯姆站著，在艾德的大工作室走來走去，室內有一支電話放在文件四散的凌亂桌面上。「背景噪音。請來一點打字機巧巧的（小小的）卡答卡答聲。仄（這）裡是警局，奚孟農筆下的警局*。我們彼仔（彼此）認識。」

艾德乖乖坐下來塞了一張紙進打字機。卡答，卡答，卡答。

「更深思熟慮一點，」湯姆說，「不必打得很快。」他撥了電話號碼，鼓起勇氣準備向辛西

＊ 譯注：奚孟農（Simenon）筆下的馬格雷探長原為巴黎警察局探長。

雅・葛瑞諾查證一些事，準備說出大衛・溥立徹幾度和他聯絡，還有他們是否能問幾個和黎普利先生有關的問題？

電話響了又響。

「她僕菜（不在）家。」湯姆說，「該死。可惡！」他看了一下手錶，七點十分。湯姆掛上電話。「她可能出去吃晚餐，也許她出城去了。」

「總是還有明天嘛，」艾德說，「或者今天晚上晚一點再打。」

門鈴響起。

「是傑夫，」艾德說道，隨即走向前廳。

傑夫進屋來，手上拿著雨傘，但全身仍然濕答答。他比艾德更高更壯，頭頂比湯姆上回見到他時更禿。「嗨，湯姆！真是驚喜，一如往常！」

兩人熱情地握手，差一點相擁了起來。

「脫掉那件雨衣，進入乾爽——來點什麼吧，」艾德說，「蘇格蘭威士忌？」

「你猜對了。謝謝，艾德。」

他們全都坐在艾德的客廳裡，客廳有一張沙發和一張方便的咖啡桌。湯姆向傑夫解釋他來倫敦的目的：自從他們上次通過電話後，情勢變得緊張。「我太太還在坦吉爾，和一位女性友人住在一家叫林布蘭特的飯店。所以我就過來試著查出辛西雅在做什麼——或者試圖做什麼——和莫奇森有關的事情。她可能有聯絡——」

「是的，這件事艾德跟我說過了，」傑夫說道。

「——聯絡美國的莫奇森太太，莫奇森太太當然有興趣知道她丈夫是怎麼失蹤的。我想這點我必須說清楚。」湯姆在杯墊上轉動他的琴湯尼。「若是他們到我家那一帶搜尋莫奇森的屍體——他們可能會找到，我是說警察。或者找到骸骨。」

「離你住的地方只有幾公里，你曾經說過，是吧？」傑夫帶著一絲恐懼或畏怯的口氣說，「在一條河裡面？」

湯姆聳聳肩。「沒錯，或是一條運河。我根本忘記正確的位置了，但是我記得那天晚上貝納德和我把屍體丟下去的那座橋。當然——」湯姆挺直身體，表情顯得更加愉快，「沒有人知道湯瑪斯．莫奇森為什麼失蹤，如何失蹤。可能是在我送他去的奧利機場遭人綁架。」湯姆笑得更燦爛。他說「送他」，莫奇森，彷彿將自己說的話當真。「他當時帶著那幅《時鐘》，而那幅畫已經在奧利機場消失不見。塔夫茲的真跡。」這下湯姆哈哈大笑。「或者莫奇森自己下定決心失蹤。總之，有人偷走了那幅《時鐘》，我們再也沒見過或聽過這幅畫，記住囉？」

「是的。」傑夫的高額頭皺了起來，若有所思，他把杯子握在膝蓋中間。「這些人，這對溥立徹夫婦會在你家附近住多久？」

「我猜可能是六個月的租約。我應該問的，可是我沒問。」湯姆心想他不到六個月就能擺脫溥立徹。不知怎地，湯姆感覺一把怒火上升，於是開口告訴艾德與傑夫那對夫婦租的那棟房子之事，趁機消氣。湯姆形容那棟屋子內的仿古家具，那片草坪上午後陽光照得水面波光粼粼並在客廳天花板反射出圖案的水池，「問題是，我想看他們兩人雙雙在水池裡面溺斃，」湯姆總結道，另外兩人聽了哈哈大笑。

「你的酒還有嗎，湯姆？」艾德問。

「不要了，謝謝，不用。」湯姆瞥了一眼他的錶：八點過幾分。「我們出發前我想再打電話給辛西雅看看。」

艾德與傑夫配合湯姆。背景的打字機噪音再度由艾德製造，湯姆則對著傑夫做預演。「不准笑。仄似巴黎特警局（這是巴黎的警局）。溥黎夏先生尤和我沿絡（溥立徹先生有和我聯絡），」湯姆誠摯說道，他又站了起來。「我必須質問葛瑞諾夫人，因為她可能知道莫基森（莫奇森）或莫基森太太的一些次（事）。懂嗎？」

「是，」傑夫說道，語氣同樣誠摯，彷彿正在發誓。

湯姆手邊有紙筆，再加上寫著辛西雅電話號碼的那張紙，他隨時可以匆匆記下東西。

電話響了第五聲，電話那端出現一名女性的聲音。

「您好，晚安，夫人。是葛瑞諾夫人嗎？」

「是的。」

「我是總（從）巴黎打來的艾德華・畢紹局長。我們和溥黎夏先生保持聯繫，事關一個叫湯瑪斯・莫基森的人——我想這個姓名您知道。」

「是的，我知道。」

目前為止還順利。湯姆將音調拉得比平常高，而且讓聲音聽起來更緊張。辛西雅畢竟能回想起他平常的音調而認出他聲音。「您可能知道溥黎夏先生現菜（現在）人菜（在）北非，夫人。我們想知道莫基森夫人在美國的地址——菜（在）美國，恰如（假如）您有的話。」

「要地址做什麼？」辛西雅・葛瑞諾說道，又恢復她粗魯無禮的口氣，倘若情況要求，她還會板起臉孔。

「因為我們可能很快——會尤（有）一些——和搭（她）丈夫有關的消息。溥黎夏有一次從坦吉爾打電話來。可是我們目前聯絡不上搭（他）。」湯姆刻意提高音調，顯得事情緊急。

「哼，」懷疑的語氣。「我認為溥立徹有他自己一套處理——你說的那件事——的方式。這不關我的事，我建議你等他回來再說。」

「可是我們不能——不應該等，夫人。我們尤（有）問題問莫基森太太。我們打過電話聯絡溥黎夏先生，溥黎夏先生不菜（在），而且坦吉爾的電話通訊粉（很）差。」湯姆狠狠地清了一下喉嚨，弄痛了自己，並打手勢要艾德發出背景噪音。辛西雅似乎不訝異溥立徹人在坦吉爾。

艾德將一本書摔到他書桌上一處乾淨的地方，繼續敲著打字機，距離有點遠的傑夫面牆圈起雙手製造出即將消失的警笛聲，湯姆暗忖，和巴黎的警笛聲一模一樣。

「夫人——」湯姆繼續誠懇說道。

「等一下。」

她要去拿了。湯姆拿起筆，看也不看他朋友一眼。

辛西雅回到線上唸出曼哈頓東區七十幾街的一個地址。

「謝謝您，夫人，」湯姆客氣說道，但彷彿這不過是警方應有的禮貌。「電話號碼呢？」湯姆也記下電話號碼。「感激不盡，夫人。晚安。」

「嗚伊——伊——咕嘟咕嘟。」這聲音是傑夫發出來的，在湯姆客氣地向辛西雅道再見的同時所發出的，湯姆不得不承認，這的確是令人信服的來自大西洋另一岸的噪音，但也許辛西雅沒聽見。

「大功告成，」湯姆冷靜地說，「但一想到她有莫奇森太太的地址。」湯姆看著正默默無語盯著他的朋友。他將莫奇森太太的資料塞進口袋，又看了一下手錶。「再打一通，可以嗎，艾德？」

「請便，湯姆，」艾德說，「要一個人獨處嗎？」

「不用。這次打回法國。」

然而，那兩人還是晃到艾德的廚房去。

湯姆撥了麗影的電話，當地時間應該是九點半。

「嗨，安奈特太太！」湯姆說道。安奈特太太的聲音讓湯姆想起他家玄關，和咖啡機旁同樣熟悉的廚房流理台，流理台上也有一具電話。

「哦，湯姆先生！我不知道到哪裡找您呢！我有壞消息，湯——」

「真的嗎？」湯姆皺起眉頭。

「赫綠思夫人！她被綁架了！」

湯姆倒抽一口氣。「不可能！誰告訴妳的？」

「一個有美國腔的男人！他打電話來——差不多今天下午四點，我不知道該怎麼辦。他說了之後就掛斷電話。我和珍娜薇夫人談過，她說『這裡的警察能做什麼？向坦吉爾警方報案，通知湯姆先生，』可是我不知道到哪裡找你。」

湯姆緊閉雙眼，安奈特太太繼續說個不停。湯姆心想：溥立徹在說謊，他發現湯姆人已經不在坦吉爾，或者反正不在他妻子身邊，於是他決定製造更多麻煩。湯姆吸了一口氣，設法條理分明地向安奈特太太說個清楚。

「安奈特太太，我想這是個騙局。請別擔心。赫綠思夫人和我換了飯店，我想這件事我告訴過妳了。夫人現在下榻林布蘭特飯店。但是這件事妳別擔憂。今天晚上我會打電話到林布蘭特飯店給她，我保證她人一定還在那裡！」湯姆放聲大笑，真心開懷的笑。「美國腔！」湯姆口氣帶著鄙夷。「安奈特太太，那就表示不是北非人或坦吉爾警方通知妳正確的消息了，不是嗎？」

安奈特太太承認的確如此。

「天氣怎麼樣呢？這裡下雨。」

「你找到赫綠思夫人的時候打電話通知我好嗎，湯姆先生？」

「今天晚上嗎？好，好的。」他沉著地補充一句，「我希望今天晚上和她說話。我會打電話給妳。」

「隨時打來，先生！這裡的每一道門我都小心翼翼地關上了，大門也是。」
「做得很好，安奈特太太！」
湯姆掛斷電話說了聲「哎喲！」他兩手插進褲袋，緩緩走向他的朋友，他的朋友正待在書房或藏書室飲酒。「我有消息，」湯姆說，覺得此刻能分享消息而不必保持沉默而感到開心，儘管是壞消息，因為他通常必須暗自承受壞消息。「我的管家說我太太被綁架了，在坦吉爾。」
傑夫緊皺眉頭。「被綁架？你在開玩笑嗎？」
「一個帶著美國腔的男人打電話到我家通知安奈特太太，然後就掛斷電話。我確定這是假的，典型的溥立徹作風——專門惹麻煩。」
「你應該怎麼辦呢？」艾德問，「打電話到她下榻的飯店，看看她是否在那裡？」
「沒錯。」但同時湯姆點燃一根吉普賽女郎菸，品嚐幾秒鐘厭惡大衛・溥立徹，痛恨他整個人、甚至他的圓框眼鏡與粗俗手錶的滋味。「對，我會打電話到坦吉爾的林布蘭特飯店。我太太通常差不多六點或七點會回到房間換晚上外出穿的衣服，飯店至少能告訴我她是不是回來過。」
「當然。去打啊，湯姆，」艾德說道。
湯姆走到艾德的打字機附近的電話前，伸手在他西裝內袋內搜尋記事本。他之前在記事本上記下林布蘭特飯店的電話號碼和坦吉爾的區碼。不是有人說凌晨三點是打電話到坦吉爾的最佳時間嗎？湯姆仍然試著現在打過去，他謹慎地撥號。
一片寂靜。然後電話鈴響，三聲短促的鈴聲，顯示電話線暢通。接著又是一片沉寂。

湯姆設法聯絡上接線生，請那位女子將電話轉進來，並告知她艾德的電話號碼。接線生要他掛斷電話，一分鐘後她回電表示她正在試著撥坦吉爾的電話號碼。倫敦接線生傲慢又惱怒地回答某個湯姆幾乎聽不見的聲音，但是她同樣也缺乏運氣。

「有時候在晚上這個時間就是這樣，先生——我建議你今天晚上晚一點再試。」

湯姆向她道謝。「我必須出門了。晚一點我自己再試。」

接著他走進藏書室，艾德與傑夫幾乎已經將他的床鋪好。「運氣不好，」湯姆說，「我聯絡不上。我聽說過坦吉爾的電話就是這樣。我們出去吃點東西，先別管這件事。」

「真糟糕，」傑夫挺直身體說道，「我聽到你說你晚一點再試。」

「沒錯。對了，謝謝你們替我鋪床，看來今晚可以睡個好覺。」

幾分鐘後，他們出門走在毛毛細雨中，三人共撐兩把傘，一路走到艾德推薦的酒館兼餐館。餐館離艾德家很近，內部盡是溫暖的棕色屋椽和原木雅座。他們坐在一張桌旁，湯姆比較喜歡坐在桌旁，因為這樣可以看到更多的顧客。他點了烤牛肉和約克夏布丁，為了懷舊。

湯姆詢問傑夫・康斯坦的特約工作情形。傑夫為了賺錢必須接一些工作，這些工作和他所謂的「有人或沒人的藝術室內格局」，他都一樣不喜歡。他是指內部裝潢很漂亮的房子，可能有一隻貓或一株植物。傑夫說，這種商業工作經常和工業設計有關，例如拍電熨斗的特寫。

「或者拍城外一半完工的建築物。」傑夫繼續說，「我必須拍這些建築物，有時候在像這樣的天氣下拍。」

「你和艾德常常見面嗎？」湯姆問。

艾德與傑夫同時微笑，互看了一眼。艾德先開口。

「我不能說我們常見面，你說呢，傑夫？可是假如一個人需要另外一個人——我們都會互相幫忙。」

湯姆回想起早期的日子，當時傑夫拍了德瓦特真跡很棒的照片，艾德・班伯瑞大肆宣傳德瓦特的作品，寫文章介紹德瓦特，用心地到處宣揚德瓦特，希望德瓦特的名聲越來越響，德瓦特的名聲的確越來越大。他們對外宣稱德瓦特住在墨西哥，但隱居，拒絕採訪，甚至拒絕透露他住的小村莊的名字，雖然據信他住在維拉克魯茲附近，他的畫作都是從維拉克魯茲港海運至倫敦。巴克馬斯特畫廊前任經營者在推廣德瓦特上成果不彰，因為他們沒設法推他一把。傑夫與艾德在德瓦特去希臘投水自盡後才開始那麼做。他們都認識德瓦特（只有湯姆不認識，奇怪，雖然湯姆經常覺得他好像認識他）。德瓦特生前是個又好又有趣的畫家，曾經一度在倫敦瀕臨貧困邊緣，是傑夫、艾德、辛西雅與貝納德欽佩的一位舊識。德瓦特來自北部某個沉悶的工業城鎮，湯姆忘了是哪一個。湯姆發覺，是大肆宣傳才造就德瓦特。很奇怪。而梵谷當年也飽受缺乏宣傳之苦。有誰大肆宣傳了梵谷？沒有人，也許除了他弟弟西奧。

艾德的窄臉愁眉苦臉。「今天晚上我只問一次這件事，湯姆。你真的一點都不擔心赫緣思？」

「不擔心。我剛才在想別的事情。我了解這個溥立徹，艾德。稍微了解他，但夠了。」湯姆放聲一笑。「我從來沒碰過像他這樣的人，不過我看過這種人的相關報導。虐待狂，經濟獨立，他太太是這麼說的，但我懷疑他們兩人睜眼說瞎話。」

「他有太太？」傑夫問，一臉驚訝。

「我沒告訴你嗎？是個美國人。我看他們像是個虐待狂與被虐狂的組合。他們彼此又愛又恨，你知道嗎？」湯姆繼續對傑夫說，「溥立徹告訴我說他在歐洲商學院——這是楓丹白露附近一家商學院——學行銷，根本不是真的。他太太手臂上有瘀傷，脖子上也有。他住在我鎮上的目的只是為了讓我的生活盡量變糟。而現在辛西雅重提莫奇森正好激發了他的想像力。」湯姆切著烤牛肉時察覺，他不想告訴艾德或傑夫說溥立徹（或他太太）曾透過電話企圖模仿狄奇・葛林里，而且和湯姆與赫絲思都說過話。湯姆不想重提狄奇・葛林里的往事。

「甚至跟蹤你到坦吉爾，」傑夫說道，停下手上的刀叉。

「他太太沒去，」湯姆說。

「要怎麼除掉這個討厭鬼？」傑夫問。

「這是個很有意思的問題。」湯姆隨即哈哈大笑。

另外兩人聽見他大笑，顯得有點訝異，接著也勉強擠出微笑。

「如果你要打電話到坦吉爾，那麼我就回到艾德家去。我想知道發生什麼事。」傑夫說。

「來呀，傑夫！赫絲思打算待多久，湯姆？」艾德問，「待在坦吉爾？還是摩洛哥？」

「也許再待十天左右，我不知道。她朋友諾愛爾以前去過那裡，她們想繼續到卡薩布蘭加去。」

義式濃縮咖啡。然後傑夫和艾德談起公事，湯姆明顯看出來這兩人偶爾彼此互相協助。傑夫・康斯坦擅長拍人像，艾德・班伯瑞經常替週日副刊做人物專訪。

湯姆堅持買單。「我的榮幸。」他說。

雨停了。走到艾德家附近時，湯姆提議在街上轉一下。湯姆非常喜愛點綴在公寓入口附近的小商店、門上擦得光亮的投信口，甚至燈火通明、擺滿新鮮水果、罐頭食品、麵包與麥片，將近午夜才營業的夜間溫馨熟食店。

「阿拉伯人或巴基斯坦人開的，」艾德說，「總之，是個福氣，禮拜天和假日也開。」

他們回到艾德家門口，艾德開了門讓他們進去。

湯姆認為他現在打電話到林布蘭特飯店接通的機會可能大一點，雖然也許不如凌晨三點鐘好。他小心翼翼地撥電話，希望接線生很能幹又會說法語。

傑夫與艾德晃進來打探消息，傑夫叼根菸。

湯姆打了個手勢。「他們還沒接。」他撥給接線生，將事情交由她處理。她聯絡上林布蘭特飯店後會回電。「可惡！」

「你認為有希望聯絡嗎？」艾德問，「你可以發電報，湯姆。」

「倫敦接線生應該會回電。你們兩個別等了。」湯姆看著招待他的主人。「艾德，萬一坦吉爾打電話來，你介意我跑進來接電話嗎？」

「當然不介意。在我臥室聽不到電話聲，那裡沒電話。」艾德拍拍湯姆肩膀。除了握手，湯姆記得這是艾德第一次接觸他身體。「我要去沖澡，我相信電話一定在我洗澡的時候打來。」

「去洗吧！電話來了我們會喊你，」艾德說。

湯姆從行李箱底層取出睡衣，脫衣，躲進位在他下榻之處與艾德臥室之間的浴室。艾德喊他的時候他正在擦乾身體。湯姆大聲回應，鎮靜一下，穿上睡衣，再穿上麋鹿皮脫鞋走出浴室。是赫絲思還是飯店櫃台打來的呢？湯姆想問艾德，但他沒問，直接拿起電話。

「喂？」

「晚安，這裡是林布蘭特飯店。您是——」

「雷普利先生。」他繼續以法語說，「我想和雷普利夫人說話，三一七房？」

「啊，是。您是——」

「她丈夫。」湯姆說。

「請稍等。」

「她丈夫」起了一點作用，湯姆覺得。湯姆看著他兩位專心傾聽的朋友。接著一個帶著睡意的聲音說：

「喂？」

「赫絲思，我好擔心妳啊！」

艾德與傑夫鬆了口氣，泛起微笑。

「是的，那個可怕的溥黎夏打電話給安奈特太太說妳被綁架！」

「綁架！我今天連看都沒看到搭（他）呢，」赫綠思說。

湯姆笑道：「我今天晚上要打電話給安奈特太太，她會大大地鬆了一口氣。現在注意聽我說。」湯姆於是設法確定赫綠思與諾愛爾的行程計畫。她們今天去了一座清真寺，還去了市場。沒錯，她們打算明天前往卡薩布蘭加。

「住哪一家飯店？」

赫綠思必須想一想或查一下。「米拉瑪。」

多麼獨特的一家飯店啊，依然興高采烈的湯姆暗忖。「就算妳沒看到那個怪胎，親愛的，他可能在附近鬼鬼祟祟地徘徊，設法打探出妳，說不定還有我，在哪裡下榻。所以我很高興妳明天要去卡薩布蘭加。然後呢？」

「然後？」

「妳從那裡要往哪裡去呢？」

「不知道。我想是馬拉喀什吧。」

「拿一枝鉛筆，」湯姆堅決說道。他將艾德的電話號碼告知赫綠思，並確定她正確抄了下來。

「你為什麼在倫敦？」

湯姆笑道：「妳為什麼在坦吉爾？親愛的，我可能不是每天每小時都在這裡，但是妳可以打過來留言——我想艾德有答錄機——」艾德對湯姆點頭。「若是妳從卡薩布蘭加離開，通知我妳下一家飯店……很好。代我問候諾愛爾……我愛妳。再見，親愛的。」

「真讓人鬆了口氣！」傑夫說。

「是的，對我來說。她說她根本沒見到溥立徹在附近出現——這當然並不代表什麼。」

「揚具—很硬*，」傑夫說。

「硬—揚具，」艾德面無表情來回踱步回嘴道。

「夠啦！」湯姆咧嘴而笑。「今天晚上再打一通電話——安奈特太太，我一定得打。同時我也在想莫奇森太太。」

「是嗎？」感到好奇的艾德問道，一隻手肘撐在書架上。「你猜辛西雅和莫奇森太太有聯絡？互相交換意見？」

恐怖的想法，湯姆在心中思量。「她們可能知道彼此的地址，可是她們能互相告知對方多少事情呢？而且——也許她們只是從大衛・溥立徹出現後才開始聯絡？」

仍舊站著的傑夫不安的四下走動。「你對莫奇森太太有什麼看法？」

「那個——」湯姆欲言又止，不想談論他尚未成熟的想法；然而眼下這兩位是他朋友。「我

＊譯注：Preek-hard，此處開 Pritchard 姓名玩笑，暗示 Prick-hard.prick：意指「陽具」。

想打電話到美國給她，問她有關——打聽她丈夫發生什麼事。可是我想她幾乎和辛西雅一樣不喜歡我。嗯，當然，不完全是這樣，可是我是最後一個見到她丈夫的人。而且我為什麼要打電話給她？」湯姆突然勃然大怒，「溥立徹到底能幹嘛？他知道什麼新的發展嗎？去他的！他什麼也不知道！」

「沒錯，」艾德說。

「假如你打電話給莫奇森太太——你很會模仿，湯姆——模仿那個韋布斯特督察的聲音，不是嗎？」傑夫問。

「是啊。」湯姆不喜歡想起英國督察韋布斯特的姓名，即使韋布斯特沒深入調查真相。「不，我不想冒險，謝謝。」到過麗影甚至去了薩爾斯堡的韋布斯特經過這些年仍然在調查這件案子嗎？韋布斯特有和辛西雅與莫奇森太太聯絡嗎？湯姆回到相同的結論：沒有新的發展，所以，有什麼好擔心的呢？

「我最好趕快閃了。」傑夫說，「明天有工作。你明天會讓我知道你要做什麼嗎，湯姆？艾德有我的電話，我記得你也有。」

他們互道晚安與祝福。

「打電話給安奈特太太，」艾德說，「至少是件愉快的工作。」

「至少是！」湯姆說，「我也跟你說晚安了，艾德，謝謝你招待我。我好睏。」

隨後湯姆撥了麗影的電話。

「喂——伊？」安奈特太太的聲音尖銳不安。

「我是湯姆！」他通知她赫綠思夫人平安無事，綁架只是謠傳。湯姆沒提起大衛・溥立徹。

「可是——你知道是誰散播這個惡毒的故事的嗎？」安奈特太太帶著恨意用了「惡毒」二字。

「不知道，安奈特太太。這世界充滿懷有惡意的人，他們的樂趣——很奇怪。家裡一切都好嗎？」

安奈特太太向湯姆保證一切安好。他說等他知道什麼時候回來會再打電話通知她。他不確定赫綠思夫人何時歸來，但她依然和她好友諾愛爾夫人在一起，而且玩得很開心。

湯姆倒在床上，立刻呼呼大睡。

12

翌晨，天氣晴朗無雲，彷彿昨日根本沒下過雨，除了萬物看來像是經過一番刷洗，湯姆透過窗戶看著下面的狹窄街道心想。陽光在窗戶上閃爍，天空一片蔚藍。

艾德留了一把鑰匙在湯姆的咖啡桌上，還在鑰匙下留了張字條請湯姆不用拘束，並說他下午四點之前不會回來。艾德昨天已帶湯姆參觀過廚房。湯姆刮了鬍子，用完早餐，整理了床。他九點半之前下樓，朝皮卡迪利方向走，享受街景，斷斷續續的談話聲和來來往往的人群的各種口音。

湯姆在辛普森服飾店閒逛，吸入花香，花香提醒他也許可以在倫敦買一些薰衣草亮光蠟送給安奈特太太。湯姆晃到男子晨衣專櫃前，替艾德・班伯瑞買了一件質料很輕的深色方格羊毛晨衣，為自己買了件亮紅方格呢晨衣，湯姆心想，是史都華皇家方格呢。湯姆確定艾德的尺寸比他小一號。湯姆提著裝在一個大塑膠袋內的兩件晨衣，走出辛普森服飾店前往舊龐德街和巴克馬斯特畫廊。這時已近十一時。

湯姆抵達畫廊時尼克・霍爾正與一名體型魁梧的黑髮男子談話，見了湯姆便點頭打了招呼。

湯姆東晃西晃，先走到放著沉靜的柯洛或仿柯洛風格的油畫的隔壁房間，再回到前面房間，在那裡無意中聽到尼克說：「——不到一萬五，我很確定，先生。假如你要的話，我可以查一下。」

「不用，不用。」

「所有的售價都要經過巴克馬斯特畫廊的老闆審核，售價可能會提高會降低，通常差異很小。」尼克停頓了一下。「取決於市場而非買家。」

「很好，那請幫我查一下。我估計一萬三吧。我——蠻喜歡這幅畫的，《野餐》。」

「好的，先生。我有您的電話號碼，明天我會設法和您聯絡上。」

不錯，湯姆暗忖，那個尼克沒說「明天回您電話」。尼克今天穿了一雙帥氣的黑鞋，和昨天穿的不同。

「哈囉，尼克——這麼稱呼你可以吧？」畫廊只剩他們兩人時湯姆開口說道。

「我昨天和你見過面。」

「哦，我記得，先生。」

「你有德瓦特的素描讓我看嗎？」

尼克遲疑了一下。「呃——有，先生。放在後面房間的卷宗夾裡面，大部分都是非賣品。我想沒有一幅是——公開出售的。」

很好，湯姆思忖。神聖的檔案，已經成為經典或者會成為經典的素描畫稿。「可是——我真的可以看嗎？」

「當然。沒問題的，先生。」尼克瞥了一眼前門，然後再走過去，也許是去檢查門是否上了鎖，或者去門上門閂。他回到湯姆身旁，接著兩人一起穿過第二個房間進入後面那間較小的房間，房間內擺著那張依舊有點凌亂的書桌，牆壁有點髒汙，油畫、畫框和卷宗夾倚著昔日曾經潔白的牆壁。當時有二十名記者，負責倒飲料的雷納，幾位攝影師和他自己擠在這裡？沒錯，湯姆憶起。

尼克蹲下來拿了一本卷宗夾。「這些有一半都是畫稿，」他說，雙手抱著一大本灰色卷宗夾。

門邊還有一張桌子，尼克恭敬地將卷宗夾置於其上並解開綁著卷宗夾的繩子。

「更多的卷宗夾擺在這裡的抽屜裡，我知道，」尼克朝貼牆立著的白色櫃子點了點頭說。那櫃子由上至下至少有六個淺抽屜；高度達人體臀部。湯姆沒見過這櫃子。

德瓦特的每一幅素描都放在透明塑膠套內。炭筆，鉛筆和粉筆素描。尼克翻開一張又一張套著塑膠套的畫稿，湯姆察覺他無法從中分辨出德瓦特與貝納德・塔夫茲的作品，總之，他沒有十足的把握。《紅色椅子》的畫稿（三張），沒問題，因為他知道那是德瓦特的創作。然而當尼克翻到《椅中男子》的草圖時，竟是貝納德・塔夫茲偽造的作品，湯姆嚇了一跳，因為他擁有那幅畫，喜愛它，熟悉它，也因為貝納德・塔夫茲用了與德瓦特相同的愛心完成這幅草圖。在這些不是為了感動任何人而畫的素描裡，貝納德真的用盡心思加強了在配色或油畫構圖上的工夫。

「這些你們賣嗎？」湯姆問。

「不賣。嗯——班伯瑞先生和康斯坦先生不想賣。據我所知，我們從來沒賣掉任何一幅。不是很多人——」尼克欲言又止，「您知道，德瓦特用的畫紙——並不總是最好的，會泛黃，邊緣會皺。」

「我認為它們太棒了，」湯姆說。「繼續好好保管它們。別讓它們照到燈光什麼的。」

尼克立刻露出微笑：「還有最低限度的觸摸。」

還有更多。湯姆喜歡的《沉睡的貓》，貝納德・塔夫茲用便宜的大張畫紙畫的（湯姆認為），用色鉛筆上色：黑，棕，黃，紅，甚至綠色。

湯姆突然想到塔夫茲與德瓦特如此交融，因此在藝術上不可能分開他們，至少在這批素描當中的幾幅或大部分的素描上不可能分開。在許多方面，貝納德・塔夫茲都成了德瓦特。貝納德其實是因為順利地變成德瓦特，也採取德瓦特以往的生活方式，並在繪畫和探索性的素描都獲得成功之後，造成混亂與羞恥狀態，因而走上絕路。

「您有興趣嗎，雷普利先生？」尼克・霍爾問道，同時站起來將抽屜關上。「我可以和班伯瑞先生談談。」

這下湯姆揚起微笑：「我不確定。畫是很誘人，可是——」這問題困擾了湯姆一會兒。「你們畫廊賣一幅草圖的售價多少？——我是說這些油畫的草圖？」

尼克低頭看著地板思索。「我沒辦法回答您，先生。我真的答不出來。我不認為畫廊有這些草圖的價目表——假如價目表存在的話。」

湯姆吞了口水。這些草圖大部分來自塔夫茲位於倫敦某處的簡樸小畫室，那個他晚年工作和睡覺的地方。奇怪的是，這些素描成了德瓦特油畫與素描真跡的最佳保證，湯姆尋思，因為素描不會洩漏色彩運用上的破綻，色彩運用正是莫奇森窮究不捨的地方。

「謝謝你，尼克。我們再看看。」湯姆走向門口，道了再見。

湯姆穿過伯靈頓拱廊，商店櫥窗內的絲質領帶、漂亮圍巾和皮帶暫時誘惑不了他。他正思索，倘若德瓦特被「踢爆」說他大部分的作品都是偽造的，這又有什麼關係，因為貝納德・塔夫茲的成果一樣好，完全相似也合乎邏輯，並且展現了若是在五十歲或五十五歲才離世，而非在三十八歲或管他幾歲自殺身亡的德瓦特本人也可能展現的畫風。可以這麼說，塔夫茲改進了德瓦特早期的作品。如果現存百分之六十（湯姆估計）的德瓦特作品都簽上貝納德・塔夫茲的姓名，它們為什麼就比較不值錢？

答案當然是因為這些作品都透過不正當的方式行銷，它們仍然不斷攀升的市價奠基於德瓦特的身價，其實，德瓦特去世時根本沒多大身價，因為德瓦特當時並不出名。但湯姆以前想過這個問題，曾陷入同樣的僵局。

他很高興在福特南梅森百貨公司（Fortnum and Mason）藉由詢問家用品銷售處而恢復了理智。「小東西——家具亮光蠟，」他向一名身著輕便夾克的助理說道。

於是他當場打開一罐薰衣草亮光蠟，聞其香味並閉上雙眼想像他回到了麗影。「可以給我三罐嗎？」湯姆對女售貨員說。

他把薰衣草亮光蠟丟進塑膠袋，再連同塑膠袋丟進放著晨衣的大塑膠袋裡。

才剛做完這件小工作，湯姆的思緒又回到德瓦特、辛西雅、大衛・溥立徹和眼前的問題上。為什麼不試著去見辛西雅，和她當面談談，而不是透過電話和她聊？當然，要約辛西雅一定很困難，如果打電話給她，她一定立刻就掛他電話，倘若在她住處附近徘徊等她，她一定會斥退他。不過這又有什麼損失呢？辛西雅也許確實已將莫奇森失蹤的事情透露給溥立徹，也可能特別強調這是湯姆幹的好事，湯姆的經歷溥立徹顯然已從報紙檔案中查知。在倫敦查的嗎？湯姆或許可以查出辛西雅是否依然和溥立徹保持聯絡，打電話或偶爾寫寫便條什麼的。而且他或許也可以查出除了要稍稍惹惱他之外，她還有什麼別的計畫。

湯姆在皮卡迪利附近一家酒吧用午餐，然後搭了計程車回到艾德的公寓。湯姆將裝著艾德晨衣的大塑膠袋隨便放在艾德床上，沒附上卡片，但湯姆認為辛普森服飾店的袋子看起來很漂亮。接著他回到他的書房兼臥室，把他的晨衣擱在直背椅上便去找電話簿。電話簿在艾德的工作桌附近，湯姆翻開電話簿搜尋辛西雅・葛瑞諾，找到了她。

他看看手錶——差十五分兩點——然後開始撥電話。

電話響了三聲後出現答錄機的聲音，是辛西雅的聲音，湯姆抓起一枝筆。辛西雅的聲音說請來電者於上班時間打某支電話。

湯姆撥了她說的電話號碼，電話那端出現女性的聲音，報了一聲聽來像威農・麥克倫公司的名號，湯姆向對方說他想找葛瑞諾小姐。

葛瑞諾小姐來了。「喂？」

「哈囉，辛西雅，我是湯姆‧雷普利，」湯姆說，刻意將聲音壓得低沉一點，語氣也很嚴肅。「我要在倫敦待幾天——其實，我已經來了一天左右。我在想——」

「你打電話給我幹嘛？」她問道，火氣已經上升。

「因為我想和妳見面，」湯姆冷靜說道。「我有個想法，一個主意——這主意對妳和對我們所有的人都有利。」

「我們所有的人？」

「我想妳知道——」湯姆站得更挺直。「我肯定妳知道。辛西雅，我想和妳見面十分鐘，任何地方都行——餐廳、茶館——」

「茶館！」她的聲音還不是很尖銳；否則就表示失控。

辛西雅從未失控。湯姆繼續堅決說道：「是的，辛西雅，任何地方。假如妳告訴我——」

「你找我的原因是什麼？」

湯姆笑吟吟地道：「一個想法——一個或許可以解決很多問題——不愉快——的想法。」

「我不想見到你，雷普利先生。」她掛斷電話。

湯姆就辛西雅的回絕沉思了幾秒，在艾德的工作室四處走動，然後點燃一根菸。

他撥了他草草寫下的電話號碼，又打到那家公司，核對了該公司的名稱並取得其地址。「你們辦公室開到幾點？」

「嗯——五點半左右。」

「謝謝您。」湯姆說。

當天下午，大約從五點五分起湯姆便在威農・麥克倫公司位於國王路上的辦公室門口埋伏等待。那是一棟看起來嶄新的灰色建築，湯姆從大廳牆上的公司行號一覽表得知裡面一共有十幾家公司。他不停留意是否有一名身材修長，有一頭淺棕色直髮的女子出入，這名女子一定料想不到他在等她。或者她會料到？湯姆等了很久。到了五點四十分，他大概是第十五次看著手錶，厭倦了雙眼不停在離開的人影與臉孔間飄來飄去，這些人有男有女，有人一臉疲倦，有人說說笑笑，彷彿慶幸又過了一天。

湯姆點燃一根菸，這是他站崗以來的第一根，因為香菸在即將禁菸的狀況下經常讓事情發生，例如等公車時抽根菸公車就來了。湯姆走進大樓大廳。

「辛西雅！」

大樓內一共有四座電梯，辛西雅正從右後方的那座電梯出來。湯姆丟掉香菸，踩熄了它，再一把抓起它丟進菸灰桶上的砂箱。

「辛西雅，」湯姆又叫了一次，顯然她第一次根本沒聽到他叫她。

她突然停下來，一頭直髮稍微甩向兩旁。她的嘴唇看來比湯姆記憶中更薄更扁。「我已經跟你說過我不想見到你，湯姆。為什麼你要這樣打攪我？」

「我不是要打攪妳。正好相反。我只需要五分鐘——」湯姆遲疑了一下。「我們不能找個地方坐下來嗎？」湯姆注意到附近有幾家酒吧。

「不。不了，謝謝。有什麼事那麼重要？」她的灰眼充滿敵意地瞪了他一眼，然後轉頭不看他的臉。

「是和貝納德有關的事情。我想——嗯，妳可能會對這件事感興趣。」

「什麼？」她悄聲說道。「跟他有什麼關係？你又有另一個討人厭的主意吧，我猜。」

「不對，相反，」湯姆搖頭說道。他想到大衛・溥立徹：有什麼事，什麼主意比溥立徹更討人厭的？目前對湯姆而言沒有。他再度低頭看著辛西雅的平底黑色便鞋，看著她的黑色長襪，義大利風。時髦但也陰鬱。「我是在想大衛・溥立徹，他可能會對貝納德造成很大的傷害。」

「你什麼意思？怎麼傷害法？」辛西雅被經過她身後的一名路人撞了一下。

湯姆伸出手欲抓穩她，辛西雅立刻退開。「在這裡談話太辛苦了，」湯姆說道。「我是說，溥立徹對誰都不利，對妳不利，對貝納德不利，對——」

「貝納德死了，」湯姆還來不及說出「我」，辛西雅便冒出這麼一句。「損害已經造成了。」她還可以補上一句「拜你所賜」。

「損害還沒完全終止。這點我必須解釋——兩分鐘就解釋清楚。我們不能找地方坐下來嗎？轉角那裡有一個地方！」湯姆竭盡全力維持客氣又堅定不移的態度。

辛西雅嘆了口氣終於讓步，於是他們在轉角繞了一下。這家酒吧並不算大，因此不太吵雜，而且兩人甚至還找到了一張小圓桌坐下。湯姆不在乎何時或是否有人來招呼他們，他也確定辛西雅不在乎。

「溥立徹的目的是什麼？」湯姆問道。「除了鬼鬼祟祟——愛四處打探別人隱私——我還強烈懷疑他對他太太而言說不定是個虐待狂？」

「不是，不過，是個殺人犯。」

「喔？我很高興聽到妳那麼說。妳有寫信給大衛・溥立徹，或者和他在電話上聊過嗎？」

辛西雅深吸了口氣，眨了眨眼。「我以為你要說關於貝納德的事。」

辛西雅・葛瑞諾和溥立徹的聯絡相當密切，湯姆暗忖，但是也許她聰明得不留下任何白紙黑字的證據。「我要啊。有兩件事。我——可是首先，我可不可以問妳為什麼要和溥立徹這樣的人渣扯上關係？他腦袋有毛病！」湯姆露出微笑，自信十足。

辛西雅緩緩說道：「我不想談溥立徹——對了，這人我從來沒看過也沒見過。」

「那妳怎麼知道他的姓名？」湯姆語氣客氣地問道。

辛西雅又吸了一口氣；她目光朝下瞥了一眼桌面，隨即又看著湯姆。她的臉龐突然看起來更瘦更蒼老。湯姆推斷，她目前應該有四十歲。

「我不想回答那個問題。」辛西雅說。「你懂嗎？你說你要說關於貝納德的事的。」

「沒錯。他的作品。我見過溥立徹和他太太，妳知道，因為他們現在是我的鄰居——在法國。溥立徹提過莫奇森——那個強烈懷疑畫是假的那個人。」

「也是神祕失蹤的那個人，」辛西雅說，這時她聚精會神。

「對。在奧利機場。」

辛西雅略顯不屑地冷笑。「只是搭了另一班飛機走掉了？去了哪裡？從此再也沒和她太太聯絡？」她停頓了一下。「得了，湯姆。我知道是你殺掉莫奇森的。你可能拿了他的行李去奧利——」

湯姆保持鎮靜：「妳去問我的管家就好，她當天看到我們離開——莫奇森和我，前往奧利機場。」

湯姆思忖，他剛才的那番說詞，辛西雅大概無法立刻反駁。

湯姆站了起來：「我可以幫妳點什麼？」

「幫我點多寶力（Dubonnet）加一片檸檬。」

湯姆走去吧檯幫辛西雅點酒，也替自己點了一杯琴湯尼，等了大約三分鐘後付了帳端走飲料。

「再回到奧利機場，」湯姆一邊坐下來一邊說道。「我記得我讓莫奇森在路邊下車，我沒停車。我們沒喝餞行酒。」

「我不相信你。」

但湯姆相信他自己，無論如何此時此刻相信。他會繼續相信，直到鐵證呈現在他面前。「妳怎麼知道他和他太太的關係如何？我又怎麼知道？」

「我以為莫奇森太太去找過你，」辛西雅溫和地說道。

「她是來過。在維勒佩斯。我們在我家喝了茶。」

「那她有提到她和她丈夫關係很糟嗎？」

「沒有，不過她幹嘛要跟我提？她來找我是因為我是最後一個看見她丈夫的人——這事眾所皆知。」

「沒錯，」辛西雅沾沾自喜說，一副她握有湯姆不知道的訊息的模樣。

嗯，果真如此的話，那她掌握的是什麼訊息？他等了片刻，但辛西雅沒繼續往下說。湯姆接著說：「莫奇森太太——我揣測——可以重提假畫事件。隨時都行。可是上回我和她碰面的時候，她坦承她不懂她丈夫說德瓦特後期作品不是真跡的論證或理論。」

這時辛西雅從她的手提包取出一包濾嘴香菸，然後慎重地抽出一根，彷彿她有一定的配額。

湯姆伸出他的打火機。「妳有莫奇森太太的消息嗎？她好像住在長島吧？」

「沒有。」辛西雅微微搖頭，依舊鎮靜，而且一臉漠然。

從辛西雅的表情看不出來她將湯姆和那通法國警方打來詢問莫奇森太太地址的電話聯想在一起。或者辛西雅有可能在演戲？

「我會問妳那個問題，」湯姆繼續，「因為——以防萬一妳不知道溥立徹正設法給莫奇森太太製造麻煩。溥立徹尤其是衝著我來。很奇怪，他對繪畫一竅不通，當然也不在乎藝術——妳應該看看他家的家具還有牆上那些東西！」湯姆忍不住大笑。「我去過他家喝東西，氣氛不是很友好。」

辛西雅聽了後不覺莞爾，這反應正如湯姆所料。「你為什麼擔心？」

湯姆依舊滿面喜色。「我不是擔心，是惱怒。他拍了好幾張我家的照片，拍外觀，某個星期日早晨拍的。妳會高興一個陌生人那麼做嗎，連聲招呼都不打？他拍我家照片做什麼？」

辛西雅不發一語，默默喝著她的多寶力。

「妳有沒有鼓勵溥立徹進行他的反雷普利遊戲？」湯姆問道。

就在此時，湯姆身後的桌子傳來震耳欲聾的爆笑聲。

湯姆嚇了一跳，辛西雅沒有，但她舉起一隻手慵懶的撥弄頭髮，湯姆因而發覺她有白髮。湯姆試著想像她住的公寓——現代，可是大概有從她老家帶來的家居風格——一個老書櫃，一床棉被。她的衣著漂亮端莊。他不敢問她是否幸福，她可能會嗤之以鼻或拿杯子砸他。她家牆上有掛貝納德・塔夫茲的油畫或素描嗎？

「聽著，湯姆，你以為我不知道你殺了莫奇森，而且——用某種方式把他處理掉了嗎？還有——在薩爾斯堡跳崖的是貝納德，他的遺體或骨灰你假裝是德瓦特的，這事你以為我不知道嗎？」

湯姆沉默不語，面對著她的激動一言不發，至少暫時如此。

「貝納德為了這場卑劣的遊戲而死，」她繼續說。「是你的主意，畫假畫。你毀了他的人生——也幾乎毀了我的。可是只要有簽了德瓦特名字的畫不斷出現，你又在乎什麼？」

湯姆點燃一根香菸。站在吧檯邊一名惡作劇的男子呵呵大笑地用腳跟砰砰踢著銅欄杆，增添了現場的噪音。「我從來沒逼貝納德畫畫——鍥而不捨地畫，」湯姆輕聲說道，雖然旁人聽不見他們的談話內容。「那超過我的能力範圍，超過任何人的能力範圍，這點妳知道。我提出偽造德瓦特作品的時候幾乎不認識貝納德，我當時問了艾德和傑夫是否認識可以勝任這項工作的人。」湯姆不確定他是否真的並未立刻建議貝納德進行這件事，因為貝納德的畫，就湯姆見過的少數幾幅來看，和德瓦特的風格並無強烈差異或不一致。湯姆接著說，「貝納德比較算是艾德和傑夫的朋友。」

「可是——這一切都是你慫恿的。你拍手叫好！」

這下湯姆苦惱了，辛西雅只說對了一部分。湯姆陷入了憤怒女性的陣地，這點讓他備感驚嚇。這種情況誰能應付啊？「妳知道，貝納德當時隨時可以停手，停止仿德瓦特的作品。他喜愛身為藝術家的德瓦特。妳別忘了這整件事中牽扯的個人情感——貝納德和德瓦特之間的。我——我真的認為貝納德的所為我們終究無法掌控——這情況甚至很快就發生，就在貝納德開始掌握德瓦特風格的時候。」湯姆堅決的附帶一句，「我倒很想知道當時有誰能夠阻止他。」辛西雅當然沒阻止他，他思忖，而且她從一開始就知道貝納德仿德瓦特，因為她和貝納德很親密，兩人都住在倫敦，並且已論及婚嫁。

辛西雅悶不吭聲，抽著她的菸。一時之間她的臉頰凹陷，像是死人或病人的臉頰。

湯姆俯視著他的酒。「我知道我們彼此沒有好感，辛西雅，所以不管溥立徹怎麼惹惱我妳都不在乎。然而他是否打算開始談論貝納德呢？」說到這裡湯姆又壓低了音量。「只是為了打擊我——好像是吧？真可笑！」

辛西雅目不轉睛盯著他：「貝納德？不。到底是誰把貝納德扯進這一切的？現在又是誰要把他拖下水？莫奇森知道他的名字嗎？我不認為。如果他知道呢？莫奇森死了。溥立徹有提到貝納德嗎？」

「沒跟我提，」湯姆說。他看著她將杯中最後幾滴紅色液體喝掉，彷彿宣布他們的會議結束。「妳要再來一杯嗎？」他瞥了一眼她的空杯問道。「如果妳要，我就要。」

「不了，謝謝。」

湯姆迅速思索了一下。遺憾的是，辛西雅知道——或者相信——從來沒有人提到貝納德・塔夫茲和假畫有關。湯姆試圖說服莫奇森停止調查假畫時曾對莫奇森脫口說出貝納德的姓名（湯姆記得）。但誠如辛西雅所說，莫奇森已死，因為湯姆在那場徒勞無功的談話結束幾秒鐘後殺了他。倘若貝納德的姓名從未上報，湯姆就幾乎無法引起辛西雅維持貝納德清譽的欲望——他認為她有這種欲望。但是，他仍然放手一試。

「妳一定不希望貝納德的姓名被扯進來——萬一瘋子溥立徹不斷追查，然後從某人口中得知貝納德的姓名。」

「從誰的口中呢？」辛西雅問，「你嗎？你在說笑嗎？」

「不是！」湯姆看得出來她將他的疑問視為威脅。「不是，」他認真地重複道。「其實，倘若貝納德的姓名和那些畫扯上關係，我突然有一個完全不同——一個更樂觀的想法。」湯姆咬著下唇，低頭看著粗製濫造的玻璃菸灰缸，這菸灰缸讓他想起在楓丹白露和珍妮絲・溥立徹那場同樣沉悶的談話，當時的菸灰缸內裝著陌生人留下來的菸蒂。

「那是什麼呢？」辛西雅這時收拾皮包，端坐起來，準備離開。

「那個──貝納德做這件事做了很久──六、七年？──他成長進步──而且某種程度上變成德瓦特。」

「這話你以前不是說過了嗎？或者是傑夫跟我重複過你說的？」辛西雅無動於衷。

湯姆鍥而不捨。「更重要的是，若是德瓦特後期一半或更多的作品遭人揭露出自貝納德・塔夫茲之手，將會造成什麼樣的災難呢？貝納德的畫很糟嗎？我說的不是模仿得維妙維肖的假畫在時下新聞，甚至時尚與新興工業中的價值。我說的是貝納德繼續從德瓦特成長發展，我是說，成為一個畫家之事。」

辛西雅焦躁地動了一下，幾乎站了起來。「你似乎根本不明白──你，艾德和傑夫也是──貝納德對他所做之事感到非常不快樂，我們因此分手。我──」她搖搖頭。

湯姆身後的桌子又是一片喧囂，一陣狂笑。他要如何在接下來的三十秒對辛西雅說明貝納德喜愛並重視他的工作，即使是在畫「假畫」時也是？辛西雅反對的是貝納德努力模仿德瓦特風格這種不誠實的舉動。

「藝術家有他們的命運，」湯姆說，「貝納德有他的命運。我竭盡全力讓他──讓他活下去。在他去薩爾斯堡之前，他在我家，我和他聊天。貝納德最後感到迷惘，認為他以某種方式背叛了德瓦特。」湯姆舔了嘴唇，一口飲盡杯中剩下的酒。「我當時跟他說『很好，貝納德，停止畫假畫，擺脫沮喪。』我一直希望他會再找妳談，希望你們兩個復合——」湯姆停頓。

辛西雅張著薄嘴唇看著湯姆。「湯姆，你是我見過最邪惡的人——如果你認為這是項殊榮的話。你大概這麼認為。」

「不。」湯姆起立，因為辛西雅正從座位上站起來，將皮包掛在肩膀上。

湯姆尾隨她出去，明白她會很高興盡快與他道別。湯姆從電話簿上的地址判斷她從這裡也許走路就可以回到家，倘若她要回家，他確定她不想他送她到她家門口。湯姆感覺她獨居。

「再見，湯姆。謝謝你請我喝飲料，」他們走出酒吧時辛西雅說道。

「我的榮幸。」湯姆答道。

他頓時形單影隻，面對國王路，然後回頭看著辛西雅穿著米色毛衣的高䠷身影消失在人行道上的人群之間。他為什麼沒問更多的問題呢？她煽動溥立徹的目的是什麼？他為什麼沒有當場直接問她是否打過電話給溥立徹？因為辛西雅不會回答，湯姆心想。辛西雅是否見過莫奇森太太呢？

13

經過數分鐘的努力，湯姆招到了一輛計程車。他請司機往柯芬園的方向開，並給了他艾德的地址。湯姆的手錶顯示七時二十二分。他順著商店招牌望向屋頂，再看著一隻鴿子，和一條由人牽著穿越國王路的達克斯獵犬。司機必須迴轉往另一方向行駛。他思忖，倘若他問辛西雅是否經常和溥立徹保持聯絡，她可能會帶著貓般的笑容回答：「當然沒有，沒必要吧？」

這或許表示溥立徹這種人即使彈盡援絕（雖然辛西雅給了他部分支援），依然會繼續孤軍奮鬥，因為他鐵了心要恨湯姆・雷普利。

湯姆抵達艾德家時發現傑夫・康斯坦和艾德・班伯瑞兩人都在，不覺心頭一陣歡喜。

「你今天過得怎麼樣？」艾德說，「你做了些什麼？除了給我買了那件好看的晨衣之外。我把它拿給傑夫看了。」

他們此刻正待在有打字機和書桌、外加一具電話的那個房間。

「哦，我今天早上到巴克馬斯特轉了一下，和尼克聊聊天，這個尼克我越來越喜歡了。」

「他人很好，」艾德以其英式口吻脫口而出道。

「艾德，首先我想知道有沒有給我的電話留言？我把你的電話號碼給了赫綠思。」

「沒有，我四點半左右回來的時候查過，」艾德答道，「如果你現在想打電話給赫綠思——」

湯姆微笑道：「卡薩布蘭加？在這個時候打？」然而湯姆有點擔心，心想赫綠思下一站停留的梅克內或馬拉喀許，這兩個內陸城市都令人聯想到沙子，遙遠的地平線，駱駝輕鬆步行，人則在湯姆想像中呈現流沙邪惡力量的軟沙中下沉。湯姆眨了眨眼。

「我——也許我今天晚上很晚再試著聯絡她一下，假如你方便的話，艾德。」

「我家就是你家！」艾德說，「要來杯琴湯尼嗎，湯姆？」

「等一下，謝謝。我今天見到辛西雅了。」湯姆看見傑夫集中了注意力。

「在哪裡看到的？怎麼看到的？」問了最後一個問題後傑夫不禁大笑。

「在她辦公室那棟大樓外站哨等她。六點的時候，」湯姆說，「經過一番折騰之後，我說服她到附近一家酒吧和我喝一杯。」

「真的！」艾德一臉欽佩地說。

湯姆順著艾德的手勢在一把安樂椅上坐了下來。坐在艾德那微微凹陷的破沙發上的傑夫看來一臉舒適。「她沒變，相當陰沉。可是——」

「放輕鬆，湯姆，」艾德說，「我馬上回來。」他離開房間到廚房去，而且確實馬上回來，手上還端了杯加了一片檸檬的去冰琴湯尼。

這時傑夫開口問道：「在你看——她結婚了沒？」傑夫問這話很認真，可是他的表情顯示他明白倘若湯姆問辛西雅這個問題，她也不會回答是與否。

「我覺得她未婚，只是個感覺，」湯姆說道，同時接下艾德遞過來的酒。「謝謝你，艾德。喔，這似乎是我的問題，不是你們的問題──不是你們兩個任何一個人的問題──也不是巴克馬斯特的問題，或──德瓦特的問題。」湯姆舉起他的酒。「乾杯！」

「乾杯！」艾德和傑夫兩人應聲道。

「說到問題，我的意思是，辛西雅透露了消息給溥黎──夏──對了，她說她從來沒見過這個人──好讓他去調查莫奇森案。我說我的問題就是這個意思。」湯姆苦笑，「溥立徹還住在我家附近。至少目前他太太還待在那裡。」

「他──或她到底能做什麼？」傑夫問。

湯姆說：「妨礙我，繼續討好辛西雅，找出莫奇森的屍體。哈！不過──至少葛瑞諾小姐看起來似乎不想洩漏假畫事件。」

「溥立徹知道貝納德的情況嗎？」傑夫問。

「我想他不知道，」湯姆答道，「辛西雅說：『整件事中是誰提起貝納德？』她的意思是說沒人提起。她很護著貝納德──謝天謝地，我們都很幸運！」湯姆向後靠著那張舒適的安樂椅。

「事實上──我又試著做了一次不可能做到的事。」正如他當年應付莫奇森的情況一樣，湯姆心想，試過之後失敗了。「我很認真地問辛西雅，貝納德的畫到最後難道不是和德瓦特本來應該會創作出來的作品一樣好，或者凌駕其上嗎？而且畫風和德瓦特相同。假如姓名從德瓦特換成了塔夫茲又有什麼好恐怖的？」

「唉，」傑夫說，隨即用手搓著額頭。

「這點我看不出來，」抱著雙臂的艾德說。他站在傑夫所坐的沙發那端。「就畫的價值來看，我看不出來這點——至於從品質上來說嘛——」

「應該是一樣，可其實不一樣，」傑夫瞥了艾德一眼後冷笑了一聲說道。

「沒錯，」艾德勉強承認道，「你和辛西雅談了這件事嗎？」他問道，臉上顯得有點不安。

「沒——沒談得很深入，」湯姆說，「這只不過是我自問自答的反問句。我試圖削弱她的攻擊，假如她要攻擊我的話，但事實上她沒有這麼做。她跟我說我毀了貝納德的一生也幾乎毀了她的一生。沒錯，我猜。」這時湯姆站了起來搓著他額頭。「介意我去洗個手嗎？」

湯姆前往位於他的書房兼臥室與艾德臥室之間的浴室。這時他腦海裡想著赫綠思，尋思她此刻正在做些什麼，不知溥立徹是否跟蹤她和諾愛爾到卡薩布蘭加去了？

「湯姆——辛西雅那方面還有什麼其他威脅？」湯姆回來時艾德輕聲問道，「或者威脅的暗示？」

艾德說這話時幾乎扮了個鬼臉：他從來就無法應付辛西雅，這點湯姆清楚。辛西雅有時讓人感到不自在，因為她總是泰然自若，一副不受他人想法或做法影響的神態。當然，針對湯姆和他的巴克馬斯特畫廊合夥人，她擺明地輕蔑。然而，事實依舊擺在眼前，辛西雅當初無法說服貝納德停止偽造畫作，而且她應該曾努力勸過他。

「沒有，我想，她沒這麼說，」湯姆終於開口道，「知道溥立徹惹惱我，她很高興。若是她能，她會協助他惹惱我。」
「她和他交談嗎？」傑夫問。
「在電話上嗎？我不知道，」湯姆說，「可能吧。因為辛西雅的電話號碼有登記在電話簿上，溥立徹要打電話很容易——假如他想。」湯姆尋思，倘若辛西雅不打算拆穿假畫事件，那麼她還能透露什麼重要的訊息給溥立徹？「說不定辛西雅想惹惱我們——我們所有人——只因為她可以隨心所欲地隨時洩密。」
「可是你說她並沒暗示她會那麼做，」傑夫說道。
「是沒有，可是她要真那麼做也不會暗示，」湯姆答道。
「是不會，」艾德附和道。「想想宣傳問題，」他柔聲地補了一句，彷彿正在沉思，而且語調誠懇。
艾德思索的是對辛西雅不利，或者對貝納德和畫廊不利，或者對三者都不利的宣傳？湯姆暗忖，總之，這樣一來很可怕，尤其因為假畫不會從油畫分析來證明，而是憑藉油畫的出處記錄缺乏而獲得證明，而且德瓦特、莫奇森與貝納德・塔夫茲三人不明不白的失蹤也是力證。
傑夫的寬下巴揚了起來，同時露出了湯姆許久不曾見過的燦爛隨和笑容。「除非我們能證明我們對假畫事件一無所知。」他哈哈大笑說道，彷彿這是理所當然不可能之事。
「對，假如我們和貝納德・塔夫茲的關係不密切，而且他從來沒到巴克馬斯特畫廊來的話，」艾德說，「其實，他真的沒來過畫廊。」

「我們把責任都推到貝納德身上，」傑夫說，這時他嚴肅了點，但依舊面帶微笑。

「紙包不住火，」湯姆說道，同時仔細衡量他所聽到的話。他喝光杯中的酒。「我想了一下，如果我們把責任推到貝納德身上，辛西雅會用她的指甲撕裂我們的喉嚨。我一想到這點就全身發抖喲！」湯姆呵呵大笑。

「對——對極了！」艾德說道，對這黑色幽默不覺莞爾。「可是話說回來——她如何證明我們在說謊？假如貝納德從他倫敦的工作室寄東西過來，而不是從墨西哥寄——」

「或者他會大費周章地讓東西由墨西哥寄過來，那麼我們就會相信郵戳？」傑夫說道，他因幻想而面露喜色，容光煥發。

「以那些畫的售價來看，」湯姆插嘴道，「貝納德可以大費周章地把畫從中國寄過來！尤其是透過一個夥伴的協助。」

「夥伴！」傑夫舉起一根食指說道，「有了！這個夥伴就是罪魁禍首，我們找不到這個夥伴，辛西雅也找不到！哈哈！」

他們又是一陣捧腹大笑，心情也隨之輕鬆。

「胡鬧，」湯姆說，同時伸長了腿。他的朋友們可能丟給他一個「想法」，讓他去運作，這樣一來他們三人和畫廊可能免除辛西雅隱藏的威脅和他們過去所有的罪過嗎？倘若如此，夥伴的想法不可行。湯姆又開始在想赫絲思，還有趁他在倫敦時聯絡莫奇森太太。他可以問莫奇森太太什麼？合理，振振有詞地問？以湯姆・雷普利的身分，還是以他成功騙過辛西雅的法國員警身分？

辛西雅已經打電話通知莫奇森太太說法國警方要她的地址了嗎？湯姆懷疑。雖然莫奇森太太比辛西雅好騙，還是小心為妙。驕者必敗。湯姆想知道溥黎夏這個好管閒事的傢伙最近或曾經和莫奇森太太通過電話。嗯，湯姆主要是想知道這點，他可以藉故事關搜索她丈夫而打電話查對她的地址與電話號碼。不，他必須提出問題：她是否知道溥黎夏先生目前的下落，因為警方在北非和他失去聯絡，溥黎夏先生正協助警方調查她丈夫之事。

「湯姆？」傑夫向前朝湯姆走了一步，遞給他一碗開心果。

「謝謝。我可以拿好幾顆嗎？我很喜歡吃開心果，」湯姆說。

「你儘管拿，湯姆，」艾德說，「這裡有字紙簍可以丟殼。」

「我剛想到一件很明顯的事情，」湯姆說，「和辛西雅有關。」

「什麼事？」傑夫問道。

「辛西雅不能腳踏兩條船。她要藉著問『莫奇森人在哪裡？』來捉弄我們或溥立徹，就得坦承除掉莫奇森事出有因，也就是殺人滅口，讓他無法拆穿假畫事件。假如辛西雅繼續進行，她就會——讓貝納德畫假畫這件事曝光，而我認為她不希望揭穿貝納德任何事情，連他被剝削這件事也不想拆穿。」

另外兩人沉默了幾秒。

「辛西雅知道貝納德是個怪胎。我們剝削了他，剝削了他的才華，這點我向你們承認。」湯姆若有所思地說，「她本來會嫁給他嗎？」

「會，」艾德點頭說道，「我認為會。她是很有母性的那種類型，骨子裡是。」

「母性！」坐在沙發上的傑夫放聲大笑，笑得雙腿抬了起來。「辛西雅啊！」

「所有女性都具有母性，你不認為嗎？」艾德認真說道，「我認為他們兩人本來會結婚，那也是辛西雅為什麼這麼痛心的其中一個原因。」

湯姆火速搖頭以讓腦筋清醒，然後嘎吱嘎吱咀嚼另一顆鹹鹹的開心果。

「有人想吃東西嗎？」傑夫問。

「哦——有啊，」艾德答道，「我知道一個地方——不對，那在伊斯林頓（Islington）。這附近有一個好地方，和昨天晚上不同的地方，湯姆。」

「我想聯絡莫吉森太太看看，」湯姆說道，同時從椅子上站了起來。「紐約。這個時間可能正好，如果她在家用午餐的話。」

「請便，」艾德說，「你要用客廳的電話嗎？還是這裡的？」

湯姆清楚他一臉想要獨處的樣子，眉頭緊蹙，些許不安。「用客廳的好了。」

艾德打了手勢指著客廳方向，湯姆拿起他的小筆記本走了出去。

「不要拘束，」艾德說，同時放了把椅子在電話機旁。

湯姆站著。他一邊撥莫奇森太太曼哈頓家的電話號碼，一邊悄悄練習他假扮的法國巴黎警局局長艾德華・畢紹的自我介紹說詞——謝天謝地還好他注意到莫奇森太太地址和電話號碼下方那個不大可能的姓名，否則他本來應該記不住這個號碼。這次他可能不要那麼加重他的腔調，而要試著模仿墨利斯・西瓦勒*的音調。

不幸地，電話那端一個女性的聲音說莫奇森太太不在家但隨時都會回來，湯姆認為這位女性聲音聽來像是傭人或清潔婦，可是他不大有把握，因此他小心翼翼地繼續維持法國腔。

「麻煩您更她縮（跟她說），拿（那）個我——畢紹局長——不，不，不用寫下來——我揮（會）再打來——今天晚上——或者明天……切切（謝謝）您，夫人。」

不必說這通電話一定和湯瑪斯・莫奇森有關，因為莫奇森太太鐵定猜想得到。湯姆認為他今晚晚一點應該再撥一次，既然莫奇森太太很快就會回來。

湯姆不確定若是他聯絡上了她本人他應該問她什麼：她有大衛・溥利徹的消息嗎？這人的下落法國警方目前當然不知。湯姆充分預料到他提出這個問題得到的回答一定是「沒有，我沒有」，然而他總得問點其他問題，或者說說其他事情，因為莫奇森太太和辛西雅可能有聯繫，至少偶爾會聯絡。他還沒走進艾德的書房或工作室，書桌上的電話便響起。

艾德接起電話：「喔——是的！是！等一下！湯姆！是赫絲思！」

「哦！」湯姆說，接起了電話。「喂，親愛的！」

「喂，湯姆！」

「妳在哪裡？」

＊譯注：墨利斯・西瓦勒（Maurice Chevalier, 1888-1972），法國演員兼歌手。

「我們在卡薩布蘭加。微風習——習，好棒啊！還有，你知道嗎？這個溥黎夏先生出現了？我們下午一點抵達——他一定很快就跟著到。他一定發現了我們住的飯店，因為——」

「他住在同一間飯店嗎？米拉瑪飯店？」感到無力的湯姆緊握著電話臉色鐵青地問道。

「不是！可是他——到這裡來轉了一下。他看見了我們，諾愛爾和我。可是他沒看見你，我們看得出來他在四下打探。湯姆，我跟你說——」

「什麼事，甜心？」

「只是流個（這是六個）鐘頭以前的事了。現在——諾愛爾和我到處查看，我們打了一兩家飯店，他沒住在那裡，可能因為你沒和我們在一起他就離開了。」

湯姆依然深鎖眉頭。「我不確定。這點妳怎麼能篤定？」

電話喀嚓一聲，彷彿有人惡意切斷連線。湯姆深吸了口氣，抑制自己罵出粗話。

然後赫綠思的聲音回復，這回她的語氣鎮定了些，穿越海洋噪音。「……現在是傍晚，我們四處都沒看見他的人影。當然他跟蹤我們實在是很噁心，那個混蛋！」

湯姆心想溥立徹由於認定他，湯姆，已經回到家，這會兒他應該回到維勒佩斯了。「妳們還是要小心，」湯姆說，「這個溥立徹花招百出。就連哪個陌生人跟妳說『跟我來』到某個地方去，都別相信他。例如，即使要妳進商店也一樣。妳懂嗎？」

「懂，親愛的。可是目前——我們只在白天四處逛逛，晃一晃，買點皮件和銅器之類的小東西。你放心，湯姆。情況正好相反！這裡很好玩！嘿！諾愛爾想和你說話。」

湯姆經常讓赫綠思的這聲「嘿」嚇到，但今晚它聽來很親切，他不禁淺淺一笑。「哈囉，諾愛爾。妳們好像在卡薩布蘭加玩得很開心是吧？」

「啊，湯姆，太棒了！我三年沒到卡薩布蘭加來了，我想是，不過這個港口我記得一清二楚——比坦吉爾還好的港口耶。這裡比較大……」

海水似的噪音洶湧而來，淹沒了她的聲音。「諾愛爾？」

「……幾個小時沒見到這個怪物可真是件樂事，」諾愛爾繼續以法語說道，她顯然沒察覺線路中斷。

「妳說的是溥黎夏，」湯姆說道。

「溥黎夏，對！很惡劣呢！編造這個綁架事件！」

「沒錯，很惡劣！」湯姆說道，彷彿隨聲附和這些法語字能證實大衛．溥立徹精神錯亂，是個所有人類都應痛恨並將他繩之以法的人。「哦，諾愛爾，我說不定很快就會回維勒佩斯，可能明天回，因為溥立徹也許人已在那裡——製造一些麻煩。我試著明天再打電話給妳們好嗎？」

「當然好啊！那明天中午怎麼樣？我們會待在這裡，」諾愛爾答道。

「假如妳們沒接到我的消息不用擔心，因為白天打電話不容易。」湯姆和諾愛爾核對了一下米拉瑪飯店的電話號碼，能幹的諾愛爾隨身攜帶電話號碼。「妳了解赫綠思——她有時候在危險的情況下不是那麼擔心。諾愛爾，我不希望她單獨一個人逛街，就算大白天買份報紙也不行。」

「我了解，湯姆，」諾愛爾用英語說道，「在這裡實在太容易雇人做任何寺（事）情了！」

真可怕的想法，然而湯姆仍舊心懷感激的說：「沒錯！即使溥黎夏回到法國也一樣。」湯姆接著用粗俗的法語補了一句，「希望他拖著他的——」湯姆不得不跳過這個字眼——「離開我們的村子下地獄去。」

諾愛爾哈哈大笑：「明天再聯絡囉，湯姆！」

湯姆又拿出了他那本記有莫奇森電話的筆記本。他察覺自己讓溥立徹給氣得火冒三丈。他拿起電話撥了號碼。

接電話的是莫奇森太太，或者湯姆認為是。

湯姆重新自我介紹：巴黎警局局長艾德華・畢紹。您是莫吉森太太嗎？正是。若有必要，湯姆已準備好要報出他當場瞎編的警局轄區名號。湯姆也很想知道——倘若他可以旁敲側擊而得知——今天傍晚辛西雅是否打過電話給莫奇森太太。

湯姆清清喉嚨，把聲音提高些。「夫人，事關您思蹤的盎夫（失蹤的丈夫）。我們目前找不到大衛・溥黎夏。我們最近和搭（他）聯絡——不過溥黎夏先生到坦吉爾去了——您知道拿（那）件事嗎？」

「哦，知道，」莫奇森太太鎮定地說道，那文雅的聲音湯姆現在回想起來了。「他說他可能會去那裡，因為雷普利先生要去那裡——和他太太一起去，我想是。」

「對。沒錯，夫人。自從溥黎夏先生到了坦吉爾之後，您就沒他的消悉（消息）了？」

「沒有。」

「那辛西雅・葛瑞諾小姐有和您聯絡嗎？我相信她也四有語您（也是有與您）保持聯絡吧？」

「是的，最近——她寫信或者打電話給我。可是不關坦吉爾任何人的事，那方面我可沒辦法幫上您的忙。」

「我統（懂）。切切您（謝謝您），夫人。」

「我不知道——嗯——溥立徹先生在坦吉爾做什麼。是您提議他去的嗎？我是說，這是法國警方的主意嗎？」

這是一個瘋子的主意，湯姆暗想，瘋子溥立徹跟蹤雷普利，連暗殺都談不上，只是騷擾。

「不是，夫人，四（是）溥黎夏先生自己要跟蹤黎普利先生到——北非去的，不是我們出的主意。可是搭（他）通常和我們聯絡得比較密切。」

「可是——和我丈夫有關的是什麼消息？有新的情況嗎？」

湯姆嘆了口氣，同時聽見莫奇森太太住處窗外附近幾輛汽車正在按喇叭。「沒有，夫人，我很遺憾的向您報告。可是我們仍在盡力追查。仄（這）情況很微妙，夫人，因為黎普利先生在他住的地方四（是）個受人尊敬的人，而且我們沒有掌握對黎普利先生不利的人何次情（任何事情）。仄（這）個自作主張的溥黎夏先生——我們當然知道他在打什麼主意，可是——您明白嗎，莫吉森太太？」湯姆繼續以客氣的口吻說道，但把電話機漸漸拉遠，好讓他的聲音逐漸消失。他嘖嘖發了一聲噪音，再咯咯一聲後掛斷電話，宛若電話斷線。

哎喲！情況並不如湯姆所擔心的那般糟，他心想，根本不危險。但是辛西雅的確和莫奇森太太有來往！他希望這是他最後一次有必要打電話給莫奇森太太。

接著湯姆回到放著打字機的那個房間，房間內的艾德和傑夫已準備出門享用晚餐。他決定今晚不打電話給安奈特太太，明天早上等她購物回來後再打，湯姆確定她購物的時間不會改變。安奈特太太會從她的忠實哨兵──叫珍娜薇，是吧？──那裡得知溥黎夏是否已回到維勒佩斯。

「喔，」湯姆笑嘻嘻道，「我和莫吉森太太談過了。而且──」

「我們剛才認為最好是別在你附近盤旋，湯姆。」傑夫看起來很感興趣。

「溥黎夏和莫奇森太太聯絡得很勤，連他去坦吉爾都讓她知道。想想看！我猜他打了一通電話搞定這事。她還告訴我說辛西雅偶爾會打電話或寫信給她。這很糟糕吧？」

「你是說，所有的人都有接觸，」艾德說，「沒錯，這樣蠻糟的。」

「我們出門去吃點東西吧，」湯姆說。

「湯姆，艾德和我商量過了，」傑夫開口道，「我們兩個其中一個，或者我們兩個人一起到法國幫你對付這個──」傑夫尋找適當的用詞，「鬼迷心竅的瘋子溥立徹。」

「或者到坦吉爾，」艾德立即插嘴道，「不論你必須到哪裡去，湯姆。只要我們派得上用場。這件事我們都有份。」

湯姆將這些話全聽進耳裡，這確實撫慰人心。「謝謝。我會想想──或強強──我或者我們該做些什麼。我們出門吧？」

14

湯姆和傑夫與艾德一起享用晚餐時並未深思他當前的問題。他們搭計程車來到傑夫知道的一家位在小威尼斯區的寧靜小餐廳。這天晚上餐廳確實非常寧靜，顧客也不多，湯姆因此壓低音量說話，即使談論烹飪這種純真的話題也是。

艾德說他開始注意自己受人忽視的烹飪天份，下次他會大膽為他們兩位下廚。

「明天晚上？明天午餐？」傑夫笑著問道，一臉懷疑。

「我有一本書名叫做《創意廚師》的小書，」艾德繼續說，「這本書鼓勵大家混合食材和——」

「剩菜？」傑夫舉起一片滴著奶油的蘆筍，將蘆筍塞進嘴裡。

「你儘管笑吧，」艾德說，「可是下次你走著瞧，我發誓。」

「可是你不敢在明天下廚，」傑夫說。

「我怎麼知道湯姆明天晚上在不在這裡？湯姆自己知道嗎？」

「不知道，」湯姆說。他突然看到隔了幾張桌外一名有著一頭金色直髮的美女，正和她對面一位年輕人聊天。她穿著一件無袖洋裝，戴著金耳環，臉上洋溢著那種湯姆很少在英國以外見到的幸福自信的表情，而且她的美麗讓湯姆的眼睛不時瞄向她。這名年輕女子讓他想到要替赫絲思買份禮物。金耳環？荒謬！赫綠思已經有多少副了？手鐲？赫綠思喜歡他旅行歸來時帶給她的驚喜，即使是小小的驚喜。赫綠思什麼時候會回到家？

艾德瞥了一眼瞧瞧是什麼迷住湯姆目光。

「她很漂亮吧？」湯姆說。

「可不是嗎？」艾德贊同道。「你聽我說，湯姆——我這個週末可能有空。或者週四之前就有空，距離現在還有兩天，我可以到法國或任何地方去。我要潤一份稿子，還要打字。如果必要，我會趕工，若是你處境困難的話。」

湯姆並未立刻答腔。

「艾德不用文字處理機，」傑夫插嘴說，「艾德是老古板。」

「我就是文字處理機，」艾德說，「說到老古板，那你的相機呢？有幾台都很老舊了。」

「那些相機很棒，」傑夫平靜地說道。

湯姆發現艾德忍住，沒回嘴。湯姆正享受美味的羊排與紅酒。「艾德，老友，我很感激你，」湯姆低聲說道，同時瞥了一眼他左手邊隔了一張空桌坐了三人的桌子。「因為你可能會受傷。提醒你，我根本不知道會怎麼樣，因為我從來沒看過溥立徹帶槍之類的。」湯姆低頭彷彿自言自語地說，「我也許必須赤手空拳地對付那個渾蛋。徹底讓他完蛋，我不知道。」

他的話音迴盪在空中。

「我很強壯，」傑夫語氣歡快地說。「這你可能需要，湯姆。」

傑夫可能比艾德強壯，湯姆心想，因為他比較高壯。另一方面，艾德看起來在必要的情況下似乎身手矯捷。「我們都必須保持最佳體能狀況，不是嗎？現在誰要來一份黏呼呼的甜點啊？」

傑夫搶著買單。湯姆於是請他們喝蘋果酒。

「誰知道我們什麼時候能再像這樣碰面呢？」湯姆說道。

餐廳女老闆告訴他們蘋果酒由餐廳免費招待。

雨滴啪答啪答拍打窗戶的聲音吵醒了湯姆，力道不強但堅決。他穿上他那件依然吊著價格標籤的新晨衣，在浴室盥洗後到艾德的廚房去。艾德似乎尚未起床。湯姆燒了一些開水，替自己煮了一杯濃濃的滴濾式咖啡。接著再迅速沖澡及刮鬍子，艾德出現時湯姆正在打領帶。

「天氣真好！早啊！」艾德笑吟吟道。「你看我在炫耀新晨衣呢。」

「我看到了。」湯姆腦海想著打電話給安奈特太太之事，想到法國時間快一小時就很快樂，大約再過二十分鐘她可能就會買完東西回來。「我煮了咖啡，你想喝可以喝。我的床怎麼辦？」

「暫時鋪著吧。然後我們再看看。」艾德走到廚房。

湯姆很高興艾德清楚他的個性，知道他想鋪床或取下床單，艾德說鋪床就表示若有必要，他歡迎湯姆再住一晚。艾德放了幾個牛角麵包進烤箱加熱，還準備了柳橙汁。湯姆喝了柳橙汁，但緊張得吃不下任何東西。

「我應該中午要打電話給赫緣思，或者試著打給她，」湯姆說，「我忘了是否告訴過你。」

「我一向歡迎你使用我的電話。」

湯姆在想他中午可能不在這裡。「謝謝。再說吧。」然後湯姆被艾德的電話鈴聲嚇得跳起來。

聽了艾德說幾句之後，湯姆知道這是一通商務電話，事關一則圖說。

「好，當然，簡單，」艾德說，「我這裡有碳粉……我十一點前再給你回電。沒問題。」

湯姆看了一下錶，發現分針從上次他看時間之後就幾乎沒動過。他想也許向艾德借一把傘，今天早上抽空到處逛逛，也許到巴克馬斯特畫廊去挑一幅畫來買。一幅貝納德·塔夫茲的畫。

艾德講完電話回來，一語不發地走向咖啡壺。

「我現在試著打回我家，」湯姆說道，並立刻從廚房椅子上站起來。

來到客廳，湯姆撥了麗影的電話號碼，讓電話響了八聲，然後再響兩聲才放棄。

「她出去買東西。說不定在八卦，」湯姆微笑著對艾德補充這麼一句。但是他發覺安奈特太太現在有點聾。

「晚一點再試，湯姆。我要去梳裝打扮。」艾德離去。

湯姆幾分鐘後又撥了一次，鈴響第五聲安奈特太太便接起電話。

「啊，湯姆先生！您在哪裡？」

「還在倫敦，安奈特太太。我昨天和赫綠思夫人通過電話，她很好，人在卡薩布蘭加。」

「卡薩布蘭加！她什麼時候要回來？」

湯姆笑道：「我怎麼知道？我打電話來是要問麗影的情況如何。」湯姆知道倘若有人在麗影附近鬼鬼祟祟，安奈特太太一定會向他報告，或者直接指名道姓說是溥立徹先生，假如溥立徹有時間回來窺探的話。

「一切都好，湯姆先生。恩立不在這裡，但是一切依舊。」

「妳知不知道溥黎夏先生在不在他維勒佩斯的家？」

「他還沒回來，先生，他出門去，可是今天會回來。這件事我今天早上才剛在麵包店聽珍娜薇說的，是電工余伯先生的太太告訴她的，余伯先生今天早上才替溥黎夏太太做些工作。」

「真的啊，」湯姆對安奈特太太的情報服務懷著敬意說道。「今天回來。」

「哦，是啊，是真的，」安奈特太太冷靜地說道，彷彿她正談論日出或日落。

「我，在——在——嗯，在去任何地方之前會再打來，安奈特太太。那麼，妳保重了！」他掛斷電話，重重嘆了一口氣。

湯姆認為他今天應該回家，因此預訂飛往巴黎的回程機位就是他下一件工作。他回到他的床前，開始移除床單，但他想到他可能會在艾德接待下一位賓客之前回來這裡，於是又將床鋪回原來的樣子。

「我以為你會把床單都移除呢，」艾德進房說道。

湯姆解釋：「老普利卡今天會回到維勒佩斯，所以我要跟著回去。萬一有必要，我會引誘他到倫敦，倫敦——」湯姆對艾德微微一笑，因為他此刻在幻想，「有很多街道，而且晚上街道很暗，開膛手傑克就成功地下手，不是嗎？他會——」湯姆停頓。

「他會什麼？」

「溥立徹毀了我會得到什麼，我不知道。我猜是滿足他的虐待狂。他可能沒辦法證明任何事情，你知道嗎，艾德？但我的情況可能不妙。若是他設法殺了我，他就可以看著赫綠思變成一個不幸的寡婦，她也許會回巴黎去住，我無法看著她孤單一人住在我們的房子——或者嫁給另外一個男人繼續住在那裡。」

「湯姆，別胡思亂想了！」

湯姆伸展雙臂，試圖放輕鬆。「我不了解瘋子。」可是他察覺他相當了解貝納德・塔夫茲。

「現在我要查一下班機，我可以用電話嗎，艾德？」

湯姆打電話到法國航空訂位組，發現他可以搭當天下午一點四十分從希斯洛機場起飛的班機。湯姆將這消息告知艾德。

「我要收拾背包慢慢閃人，」湯姆說。

艾德正準備在打字機前坐下來，桌上也擺了一些要處理的工作。「希望很快見到你，湯姆。我很喜歡你待在這裡。我的精神會與你同在。」

「有任何德瓦特的素描要出售嗎？我想它們通常都是非賣品。」

艾德笑嘻嘻道：「我們緊抓著不放——可是對你呢——」

「那裡有幾幅？售價多少？大約？」

「差不多五十幅吧？售價可能從兩千英鎊到——一萬五千英鎊，大概吧。當然，有些是貝納德・塔夫茲的作品。假如是好的素描，售價就高一點，不一定總是以尺寸大小來標價。」

「我會付正常的售價，當然。我很樂意付。」

艾德幾乎大笑了起來。「如果你喜歡素描，湯姆，我應當送給你當禮物！畢竟，最後是誰獲利呢？我們三個！」

「我今天可能有時間去畫廊看看。你這裡沒有任何畫嗎？」湯姆問道，彷彿艾德一定有。

「我的臥室有一幅，你要看可以去看。」

他們走到短走廊盡頭的一間房間。艾德拿起一幅正面靠著五斗櫃的裱框素描。蠟筆與炭筆畫的直線與斜線描繪的可能是畫架，後面是一個比畫架稍微高一點的人物。是塔夫茲的作品或德瓦特的？

「很不錯。」湯姆瞇起眼睛，張開眼睛，跨步向前。「這幅畫叫什麼？」

「《畫室的畫架》，」艾德答道。「我很喜歡那溫暖的橙紅色，只有這兩筆就顯示出畫室的大小，很獨特。」他補充說，「我不是經常把它掛起來——或許一年只掛六個月——所以這幅畫對我來說很新。」

這幅畫將近三十吋長，也許二十吋寬，裱在一個相稱的灰色畫框內。

「貝納德的作品？」湯姆問。

「德瓦特的。我很多年前買的——便宜得要命，我想差不多四十英鎊。我忘了在哪裡買的！

他在倫敦畫的。看看那隻手。」艾德伸出右手對著畫擺出同樣的姿勢。在畫上，握著一隻細長畫筆的右手伸了出來，畫家正走近畫架，左腳用一筆深灰色描繪鞋底。

「要去工作的男人，」艾德說，「這幅畫給我勇氣。」

「我懂。」湯姆轉身面向門口。「我要出門去看畫，然後再搭計程車去希斯洛機場。艾德，非常謝謝你的親切招待。」

湯姆拿走他的雨衣和小行李箱。他在床頭櫃上的鑰匙下放了兩張二十英鎊紙鈔作為電話費，艾德可能今天或明天會發現。

「我要不要確定我到的時間？」艾德問，「例如明天？你說了就算，湯姆。」

「我先看情況，說不定我今天晚上會打電話給你。若是我沒打，你也別擔心。我今天晚上七、八點之前就會到家——如果一切順利。」

他們在門口緊緊地握手。

湯姆走到一個看來像是有希望招到計程車的轉角，他招到一輛並請司機開到舊龐德街。

這次湯姆抵達畫廊時只有尼克一人在裡面，本來在看蘇富比目錄的尼克從桌後站了起來。

「早安，尼克，」湯姆愉快地說道。「我回來——再看一下德瓦特的素描。可以嗎？」

尼克趨前，面帶微笑，彷彿認為這項要求很特別。「可以啊，先生——這裡請，您知道的。」

湯姆喜歡尼克取出的第一幅，窗台上一隻鴿子的速寫，德瓦特額外的幾筆輪廓暗示這隻警覺的小鳥在移動。本來質感很好的白色畫紙已泛黃，邊緣也逐漸毀壞，但湯姆喜歡這種感覺。素描是用炭筆與蠟筆畫的，目前擺在透明塑膠套內。

「這幅畫售價多少？」

「嗯——可能一萬英鎊，先生。我必須查一下。」

湯姆看著卷宗夾內另一幅描繪熱鬧的餐廳內部的素描，這幅不吸引他，再看了畫了兩棵樹一張長椅、畫面看來像倫敦一座公園的一幅。不，鴿子。「如果我先付頭款，然後你再跟班伯瑞先生提這件事呢？」

湯姆簽了一張兩千英鎊的支票，拿給站在桌旁的尼克。「可惜德瓦特沒在畫上簽名，就缺了簽名，」湯姆說道，很想知道尼克會如何回答。

「嗯——沒錯，先生，」尼克愉快地答道，幾乎嚇他一大跳。「那是德瓦特的作品，我聽說。心血來潮畫下這幅素描，沒想到要簽名，後來又忘了簽，然後他——不再和我們在一起了。」

湯姆點頭：「對。再見，尼克。班伯瑞先生有我的地址。」

「哦，是的，先生，沒問題。」

再來是希斯洛機場，湯姆每次見到這機場都覺得人越來越多。拿著掃把和滾輪垃圾桶的清潔婦顯然來不及掃除丟棄的紙巾和機票封套。湯姆有時間買一盒六塊不同的英國香皂給赫綠思，也替麗影買了一瓶保樂茴香酒。

他什麼時候再見到赫綠思呢？

湯姆買了一份飛機上沒有供應的小報。吃了龍蝦午餐，喝了白酒後，湯姆小睡一會，睡到空服員請他繫上安全帶他才醒。整齊的淺綠與深綠、棕色的法國田野在下方展現。飛機傾斜。湯姆覺得堅強多了，有萬全的準備——幾乎吧。這天早上在倫敦時湯姆突然想到，無論報紙檔案室在哪裡，他都要去查一下大衛・溥立徹的檔案，正如溥立徹在美國可能也查過湯姆・雷普利的檔案一樣。可是倘若大衛・溥立徹是他的真實姓名，他又有什麼樣的紀錄呢？被寵壞的青少年品行不檢？超速罰單？十八歲時違反毒品管制條例？這些即使在美國都不值得報導，英國或法國也沒興趣報導。然而，他很想認為溥立徹可能因為在十五歲時將一條狗凌虐致死而留有記錄；像這種可怕又奇怪的小事情可能會出現在倫敦的報紙上，倘若電腦鉅細靡遺並記錄了這件事。飛機平穩降落，開始停下來，湯姆準備下機。他自己的紀錄呢——欸，一欄他涉嫌的耐人尋味的案子就能總結。然而，沒定罪。

查驗過護照後，湯姆走到一座無人使用的電話亭，撥電話回家。

鈴響第八聲，安奈特太太接起電話。「啊，湯姆先生！您在哪裡？」

「戴高樂機場。運氣好的話，我兩個鐘頭後就到家。一切都好嗎？」

湯姆得知一切安好如昔。

接下來搭計程車回家。他歸心似箭，忘了擔心想知道他家地址的司機。這天天氣晴朗溫暖，湯姆在計程車兩邊車窗開一條縫，希望司機不會抱怨有氣流，即使有一絲絲微風，法國人也可能會抱怨有氣流。湯姆回想起倫敦，想起叫尼克的年輕人，還有萬一必要，傑夫與艾德隨時準備支援。珍妮絲‧溥立徹正在做什麼呢？她幫了她丈夫多少忙？包庇他到何種程度？又如何以這些事情來取笑他呢？支持他，又在他需要她的時候讓他失望？湯姆思忖，珍妮絲是個我行我素的人，這個形容詞用在像她這樣脆弱的女人身上真是荒唐。

安奈特太太的聽力好得夠她聽見計程車輪駛上碎石路的聲音，因為計程車停下來之前，她就打開前門站在石板門廊上。湯姆付了計程車司機車資，也給了小費，然後拿著行李走到門口。

「不用，不用，我來提就好！」湯姆說，「就這麼點重量？」

安奈特太太固習難改，其中一個就是想要提最重的行李，因為管家應該提行李。

「赫綠思夫人有打電話回來嗎？」

「沒有，先生。」

真是好消息，湯姆心想。他走進玄關聞著深紅色玫瑰花瓣的香味，或類似的味道，但此刻沒有薰衣草亮光蠟的香味，這點提醒他亮光蠟還在他的行李箱內。

「來杯茶嗎，湯姆先生？還是一杯咖啡？加冰飲料？」她正將他的雨衣吊起來。

湯姆猶豫不決，走進客廳從落地窗望向戶外的花園。「嗯，好的，來杯咖啡。也來杯飲料吧。」剛過七點。「我想先很快沖個澡。」

「是的，先生。啊，貝特林太太昨天晚上來過電話，我跟她說你和夫人都不在家。」

「謝謝，」湯姆說。貝特林夫婦，賈克琳和凡森，是住在幾公里外另一個城鎮的鄰居。「謝謝妳，我會打電話給她，」湯姆朝樓梯走，一邊說道。「沒有其他的電話嗎？」

「沒有，我想沒有。」

「我十分鐘後下來。哦，首先——」湯姆將行李箱平放在地板上，打開行李箱取出在塑膠袋內的幾罐亮光蠟。「家用禮物，安奈特太太。」

「啊，薰衣草亮光蠟！來者不拒！謝謝！」

十分鐘後湯姆又來到樓下，換了衣服穿上帆布鞋。他決定喝一小杯蘋果酒配咖啡，只是為了換換口味。安奈特太太在湯姆身邊盤旋，想確定她準備的晚餐是否合湯姆的意，雖然一向都合。她的描述湯姆左耳進右耳出，因為他在想打電話給珍妮絲·溥立徹那個我行我素的人之事。

「聽起來很吸引人，」湯姆客氣說道，「我真希望赫絲思夫人能在這裡陪我。」

「赫絲思夫人什麼時候回來？」

「不確定，」湯姆答道，「可是她玩得很開心——和一個好朋友。」

隨後安奈特太太留下他一人。珍妮絲·溥立徹。湯姆從黃沙發上站起來，故意慢慢走進廚房。他對安奈特太太說：「溥黎夏先生好嗎？我想他今天回來吧？」湯姆假裝不經意隨口提問，就像問候仍然不是他朋友的任何鄰居。事實上，他走到冰箱去拿一塊乳酪或一眼就瞄到的任何東西來吃，彷彿他進廚房正是為了這個目的。

安奈特太太幫他準備了一個小碟子和一把刀。「他今天早上還沒回來，」她答道：「也許現在已經到了。」

「他太太還在這裡嗎？」

「哦，在啊。她偶爾會去雜貨店。」

湯姆端著小碟子回到客廳，將碟子放在他的飲料旁邊。玄關桌上有一本安奈特太太從來不碰的記事本，湯姆很快便在記事本上找到溥立徹家的電話號碼，這號碼尚未登錄在電話簿上。

湯姆還沒拿起電話，就看見安奈特太太走過來。

「湯姆先生，我剛剛忘記了，今天早上我得到消息說溥黎夏夫婦買下了他們在維勒佩斯的那棟房子。」

「真的嗎？」湯姆說，「真有意思。」但他的口氣聽起來他對這件事根本沒有興趣。安奈特太太轉身離去。湯姆盯著電話。

湯姆暗忖，倘若是溥立徹本人接電話，他就一聲不吭掛斷電話。若是珍妮絲接的，他就冒險一試。他會問她大衛的下巴傷勢如何，認定溥立徹一定已經告訴她有關他們在坦吉爾打鬥之事。珍妮絲知道溥立徹用帶有美國腔的法語告訴安奈特太太赫綠思遭人綁架的事嗎？他決定不提這件事。該從哪裡結束禮貌，開始精神錯亂呢？或者反之如何呢？湯姆挺直腰桿，提醒自己禮貌與客套很少出錯，然後動手撥電話。

珍妮絲・溥立徹接起電話，歌唱般地發出一聲美式的「喂——伊？」

「嗨——珍妮絲。我是湯姆・雷普利，」湯姆面帶微笑說道。

「哦，雷普利先生！我以為你在北非呢！」

「我之前是在北非，可是我回來了。我在那裡見到妳丈夫，這件事妳可能知道。」搞得他不省人事，湯姆心想，然後又客氣地微笑，好似電話那頭的珍妮絲看得到他臉上的表情。「是的，發生了一場打鬥——」

「是——是的。我了解——」珍妮絲住了口。她的口氣悅耳，總之很輕柔。「我希望大衛安然無恙吧？」

「哦，算不上什麼打鬥，」湯姆謙虛地說道。他感覺大衛・溥立徹仍未回到家。「我希望大衛安然無恙吧？」

「他當然安然無恙。我知道他是自作自受，」珍妮絲誠摯說道，「自作孽，不可活，不是嗎？他去坦吉爾做什麼？」

一陣寒意襲上湯姆全身。那些話的意義或許超過珍妮絲想像的深遠。「大衛很快就會回來嗎？」

「對，今天晚上。等他打電話來我就要去楓丹白露接他。」珍妮絲語氣沉穩誠懇。「他跟我說他會晚一點到，因為他要在巴黎買一些體育用品。」

「哦。高爾夫球具嗎？」湯姆問。

「不是。釣魚用具，我想。我不確定。你知道大衛說話的方式，東扯西扯的。」

湯姆不知道。「妳一個人怎麼度日呢？不會孤單或無聊嗎？」

「哦，不會，從來都不會。我聽法文文法錄音帶，想辦法加強我的法文。」這時她笑了一下。「這附近的人都很好。」

的確是。湯姆立刻想到與她家隔了兩棟屋子的葛瑞夫婦，但不想問她是否認識他們。

「欸——大衛呀，他下個禮拜買的可能是網球拍，」珍妮絲說。

「只要他高興就好，」湯姆咯咯笑道。「或許這會讓他無心管我的家務事。」他帶著寬容打趣的語氣，彷彿說的是一個暫時痴迷的孩童。

「哦，這點我懷疑。他買了這棟房子，他覺得你很迷人。」

湯姆又想起珍妮絲在溥立徹帶著相機在麗影附近徘徊拍照之後，面帶微笑心情愉快地開車接她丈夫離開時的樣子。「妳似乎不贊同他有些行為，」湯姆繼續說道。「妳曾經想過扯他後腿嗎？甚至離開他？」湯姆放膽一問。

珍妮絲緊張地乾笑。「女人不會拋棄丈夫的，是吧？而且他會追我！」她笑著尖聲說出最後一個字。

湯姆笑也沒笑。「我明白，」他說，不知該說些什麼。「妳是個忠實的妻子！嗯，祝你們兩位一切順利，珍妮絲。也許我們很快就會和你們碰面。」

「哦，也許，沒錯。謝謝你打電話來，雷普利先生。」

「再見。」他掛斷電話。

真是瘋人院！很快和他們碰面！他剛才說「我們」，彷彿赫綠思已回到家來。為什麼不能這麼說呢？這樣或許可以引誘溥立徹進一步冒險做出大膽動作。湯姆察覺他有股想謀殺溥立徹的慾望。這和他想殺掉黑手黨的慾望類似，但殺掉黑手黨事不關己：他討厭黑手黨本身，認為他們是殘忍又很有組織的勒索者。他殺了兩位黑手黨成員，無論他殺了誰都不重要，只不過是少了兩個黑手黨罷了。但殺溥立徹就是私事，溥立徹自找麻煩，自尋死路。珍妮絲能幫得上忙嗎？別依賴珍妮絲，湯姆提醒自己；她會在最後一分鐘讓他失望，解救她丈夫以便她能繼續享受她丈夫帶給她的身心不適。他為什麼沒在哈法用他口袋內那把新買的小刀解決掉溥立徹呢？

湯姆點燃一根菸暗忖，他可能必須除掉溥立徹夫婦日子才能太平，除非他們兩人願意離開這地區。

蘋果酒與咖啡。湯姆喝完最後幾滴，將杯碟送回廚房。他瞄了一眼發現安奈特太太五分鐘內無法上菜，於是通知她說他想再打一通電話。

接著他撥電話到葛瑞家，葛瑞家的電話號碼他牢記在心。

艾格妮斯接起電話，湯姆從遠端的鏗鏗鏘鏘聲判斷他打擾了他們用餐。

「對，今天從倫敦回來的，」湯姆說，「我妨礙你們用餐了，我想。」

「沒有！希薇和我只是在收拾。赫緣思在你身邊嗎？」艾格妮斯問。

「她還在北非。我只是想告訴你們我回來了。我沒辦法告訴妳赫綠思什麼時候會回來。妳知道妳的鄰居溥立徹夫婦買下那棟房子了？」

「知道啊！」艾格妮斯立刻說道，並且告知湯姆說這件事是酒吧咖啡店的瑪麗告訴她的。

「還有噪音，湯姆，」她繼續說，聲音聽來有些開心。「我相信溥立徹太太現在一個人在家，可是她大聲播放搖滾樂到三更半夜！哈哈！我在想，她是一個人在跳舞嗎？」

或是看變態錄影帶？湯姆眨眨眼。「不曉得，」湯姆笑著答道。「在妳家聽得到？」

「若是風向對的話！當然，不是每天晚上都聽得到，但是上個禮拜天安東很火大。可是還沒火大到去他們家要他們閉嘴。而且他也找不到他們家的電話號碼。」艾格妮斯又哈哈大笑。

他們像好鄰居般愉快又禮貌地互掛電話。隨後湯姆坐下來享用一人晚餐，面前攤開一本雜誌。他吃著美味的燉牛肉，腦海想著溥立徹夫婦這兩個討厭鬼。溥立徹這時或許買了釣魚用具回到家了？釣莫奇森？湯姆為什麼沒立刻想到這點呢？莫奇森的屍體？

湯姆的視線離開他剛才在讀的頁面，他往後一靠，用餐巾擦嘴。釣魚用具？一個鉤錨、一條耐用的繩索，還有一艘以上的划艇。這樣就不只是站在河邊或運河岸手上拿著纖細的釣竿與釣線，像某些當地居民一樣，倘若他們運氣好，能夠釣到應該是可以吃的小白魚。據珍妮絲所說，溥立徹財力雄厚，他會買一艘豪華汽艇嗎？甚至雇一名助手？

湯姆暗忖，但話說回來，他有可能完全想錯方向。也許大衛・溥立徹真的喜歡釣魚。

那天晚上湯姆做的最後一件事是在信封上寫下西敏寺國立銀行分行的地址，因為他需要從他帳戶轉帳支付那張兩千英鎊的支票。明天早上看到放在打字機旁的信封便能提醒他寫這封信。

15

翌晨，喝過他的第一杯咖啡後，湯姆穿過陽台走進花園。前一晚下了雨，大理花顯得嬌豔欲滴；可以摘除枯萎的花朵，剪幾朵插在客廳也挺好。安奈特太太很少做這工作，因為她知道湯姆喜歡親自選擇當天的顏色。

湯姆提醒自己，大衛・溥立徹已返抵家門，應該昨晚回來的，也許今天出門釣他的魚去了。是嗎？

湯姆付了些該付的款項，耗了一小時在花園做些雜活，然後吃了午餐。安奈特太太沒說今早在麵包店有聽到溥立徹夫婦的消息。他檢查了一下停在車庫的兩輛車，還有目前停在外面的那輛旅行車。三輛車引擎發動都沒問題。湯姆洗了所有的車窗。

接著他開了那輛他很少開、也一直認為是赫綠思所屬的紅色賓士往西邊的方向去。穿越平坦地形的路十分眼熟，可這些都不是他開往莫黑或去楓丹白露購物中心時走的路。湯姆連那天晚上他和貝納德去處理莫奇森的屍體時走哪條路都不知道。當時他一心只想找一條運河或任何一條很遙遠的溪流，以便能輕而易舉丟棄綑綁好的屍體。湯姆記得他在裹著莫奇森的帆布內放了幾顆大石頭，好讓屍體下沉，並且一直沉在河底。嗯，據湯姆所知，屍體的確沉了下去。

突然，他瞥見儀表板下方的置物盒內有一張摺疊好的地圖，也許是鄰近地區的地圖，然而眼下他寧願相信他的直覺。這塊地區的主流，盧萬河、約納河和塞納河有許多運河與支流，而且其中有一些不知名，湯姆知道他將莫奇森丟棄在這些運河支流的其中一條，而且是越過一座橋的護欄往下丟的，若是他來到這座橋，他也許認得出來。

或許是大海撈針吧。湯姆思忖，倘若有人獲派到墨西哥一些小村落尋找德瓦特，這將是窮盡一生的工作，而且也很了不起，因為德瓦特從未在墨西哥生活過，只住過倫敦，而且跑到希臘去自殺。

湯姆瞥了眼汽油表：超過一半滿。他在下一個安全點迴轉往東北方向駛去，大約每三分鐘他才看見一輛車。道路左右兩邊都是一片翠綠的玉米田，種得又高又密的玉米是為了牧牛而種。烏鴉盤旋在玉米田上空啊啊叫著。

湯姆憶起，當天晚上他和貝納德從維勒佩斯開了七、八公里路，而且是往西邊的方向行駛。他應該回家以維勒佩斯西部為中心點在地圖上畫個圈嗎？湯姆這時選了一條他認為會領著他先後經過溥立徹家與葛瑞家的路。

突然間湯姆想到必須打電話給貝特林夫婦。賈克琳和凡森。

溥立徹夫婦知道這輛紅色賓士是赫綠思的車嗎？湯姆認為他們不知道。他駛近他們那棟兩層的白屋時便開始減速，設法盡量看個清楚，同時眼睛仍注意路況。門廊階梯前車道上一輛白色輕型貨車引起了湯姆的注意。運送體育用品嗎？貨車上有一大坨笨重的灰色貨物向後突出在地上。

湯姆聽見他認為是個男人的聲音，也許是兩個男人的聲音，但是湯姆不確定，接著他就經過溥立徹家了。

貨車上的可能是一艘小船嗎？覆蓋著那貨物的灰色防水布令湯姆想起他用來包裹湯瑪斯・莫奇森的那塊顏色更灰的防水布或帆布。唉！說不定大衛・溥立徹弄到了一輛貨車，一艘船，也許還請到了一名助手？是艘划艇嗎？划艇怎麼能在運河上航行（河面高度因閘門開關而改變），還有引擎問題，再加上他一人拉著繩索下水嗎？運河岸很陡峭。溥立徹剛才是在和送貨人員還是他要雇用的人討論付款問題？

若是大衛・溥立徹已歸來，湯姆就無法向他那靠不住的盟友珍妮絲打探她丈夫的消息，因為大衛可能會接電話或者偷聽，然後一把從珍妮絲纖細的手中搶下話筒。

葛瑞家這時死氣沉沉。湯姆左轉來到一條空盪的道路，開了幾公尺後又向右轉，讓他來到麗影所在之處的那條道路。

瓦濟，湯姆突然想到。這個地名莫名其妙地閃入他腦海，就像是一盞燈出人意料地被點亮。那是他丟棄莫奇森屍體的溪流或運河流經地區附近的一個村莊。瓦濟。西部，湯姆心想。總之，他可以查一下地圖。

湯姆回到家找到一份楓丹白露區詳圖便立刻查了瓦濟的位置。有點偏西，離桑斯不遠。瓦濟位於盧萬河畔。湯姆鬆了一口氣。他認為，莫奇森的屍體若是移動，那麼可能會往北朝塞納河流去，但湯姆懷疑屍體會移動。他試著將滂沱大雨和水流轉向都考慮在內。水流可能轉向嗎？他想，內陸河流不可能。還好是條河流，因為運河偶爾會因為整治工程而被抽乾河水。

他撥了貝特林家的電話，賈克琳接了電話。是的，湯姆說，他和赫綠思去了坦吉爾幾天，赫綠思現在還留在那裡。

「妳兒子和媳婦好嗎？」湯姆問道。湯姆記得，他們的兒子尚・皮耶已經完成了藝術學院的學業，數年前他為了當時的女友、亦即他現任的妻子中輟了學業，尚・皮耶的父親凡森・貝特林因此怪罪那個女孩。「那個女孩不值得你這麼做！」凡森當時大吼了這麼一句。

「尚・皮耶很好，他們的寶寶十二月會誕生！」賈克琳欣喜萬分。

「啊，恭喜啊！」湯姆說，「現在為了寶寶，你們家最好溫暖一點！」

賈克琳哈哈大笑，坦然接受這個痛處。她坦承，她和凡森已經好幾年沒有熱水可用，可是他們還要在客房旁加裝一個馬桶和洗臉台。

「很好！」湯姆笑吟吟道，想起了當初貝特林夫婦因為某些原因決定住進他們的鄉村住宅過著簡樸的生活，梳洗用的熱水源自廚房火爐上的水壺，廁所也在戶外。

他們彼此答應近期內會碰面，湯姆思忖，這是個並非必須信守的承諾，因為有些人似乎總是忙碌，但掛斷電話後他仍然感覺好多了。

湯姆坐在沙發上悠閒地閱報。他想，安奈特太太正待在她的地盤內，並想像他聽見電視機的聲音。他曉得她看某些連續劇，以往她習慣對赫綠思和他談起這些連續劇，直到有一天她發覺雷普利夫婦不看連續劇，便從此不談這話題。

下午三點半，太陽依舊高掛天空，湯姆開了那輛棕色雷諾往瓦濟的方向駛去。他尋思，今日陽光普照的田園景致和貝納德在一起的那個晚上真是天壤之別，印象中那天晚上沒有月光，他連自己走哪個方向都不大確定。他自忖，截至目前，莫奇森的水墓都是最佳的藏匿點，也許如今仍是。

湯姆先看到標示「瓦濟」的路標後才看到這個小鎮，事實上左邊彎道和樹林遮住了小鎮。湯姆發現了右手邊那座橋，那是座平直的橋，左右兩邊都有坡道，大約三十公尺長，也許更長。他和貝納德就是在那座橋上將莫奇森拋越高度及腰的護欄丟進河裡。

湯姆駛慢了些，但維持穩定的速度。到橋下後他右轉開上橋，不知道也不在乎接下來的路會通向何處。他記得他和貝納德當時停了車拖了那一捆防水布上橋。或者他們放膽把車開上橋幾公尺？

湯姆找了一個方便的地點停下車來查看地圖，他發現有條岔路便繼續行駛，心裡明白會出現路標標明內穆爾或桑斯的方向，這樣一來他就知道方向了。湯姆思及他剛才瞥見的河流：河水藍綠混濁，河面（今天）距離雜草叢生的柔軟河岸數公尺。任誰走到河岸邊都難免因為失去平衡而滑下或跌進河裡。

大衛・溥立徹為什麼會想到要來瓦濟，那裡二、三十公里長的小河及運河距離維勒佩斯更近嗎？

湯姆回到家脫了襯衫牛仔褲上床小憩。他感到安全了點，也舒暢了些。酣睡了四十五分鐘後，湯姆感覺在坦吉爾的緊張，在倫敦以及和辛西雅談話的焦慮，還有溥立徹可能已經購買了一艘船所引起的不安都消除了。湯姆踱步至他認為位於麗影「後部右邊」角落的房間，那是他的書房或工作室。

上等的舊橡木地板看來仍舊漂亮，雖然不如屋內其他地板光亮。湯姆在地上鋪了幾呎的舊畫布或帆布，在他眼裡認為這樣具有裝飾效果，必要時還可用來防止顏料滴落弄髒地板，也可以在他作畫、擦拭物品或打掃時當成抹布使用。

《鴿子》。他該把那幅泛黃的素描掛在哪裡呢？當然是掛在客廳與他的朋友分享囉。

湯姆看了幾秒此刻靠在牆上的他的一幅創作。站立的安奈特太太手上端著一組杯子，亦即湯姆的晨間咖啡：湯姆動手畫這幅畫之前畫了幾張素描，以便不讓安奈特太太感到疲倦。畫中的她穿著紫洋裝和白圍裙。另外一幅是赫綠思，她站在湯姆工作室角落的弧形窗前凝視窗外，右手靠在窗框上，左手插腰。湯姆記得這也是張草圖，赫綠思不喜歡一次擺姿勢超過十分鐘。

他應該嘗試畫窗外的風景嗎？湯姆心想，三年前他畫過。越過他家地界線外的那片幽暗濃密的森林，事實上是莫奇森遺體的第一處安息地——這不是個美好的回憶。湯姆將思緒拉回構圖上。對，他要嘗試畫窗外風景，明天早上就動手畫幾張素描，美麗的大理花擺在前景左右兩邊，粉紅和紅玫瑰在後。可以將這樣的田園景致畫得美麗又感傷，但是這並非湯姆的意圖，他也許會嘗試只用調色刀畫。

湯姆下樓從玄關衣櫥抓了件白色棉夾克，挑這件衣服主要是因為他可以將皮夾塞進內袋隨身攜帶，接著他走進廚房，安奈特太太已經在廚房活動。「已經在工作了？還不到五點呢，安奈特太太。」

「是那些蘑菇，先生。我想先準備好。」安奈特太太用她那雙淡藍色的眼睛瞥了他一眼並且笑容滿面，她站在水槽前。

「我要出去半小時。妳需要我幫妳買什麼嗎？」

「是的，先生──《巴黎人報》？麻煩您啦？」

「我很樂意，安奈特太太！」語畢，湯姆離去。

他先到酒吧咖啡店去買那份報紙，以免忘記買。時間仍早，男人尚未下班，但是酒吧內慣常的嘈雜聲已開始響起，有人喊「來杯小杯的紅酒，喬治！」瑪麗開始為晚上的工作做準備。站在吧檯內偏左方向的她揮手向湯姆打招呼。湯姆察覺自己四下張望，想迅速確定大衛・溥立徹是否在場，沒見到他人影。倘若溥立徹在場，一定很引人注目：個頭比大多數的人都高，戴著一副顯眼的圓框眼鏡盯著人看，不和人攀談。

湯姆回到紅色賓士車上，往楓丹白露的方向駛去，隨即無緣無故的在下一條路口左轉。這時他差不多是往西南方向行進。赫絲思此刻正在做些什麼？和諾愛爾兩人提著裝滿下午採購而來的物品的塑膠袋，和新買的籃子慢慢晃回卡薩布蘭加米拉瑪飯店？兩人都說在晚餐前想先沖個澡後小睡一下？他應該在今晚三點打電話給赫絲思嗎？

湯姆在一個標了維勒佩斯的路標前調頭回家，同時注意到這裡距離他的村莊八公里。他減速，停車讓一名村姑拿著長棍領著一群鵝過馬路；真美，湯姆心想，三隻白鵝前往牠們該去的地方，但卻按照牠們自己的步伐，從容不迫。

在下一個彎道附近，湯姆不得不因為一輛緩緩行駛的輕型貨車而減慢車速，同時他立刻注意到貨車上有個灰色物體從後方突出來。而且道路右方大約六十或八十公尺外有一條運河或小溪。溥立徹和他的同夥，或者大衛・溥立徹一人？湯姆離那輛貨車近得他從後視鏡中看得見貨車司機正和他身旁座位上的某個人交談。湯姆猜想他們正觀察並談論他們右方的溪流。湯姆將車速放得更慢，他很肯定那輛貨車就是他在溥立徹家後院或前院、隨便他們怎麼叫的那個地方看到的同一輛。

湯姆本來打算向左或向右轉隨便走一條路，後來他決定繼續往前行超越他們。

正當湯姆踩了油門加速，一輛灰色大標緻迎面駛來，似乎不顧一切。湯姆減速，讓那輛標緻先過，再踩油門。

貨車上的兩個男人還在聊，司機不是溥立徹，而是湯姆不認識的陌生人，這人有一頭捲如波浪的淺棕色頭髮。

湯姆繼續往維勒佩斯的方向前進，但一雙眼卻不停緊盯後視鏡，以確定那輛貨車是否大膽穿越田地以便將溪流看得更清楚。在湯姆盯著的這段時間，這輛貨車都沒轉向。

16

那天晚上用完晚餐後湯姆感到心神不寧，他不願藉電視來轉移注意力，也不想打電話給克雷格夫婦或艾格妮斯・葛瑞。他思量該打電話給傑夫・康斯坦或艾德・班伯瑞，兩人其中一人也許在家。他要跟他們說些什麼呢？盡快趕來？湯姆考慮要求他們其中一人必要時過來助他一臂之力，這點湯姆打從心底承認——他也不介意向艾德和傑夫坦承。湯姆尋思，這對他們任何一人來說都可算是短期休假，尤其是倘若什麼事也沒發生的話。若是漙立徹釣啊抓的五、六天都徒勞無功，那麼他鐵定會放棄了吧？或者他就是這麼個鬼迷心竅的瘋子，他會鍥而不捨地持續數週、數月嗎？

這個想法令人驚恐，但卻是可能的，這點湯姆明白。誰能預測一個精神錯亂的人會做出什麼事？喔，心理學家可以預測，這湯姆了解，但預測得奠基於以往案例，相似性、可能性，沒有一樣是絕對的，連醫生也無法斷定。

赫綠思，她已經離開麗影六天了。想到赫綠思和諾愛爾她們是兩個人一起待在那裡就開心，知道漙立徹不在那裡更令人高興。

湯姆看著電話機，先想到艾德再想到傑夫，也想到自己真幸運，倫敦時間早了一個鐘頭，萬一他晚一點心血來潮想打電話給他們還不算晚。

時值九點十二分。安奈特太太已經忙完了廚房的工作，這時大概正埋首電視機前。湯姆打算為他那幅窗外風景油畫畫幾張素描。

他走近樓梯時電話響起。

湯姆在玄關接起電話：「喂？」

「喂——咿，雷普利先生，」一個自信十足的美國人的聲音笑嘻嘻地說道：「又是我狄奇啦。記得嗎？我一直在密切注意你——我知道你去了哪裡。」

聲音聽來像是溥立徹的聲音，他將聲音調得比平常高一點，好讓他聲音聽來「年輕」。他想像溥立徹一張臉堆著硬擠出來的笑容，嘴巴因為試圖模仿紐約人拉長調或不發子音的說話方式而扭曲。湯姆沉默不語。

「怕了嗎，湯姆？來自過去的聲音？死人的聲音？」

湯姆是聽見了還是想像電話那端珍妮絲抗議了一聲？一個吃吃的笑聲？

說話的人清清喉嚨：「還在嗎？說不定你嚇得魂飛魄散，湯姆。」

「一點也不。這電話有錄音的，溥立徹。」

「哦-呵呵——我是狄奇。開始把我放在心上了，是吧，湯姆？」

湯姆依舊悶不吭聲。

「我——我不是溥立徹，」尖銳的聲音繼續說道，「不過我認識溥立徹，他正替我做一些工作。」

湯姆暗忖，也許他們很快就會在陰間認識彼此，因此他決定不再出聲。

溥立徹繼續說道：「工作做得很好。我們正完成一些事情。」他停頓了一下。「你還在嗎？我們……」

湯姆輕輕掛斷電話打斷了他。他的心跳加速，這點令他厭惡，然而他提醒自己，他這一生有好幾次心跳得比這次還快。接著他兩步作一步跑上樓來消除一些腎上腺素。

在他的書房內，他開啟日光燈，伸手取了一枝鉛筆和一疊便宜的紙張。靠著一張方便站立的桌子，湯姆首先畫下了他印象中的窗外風景：筆直的樹木，以及他家花園邊界和非他所屬的雜草樹叢地交會的那條幾近水平的界線。重描線條，試著畫出有趣的構圖，讓他的心思暫時脫離溥立徹，但只到某種程度。

湯姆丟下他的威尼斯牌鉛筆，心想——那個混蛋竟敢二度冒充狄奇．葛林里打電話給他！三度，若是他將赫絲思接到的那一通也算在內。看來，他和珍妮絲的確是聯手進行此事。

湯姆喜愛他溫暖的家園，他決計不讓溥立徹夫婦在他的地盤上陰魂不散。

在另一張紙上，湯姆粗略畫下了溥立徹的肖像，線條粗糙，黑色的圓框眼鏡，黑色眉毛，嘴巴張大得近乎圓形，一副要開口說話的樣子。眉頭幾乎一點也沒皺：溥立徹志得意滿。湯姆使用色筆，紅色塗了嘴唇，眼睛下方塗了一點紫色和綠色。這是幅相當強而有力的漫畫，然而湯姆將畫紙撕了下來，先摺好再慢慢撕成碎片丟進他的字紙簍裡。他瞭解到，萬一他除掉了溥立徹，他不希望任何人發現這張畫像。

隨後湯姆走進他的臥室，插上平時泰半插在赫綠思臥室的電話線。他想打電話給傑夫。此刻倫敦時間不到晚上十點。

接著他自問，他在溥立徹那個混帳的騷擾下崩潰了嗎？他是受到驚嚇，因而哀討救兵了？總之，他在一場赤手空拳的鬥毆上打贏了溥立徹，溥立徹當時可以更加用力反抗，可是他卻沒這麼做。

電話響起，湯姆嚇了一跳。他猜想又是溥立徹打來的。湯姆依然站著。

「喂？」

「喂，湯姆，我是傑夫。我——」

「哦，傑夫啊！」

「是，我問過艾德了，他說你沒打電話給他，於是我就想來問問看情況怎麼樣。」

「呃，嗯——逐漸緊張——有一點。溥立徹回鎮上了——這裡，而且我想他買了一艘船。我不確定。說不定是一艘裝了尾掛馬達的小船，我只是用猜的，因為它被蓋著放在貨車上。我開車經過他家的時候看見了。」

「真的嗎？為了——要幹嘛？」

湯姆以為傑夫猜得出來。「我猜他可能用它來打撈——在運河裡鉤東西！」湯姆放聲大笑。

「我的意思是用鐵鉤鉤。我不肯定。在找到任何東西之前他還得花上好長一段時間哩，這點我敢保證。」

「這下我懂了，」傑夫低聲說道，「那個男的中邪了是吧？」

「是吧，」湯姆喜孜孜地覆述道。「告訴你，我還沒親眼見到他行動，但是未雨綢繆總是有好無壞。我會再跟你們回報。」

「我們在這裡，湯姆，如果你需要我們的話。」

「這對我來說很重要。謝謝你，傑夫，代我向艾德道謝。同時我希望一艘遊艇撞擊溥立徹的小船，把它撞沉。哈—哈！」

他們彼此互道祝福後掛了電話。

湯姆想，眼前有救兵真是令人寬慰。就拿傑夫・康斯坦來說吧，他絕對比貝納德・塔夫茲強壯也更機警。當初湯姆和貝納德在盡量不發出噪音及在最微弱的車燈照射的情況下，從湯姆家花園後方莫奇森的埋屍地點挖出他的屍體，從頭至尾湯姆都必須向貝納德解釋每一項策略如何進行及其用意，還得一字一句教他萬一警方前來調查該如何應付，後來真有一名警探來盤查。

湯姆思忖，就目前的情況而言，倘若莫奇森的屍體仍在，他的目的應該是讓莫奇森那用帆布包裹的腐爛屍體繼續留在水中。

一具屍體擱在水中三、四年，甚至五年，到底會怎麼樣？防水布或帆布會腐爛，也許一半以上的布料會消失；石頭可能會掉出來，因而使得屍體更容易漂流，假設屍身上還留有一點肉，屍體甚至會稍微浮起來。然而屍體浮起來難道不是只因為腫脹的緣故嗎？湯姆想到「浸軟」這個詞，皮膚表層層層剝落。然後呢？魚一點一點地咬食？或者水流不會將肉一塊一塊沖掉至只留一具枯骨的程度嗎？屍體腫脹期早已是很久之前的事了。這個時候他要上哪兒去找莫奇森的屍體？

翌日早餐過後，湯姆通知安奈特太太說他要去楓丹白露或內穆爾購買園藝用大剪刀，他問她需要什麼東西嗎？

不需要，她謝絕了湯姆的好意，但她臉上表情顯示在湯姆出發前她會想想需要什麼東西，這表情湯姆如今已能讀懂。

由於沒聽到安奈特太太提出任何要求，湯姆在十點前出門，心想先去內穆爾買大剪刀。湯姆發覺自己又走了不知名的小路，因為他時間充裕：他只需瞄一眼釘在一根柱子上的下一群路標即可得知方向。他在一個加油站停下來加油。他開的是那輛棕色雷諾。

他走了一條北向道路，打算走幾公里之後再左轉往內穆爾方向去。農地，一輛牽引機緩緩穿越黃茌地，這是湯姆車窗外的景象，而駛過他身旁的車輛很可能不是後輪很大的農業用四輪驅動車，就是轎車。這時另一條運河出現，河面上有一座黑色拱橋，橋頭橋尾附近農村風味的灌木叢生。湯姆發現他順著這條路開下去會開上橋。他開得很慢，因為他後方沒有來車。

湯姆才剛駛上黑色鐵橋，便一眼瞥見他右手邊有兩名男子在一艘划艇上，其中一人坐著，手上拿著像是一把很寬的耙子的東西。站著的那名男子高舉右臂，右手上抓著一條繩子。湯姆的目光轉回至路面一會兒，又再轉移至那兩人身上，他們沒留意他。

坐著的那個男人，身穿淺色襯衫，一頭黑髮，正是大衛・溥立徹本人，站著的那名男子一身米色長褲和襯衫，金髮個高，湯姆不認識。他們正在操作至少有六個小鉤子的一根寬度一公尺左右的金屬棒，這些鉤子再大一點，湯姆就會認為它們是爪鉤或小錨。

哎喲，哎喲。他們可真全神貫注啊，抬也沒抬頭看一眼他的車子，如今這輛車大衛・溥立徹可能很眼熟。另一方面，湯姆明白，認出這輛車只不過會滿足大衛・溥立徹的自大：湯姆・雷普利擔憂得四處徘徊打探溥立徹在做什麼，有什麼損失？

湯姆察覺那艘船有個尾掛發動機。而且也許他們有兩個這種附有爪鉤、看來像耙子的設備？一艘遊艇經過時他們就必須退向河岸，若是兩艘遊艇交會時他們就得上岸，這個事實讓湯姆當下感到不怎麼寬慰。溥立徹和他的同伴一臉認真，而且看來似乎會堅持到底。或許溥立徹也付了他的助手很高的酬勞？他住在溥立徹家嗎？還有，他是什麼人，當地人或者巴黎人？他們要找的東西，溥立徹跟他說的是什麼？艾格妮斯・葛瑞或許知道那名金髮陌生客的一些事情。

溥立徹找到莫奇森的機率有多大？溥立徹此刻距離他的目標大約十二公里。

一隻烏鴉從湯姆的右方俯衝下來，發出粗野可憎的「呱！呱！呱！」叫聲，像是在笑。湯姆納悶，烏鴉在笑誰，笑他還是溥立徹？當然是笑溥立徹！湯姆的雙手更用力地握緊方向盤，同時嘴角泛起笑意。溥立徹即將受到報應，這個愛管閒事的混帳！

17

湯姆好幾天都沒有赫綠思的音訊，他只能假設她們還在卡薩布蘭加並寫了幾張明信片寄往維勒佩斯：這些明信片可能會在赫綠思歸來後數天寄達。這種情形以前也發生過。

他感到焦躁不安，打了電話給克雷格夫婦，設法和他們兩人開懷暢談，聊了坦吉爾和赫綠思的後續行程。但他找了藉口謝絕與他們小酌一聚。克雷格夫婦是英國人，克雷格先生是退休律師，是個非常可靠正直的人，他對湯姆和巴克馬斯特畫廊一干人等的關係當然是毫不知情，而且倘若莫奇森的姓名曾經進入他們的腦海，他們大概也已經忘記了。

由於有了不同靈感，湯姆畫了幾張描繪房間內部的素描，以備他下一幅油畫之用。他的下一幅油畫主題是面向走廊的房間，他想以紫色和近乎黑色的顏色來構圖，兩者以一個淡色物體來調和，他想像這個物體是花瓶，也許是空花瓶，也可能插上一朵紅花，假如他想這麼畫，他可以後來再加上這朵花。

安奈特太太以為他有點「憂鬱」，因為赫綠思夫人沒寫信來。

「對極了，」湯姆淡淡笑道，「不過啊——那裡的郵政服務糟糕透頂——」

有天晚上九點半左右他去了酒吧咖啡店轉換氣氛。這個時間，酒吧內的人群和五點半下了班來的那一群有些不同。這時有幾個男人在玩牌，湯姆曾經一度猜想這些人多半是單身漢，然而他現在知道其實不然。很多已婚男子就是喜歡在地方酒館消磨夜晚時光，而不願待在家看電視之類的——事實上他們也能在喬治和瑪麗的店裡看。

「啊——，不知道實情的人應該閉嘴！」正在倒生啤酒的瑪麗對某個人，或者對酒吧全場尖聲大叫。她咧著紅唇對湯姆飛快笑了一下並點頭致意。

湯姆在吧檯找到一個位置，他每次來這裡都喜歡站著。

「黎普利先生，」喬治說道，他厚實的雙手擱在吧檯另一端的鋁製水槽邊緣。

「嗯——來半杯生啤酒，」湯姆說道，喬治去取生啤酒。

「他是個懶鬼，他是呀！」湯姆右手邊的一個男人說道，男人的同伴推了他一把，好氣又好笑地回了一句後哈哈大笑。

湯姆往左邊挪了一下，因為那兩人醉醺醺的。他聽到片片段斷的對話：北非，某處的一項建案，一名建商需要泥水匠，至少需要六名。

「……溥黎夏，是吧？」一聲短笑。「釣魚！」

湯姆沒轉過頭去，試圖聽個清楚。話音來自他左後方一張桌子，他瞥了一眼發現三名座上客都穿著工作服，全都四十歲左右，其中一人在洗牌。

「釣魚在——」

「他幹嘛不在河岸釣？」另一人問，「要是來了一艘遊艇，」——嘎吱嘎吱聲加上手勢——

「他就會跟著那艘小笨船沉下去！」

「嘿，你知道他在幹嘛嗎？」一個新加入的聲音說道，一名青年端著酒杯踱步走來。「他可不是在釣魚，他是在打撈河底的東西！用兩個有鉤子的器具！」

「啊，沒錯，我有看到，」一名玩牌的男子不感興趣地說道，同時準備回到牌局上。牌已經發下去了。

「用那些器具他連一條鯉魚也抓不到。」

「是抓不到，只抓得到舊橡皮靴、沙丁魚罐頭、自行車！哈—哈！」

「自行車！」青年說道，他依舊站著。「先生，您可別笑哦！他已經抓到了一輛自行車！我親眼看見的！」他捧腹大笑，「生鏽——歪七扭八！」

「他在找什麼？」

「骨董啊！這些美國人啊，品味沒個準兒，呃？」說這話的是個年紀較長的男人。

一陣哄堂大笑，有人笑岔了氣咳了起來。

「他真的有個助手，」坐在桌邊的一名男子高聲說道，有個正在玩電子機車遊戲的男子恰巧這時贏得了獎金，遊戲機方向（靠近門口）傳來歡呼聲，淹沒了接下來他說的幾秒鐘內容。

「……又是一個美國人。我有聽到他們談話。」

「請助手幫忙釣魚，真荒謬。」

「美國人嘛——如果他們有錢做這種沒意義的事……」

湯姆喝了一口啤酒，緩緩地點燃一根吉普賽女郎菸。

「他真的很努力。我在莫黑附近看見他！」

湯姆背對著桌子持續注意聽，即使和瑪麗親切交談一兩句時也沒鬆懈。但是那群談論溥立徹的人沒再多說什麼。玩牌人士回到了他們封閉的小圈子。湯姆聽懂那些人用的兩個法文字，gardons，是一種產於歐洲的鯉科淡水魚，chevesnes（圓鰭雅羅魚），也是一種食用魚，屬於鯉科。不對，溥立徹不是在釣那些銀光閃閃的生物，也不是釣舊自行車。

「赫綠思夫人呢？還在度假嗎？」瑪麗問道，黑髮黑眼的她看來如平日般有點狂野，但她正無意識地用一條濕抹布擦拭木製的吧檯台面。

「啊，喔，是啊，」湯姆說道，同時伸手取錢準備買單。「摩洛哥的魅力難擋嘛。」

「摩洛哥！啊，很美呢！我看過照片！」

湯姆想起瑪麗幾天前也說過同樣的話，然而瑪麗是個大忙人，每天早中晚都得招呼一百名左右的客人。離開酒吧前湯姆買了一包萬寶路，彷彿這包香菸能讓赫綠思早日回到他身邊。

回到家後，湯姆挑了他認為明天作畫時會用到的顏料，並將畫布安上畫架。他思索構圖，陰暗、強烈，焦點集中在背景一塊更陰暗的區塊，這個區塊將維持迷濛，像個沒有光線的小房間。他已經畫了好幾張素描，明天他會開始用鉛筆在白色畫布上打底稿，但今晚不畫。他有點疲倦，而且害怕畫壞、弄髒畫，害怕就是畫得不夠好。

晚上十一點鐘之前電話沒響起。倫敦這時晚上十點，他在那裡的朋友可能認為湯姆沒消息就是好消息。那麼辛西雅呢？很可能今天晚上正讀著一本書，而且由於認定湯姆就是殺害莫奇森的凶手而感到安心且幾乎沾沾自喜起來——她一定也知道狄奇・葛林里用哪種可疑方式離開人世——同時深信命運終將支配並在湯姆的生命中留下印記，無論那表示什麼。毀滅他吧，也許。

說到書本，湯姆很高興當晚可以在就寢前躺在床上看理查・艾爾曼（Richard Ellmann）寫的奧斯卡・王爾德的傳記。他每一段都讀得津津有味。讀著描寫王爾德人生的書，就像一場整肅人的命運遭到壓縮；一個充滿善意、才華洋溢，作品讓人津津樂道的男人，遭受對他懷恨在心的烏合之眾的攻擊與羞辱，這些人看著奧斯卡受到屈辱而從中獲得施虐的快感。王爾德的故事讓湯姆聯想到基督的故事，那個滿懷善意，抱持擴大意識、增進生命喜悅願景的人。兩人都受到同一時代的人民誤解，都深受深植於盼其死亡和在他們生前嘲笑他們的那些人胸中的嫉妒所害。湯姆尋思，難怪各式各樣、不同年齡的人不斷讀著王爾德的故事，或許連自己為什麼如此著迷也不明白。

腦海中盤旋著這些想法，湯姆翻頁讀著關於雷諾・羅德（James Rennell Rodd）的第一本詩集的篇幅，這是羅德以朋友身分獻給奧斯卡的。羅德用義大利文——聽說很奇怪——手書一段題詞，題詞譯文如下：

在你受難的日子，
那些曾經聽你說話的貪婪殘酷群眾將聚集；

所有人將前來觀看十字架上的你，

沒有人會憐憫你。

如今一語成讖，奇怪，湯姆思忖。他是否在某處讀過這段文字？但湯姆不認為他讀過。

湯姆一邊讀一邊想像奧斯卡得知自己的詩作贏得紐迪該獎（Newdigate Prize）時的欣喜表情，得獎前不久他才遭學校勒令停學。隨後，湯姆靠著枕頭舒舒服服躺在床上繼續看書，但他卻想起了溥立徹和他那艘該死的汽艇。他想到溥立徹的助理。

「該死，」湯姆咕噥一聲後下了床。他很好奇附近的地理環境和鄰近地區的水路，雖然他已在地圖上查閱他住的地區不只一次，他仍舊有股衝動想再查一次。

湯姆翻開他的大地圖——《時代簡明世界地圖》。楓丹白露和莫黑周圍地區、南到蒙特羅再遠一點的河渠，看來像《格雷解剖學》（*Gray's Anatomy*）中一幅循環系統插圖：動靜脈，粗與細，交錯，分開，河流與渠道。然而，每一條河渠可能都容得下溥立徹的馬達划艇。很好，溥立徹的工程可浩大了。

他會多麼樂於和珍妮絲．溥立徹說話呀！對這一切她有什麼看法？「手氣如何，親愛的？晚餐有魚可吃嗎？又釣到了一輛舊自行車？還是舊橡皮靴？」溥立徹跟她說他抓的是什麼東西呢？很可能是告訴她實情，湯姆心想，莫奇森。有何不可呢？溥立徹手上有地圖或是紀錄嗎？大概有。

當然，湯姆手上仍握有他參考的第一份地圖，畫了圈的那份。他用鉛筆圈的圓遠到瓦濟再過去一點。在《時代簡明世界地圖》上，河渠比較清楚，而且顯然數量比較多。溥立徹會打算進行包圍式搜索而採取「寬半徑」搜索嗎？或者從鄰近地區逐漸向外搜索？湯姆認為他會採取後者做法。湯姆思忖，一個帶著一具屍體的男人可能沒有時間走上二十公里的距離，可是也許必須走上十公里或更短的距離。湯姆推測瓦濟距離維勒佩斯八公里。

粗略估計一下之後，湯姆研判方圓二十公里範圍內約有五十四公里左右的河渠。工程還真浩大！溥立徹可能會再雇另一艘尾掛發動機小艇和兩名助手嗎？

一個人多久之後就會厭倦這種工作？湯姆提醒自己溥立徹並非常人。

這七天以來他已經搜索了多大範圍，或者已經過了九天？照理說從一條運河中間以每小時兩公里的速度開始航行，早上航行三個鐘頭，下午也一樣，那麼一天就航行了十二公里，但是如果碰上每半小時有另一艘船經過、加上還可能將船運上貨車載往另一條運河等種種困難，可就不是這麼算法。在河上，來回一趟航程也許必須連河寬也計算在內。

那麼，粗略估計一下總共大約有五十公里要搜索，這樣看來需要再三週或者更短時間就可能找到莫奇森，假如莫奇森的屍體還在的話，當然，也需要點運氣才行。

這一算之下湯姆心頭略微感到震驚，但稍後他自忖，這段時間其實很不明確。而且假設莫奇森往北漂離湯姆考慮到的地區呢？

還有，若是莫奇森那具用防水布包裹著的屍體數月前漂進一條運河，而運河因為整治工程被抽乾，莫奇森的屍體因而被發現該怎麼辦？湯姆見過許多因為某處水壩斷水而乾涸的運河。當然，莫奇森的遺體可能會交給警方，警方可能無法鑑定出死者身分。湯姆沒在報紙上讀到一袋身分不明的枯骨的相關新聞，不過他也從來沒找過這類新聞，報上難道已經報導過這則新聞了嗎？唉，是的，湯姆心想，正是法國民眾或任何民眾喜愛讀的報導：一袋身分不明的枯骨被——一個在週日釣魚的漁民撈獲？死者是名男性，可能遭人打死或殺害，不是自殺身亡。但是湯姆不知怎地就是無法相信法國警方或任何人已經找到了莫奇森。

有天下午，湯姆自覺他《後面的房間》這幅油畫進展良好，因而興起打電話給珍妮絲·溥立徹的念頭。若是大衛·溥立徹接電話他就立刻掛斷；如果是珍妮絲，那麼他就繼續談下去看看能套出些什麼消息。

湯姆將一支沾了赭色的畫筆輕輕擱在調色盤上，然後下樓到走廊上的電話機旁。

克呂佐太太，也就是湯姆口中那名「更認真」的清潔婦，正在樓下洗手間裡面打掃，洗手間的盥洗台和門正對通往酒窖的樓梯。據湯姆所知，她聽不懂英文。她此刻只在四公尺的距離外。湯姆看著他草草記下的溥立徹家電話號碼，正準備伸手打電話，電話恰巧響了起來。湯姆接起電話時心想，若是珍妮絲打來的就太好了。

不是。是從國外打來的，兩名接線生同時喃喃低語，後來一人戰勝並問道：「您是湯姆·黎普利先生嗎？」

「是的，女士。」赫綠思受傷了嗎？

「請稍等。」

「啊囉，湯姆！」赫綠思聽起來平安無事。

「哈囉，甜心。妳好嗎？妳為什麼沒——」

「我們很好……馬拉喀什！沒錯……我確實寫了張明信片——放在信封裡，可是呀——」

「好。謝謝。重要的是——妳好嗎？沒生病吧？」

「沒有，湯姆親愛的。最好的藥諾愛爾都知道！假如我們需要，她會買。」

哦，那可真了不起。湯姆聽過關於非洲怪病的故事。他吸了一大口氣。

「妳們什麼時候回來？」

「哦——」

聽到這聲「哦——」，湯姆想至少需要一星期。

「我們想看——」響亮的靜電干擾聲或者幾近斷線聲響起，然後赫綠思的聲音又回復，她鎮定地說，「梅克內。我們會搭飛機過去——有事發生了。跟你說再見了，湯姆。」

「發生什麼事？」

「……好，拜拜，湯姆。」

談話結束。

到底發生什麼事？有別人要用電話嗎？電話聽來像赫綠思從她下榻的飯店大廳打來的（背後有其他人的聲音），湯姆認為從大廳打電話很合理。他有點火大，不過至少得知赫綠思目前平安無事，而且倘若她往坦吉爾方向飛往位於北部的梅克內，那她接下來鐵定會搭機返國。可惜沒時間和諾愛爾說話，連她們下榻的飯店名稱他也不知道。

接到赫綠思的電話大致上還算開心的湯姆再度拿起電話，看了一下手錶——三點十分——隨即撥了溥立徹家電話。電話響了五聲，六聲，七聲。然後珍妮絲那高分貝的美國腔說道，「喂——咿？」

「哈囉，珍妮絲！我是湯姆，妳好嗎？」

「哦——！接到你的電話真高興！我們很好。你呢？」

湯姆琢磨，珍妮絲異常地親切與歡快。「很好，謝謝妳。妳有享受這好天氣嗎？我正在享受呢。」

「天氣可真好，不是嗎？我剛剛才在戶外拔我的玫瑰附近的雜草，幾乎沒聽到電話響。」

「我聽說大衛在釣魚，」湯姆苦笑說道。

「哈—哈！釣魚！」

「不是嗎？我想我看過他一次——有一次我開車沿著這附近的一條運河行駛的時候看見的。他在釣鯉魚（carp）嗎？」

「哦，不是，雷普利先生，他在釣一具屍體（corpse）。」她開懷大笑，顯然因為這兩個名詞的相似性而發笑。「真荒唐！他會找到什麼？什麼也找不到！」又是一聲哈哈大笑。「不過這樣讓他走出家門，做運動。」

「一具屍體——誰的？」

「一個叫莫奇森的人。大衛說你認識他——甚至還殺了他，大衛這麼認為。這像話嗎？」

「不像話！」湯姆放聲大笑道，他故作開心狀。「什麼時候殺他的？」湯姆等了一會。「珍妮絲？」

「對不起，我剛剛以為他們回來了，不過是另外一輛車。很多年前殺的，我想。哦，這可真荒謬啊，雷普利先生！」

「那倒是，」湯姆說，「可是正如妳說的，這讓他有機會活動——運動——」

「運動！」她那尖銳刺耳的聲音再加上一聲笑聲，讓湯姆認定她時時刻刻都熱愛她丈夫的運動。「拖著一個鉤子——」

「跟妳丈夫在一起那個人——是一個老朋友嗎？」

「不是！是大衛在巴黎搭訕認識的一個美國音樂系學生！我們很幸運，他是個不錯的年輕人，不是小偷——」珍妮絲咯咯笑了起來。「因為他睡在我們家，所以我才那麼說。他的名字叫泰迪。」

「泰迪，」湯姆覆述道，同時希望得知他姓什麼，可是珍妮絲沒說。「妳想他們還要繼續這工作多久？」

「哦，直到他找到東西。大衛態度堅決，這點我很肯定。買汽油，梳妝打扮，修指甲，替這些人煮飯——我的生活很忙碌呢。你不能抽個空過來喝杯咖啡或小酒嗎？」

湯姆大吃一驚：「我——謝謝。現在——」
「你太太現在不在家，我聽說了。」
「是的，我想她還要再過幾個禮拜才回來。」
「她人在哪裡？」
「我想她接下來會去希臘。她和一個朋友度個短假，我則是努力在花園裡趕工。」他笑吟吟道。這時克呂佐太太拿著水桶拖把退出了洗手間。湯姆不打算邀請珍妮絲・溥立徹來他家喝杯咖啡或小酒，因為珍妮絲可能會天真或惡毒到向大衛報告這件事，那麼就會顯示湯姆對大衛的活動很好奇，也因此感到擔憂。大衛當然肯定也曉得他太太捉摸不定：那是他們互相虐待的部分樂趣。「喔，珍妮絲，我祝福妳丈夫——友好的祝福——」湯姆停頓了一下，珍妮絲等著他接腔。他知道大衛已經告訴她在坦吉爾遭毆打這件事，但是在他們的世界裡，對與錯，有禮和無禮，似乎沒有意義，甚至也不必牢記。這其實比一場遊戲更怪異，因為遊戲至少還有某種規則。
「再見，雷普利先生，謝謝你打電話來。」珍妮絲以一貫友善的態度說道。
湯姆凝視戶外的花園，反覆思量溥立徹夫婦的怪異行徑。他得知了什麼？大衛或許會永無止境地繼續下去。不，不可能。再過一個月，大衛就會挖遍直徑七十五公里的地區！真是瘋狂！除非泰迪的酬勞出奇地高，泰迪也會厭煩這工作的。當然，只要溥立徹有錢，他可以雇用別人。
溥立徹和泰迪現在到底人在哪裡？湯姆暗忖，一天好幾次將那艘船在貨車上抬上抬下的需要多少能量啊！那兩人這會兒可能在瓦濟附近的盧萬河段挖河底嗎？湯姆有股衝動想到那裡去——

也許換開那輛白色旅行車去——以及時滿足他的好奇心，時值下午三點半。然後他察覺他怕得不敢這麼做，沒膽量在棄屍地點附近二度徘徊。假設有人在他開車到瓦濟並過橋的那天注意到他，而且還記得他的面貌呢？假設他和正在那裡拖著鉤子的大衛和泰迪撞個正著呢？

這樣一來便會打擾湯姆的睡眠，即使他們在那裡沒達成目標也一樣。湯姆決定說什麼也不去。

湯姆相當滿意地盯著他完成的油畫，越看越滿意。他在圖畫左方加了一道藍紅色垂直線條，是室內的一道窗簾。畫面邊緣至黑色後房門口那塊邊緣柔和的長方形塗滿了濃烈的藍、紫和黑色，黑色後房不在畫面的正中央。這幅畫長度比寬度高。

又是週二，湯姆想到了樂波堤先生，這位音樂教師通常週二來上課。但是湯姆和赫綠思暫時停課：他們之前並不知道他們會在北非待多久，而且湯姆回來後都沒和樂波堤先生聯絡過，雖然他有練琴。葛瑞夫婦邀請湯姆挑個週末去他們家用餐，但湯姆謝絕了。不過湯姆挑了一個平日打電話給艾格妮斯・葛瑞，說他某天下午三點會過去他們家。

場景變換讓湯姆賞心悅目。他們坐在葛瑞家實用又整齊的廚房中一張大得足以容納六人的大理石台面桌邊，喝著濃縮咖啡配一小杯蘋果酒。是的，他接到兩、三通赫綠思打來的電話——至少有一次斷線。湯姆大笑。還有一張很久以前寫的明信片，在他離開摩洛哥後三天寫的，昨天才寄達。據湯姆所知，一切平安。

「還有妳的鄰居還在抓魚，」湯姆淺淺一笑道，「我是這麼聽說的。」

「抓魚，」艾格妮斯‧葛瑞的棕色眉毛一時湊在一起。「他在找東西，他不說在找什麼。他拖著小鉤子，你知道嗎？他的同伴也是。我沒親眼見到他們，可是我在肉舖聽到有人在聊。」

人們總是在麵包店和肉舖閒聊，而且由於麵包師傅和肉販也一起聊，服務就慢，不過若是在那裡待得越久，就知道更多。

湯姆終於開口：「我相信從這些運河或河流裡可以撈出好東西。妳要是知道我在這裡的公立垃圾場發現些什麼，妳會很訝異——那是在當局還沒關閉這個垃圾場之前，他們真可惡。那垃圾場就像藝術展一樣棒！骨董家具！當然，有些需要小小修理一番，但是——我家壁爐旁那些水罐——還能裝水，是十九世紀末的產物。它們是從公立垃圾場撿來的。」湯姆呵呵大笑。公立垃圾場是位於離開維勒佩斯邊境的一條路旁的一片空地，民眾以往獲准在這裡丟棄壞掉的椅子、舊冰箱，和任何舊物，例如舊書，湯姆曾經解救了好幾本。如今那塊空地被金屬圍牆和鎖給封了起來。現代化的進步。

「大家說他沒撿任何東西，」艾格妮斯一副興趣缺缺的樣子說道，「有人說他亂丟破銅爛鐵，這麼做實在不太好。他應該堆在河岸邊，這樣至少收垃圾的人可以收拾。那才是替社區做個服務。」她笑容滿面。「要不要再來一小杯蘋果酒，湯姆？」

「不了，謝謝妳，艾格妮斯。我得回家了。」

「這個時間你幹嘛得回家？工作嗎？對著一個空屋子？哦，湯姆，我知道你可以畫畫和彈你的大鍵琴來消遣——」

「我們的大鍵琴，」湯姆打斷艾格妮斯。「赫綠思和我的。」

「沒錯。」艾格妮斯向後甩了一下頭髮看著他。「可是你看起來神經有點緊繃。你在強迫自己回家。沒關係。我希望赫綠思打電話給你。」

湯姆站起來微笑道：「誰知道呢？」

「我們歡迎你隨時過來這裡用餐或順道拜訪。」

「我比較喜歡事先打電話通知。」湯姆的語氣一樣愉快。今天是平日，安東要週五晚上或週六中午才會回來。而且湯姆知道小孩現在隨時都會放學回來。「拜拜，艾格妮斯。多謝妳招待那杯好喝的濃縮咖啡。」

她送他到廚房門口。「你看起來有點悲傷。別忘了你的老朋友們在這裡啊。」她拍拍他的手臂，隨後他離開，朝他的車子走去。

湯姆從他的車窗向艾格妮斯揮別，然後開車上路，不一會兒黃色校車正好迎面駛來並停下來放愛德華和希薇・葛瑞下車。

他發覺自己正在想安奈特太太，想到她即將到來的假期。時值九月初。安奈特太太不想在八月這個法國傳統休假月休假，她說因為無論她到哪裡旅行，到處都大塞車，而且八月份村莊上其他管家比平常更有空閒，因為他們的雇主經常不在家，那麼她和她的密友就有時間彼此拜訪。他應該現在提議安奈特太太若是願意，就可以開始休假嗎？

他應該提議嗎，為了安全起見？他希望安奈特太太在這村莊上的看見或聽聞的事情有所限制。

湯姆發覺自己感到不安。察覺這點讓他更加虛弱。他必須處理這個感覺，而且越快越好。湯姆決定打電話給傑夫或艾德，他們兩人目前對湯姆而言具有同等價值。他需要的是朋友的在場，必要時需要一個幫手或援手。畢竟，溥立徹有泰迪這個幫手。

而倘若溥立徹找到他的獵物時泰迪會說什麼？到底溥立徹跟泰迪說了什麼是他在找的東西？在客廳踱來踱去的湯姆突然捧腹大笑，笑得幾乎東倒西歪。那個泰迪，音樂系學生——是吧？——可能會找到一具屍體！

這時，安奈特太太走了進來。「啊，湯姆先生——看到你心情好我真高興啊！」

湯姆確定他笑得滿臉通紅。「我剛剛想起來一個很好笑的笑話……不，不，安奈特太太，哎呀，這笑話沒辦法用法文好好翻出來的啦！」

18

和安奈特太太聊了幾句之後過了數分鐘，湯姆查了艾德‧班伯瑞在倫敦的電話號碼，並動手撥電話。他聽到艾德的聲音在答錄機上要求來電者留下姓名和電話號碼，湯姆正準備開口留言，幸好艾德恰巧接起電話。

「喂？湯姆！是的，我剛進門。有什麼最新消息嗎？」

湯姆吸了口氣。「最新消息就是情況依舊。大衛‧溥立徹仍然在鄰近地區抓東西，用划艇拖著鉤子跑。」湯姆故作鎮靜地說道。

「別說笑吧！到現在已經幾天了？十——呃，鐵定超過一個禮拜。」

艾德顯然沒算有幾天，湯姆也沒算，但是湯姆清楚溥立徹已經進行了大約兩週。「差不多十天吧，」湯姆說道，「說真的，艾德，假如他持續進行這項活動——他看來執意這麼做——他可能就會找到那個你知道的東西。」

「沒錯。真不可思議——我想你需要支持。」

湯姆聽得出來艾德明白他指的是什麼東西。「是的。唉，我可能需要。溥立徹有個助手，我想這件事我跟傑夫說過。一個叫泰迪的男人。他們兩個在這艘不知疲倦的機動划艇上一起工作，拖著他們的兩支耙子——或者應該說是兩排鉤子。他們進行了很久——」

「我會過去你那裡，湯姆，盡我一己之力幫你。看這樣子應該是越快越好。」

湯姆遲疑了一下：「我坦承那樣我會好過些。」

「我會竭盡所能。禮拜五中午前我要完成一份工作，可是我會盡量趕在明天中午前完成。你跟傑夫談過了嗎？」

「沒有，我本來打算跟他說——可是假如你過來一趟，說不定我就不跟他說了。你禮拜五下午過來？還是晚上？」

「我先看看這份工作的進度怎麼樣，或許我能早一點過去，例如禮拜五中午。我會再打電話給你，湯姆——順便告訴你我的班機時間。」

聽到艾德這麼說之後湯姆感覺好多了，於是立刻去找安奈特太太通知她說他們週末可能會有一名賓客，是位倫敦來的紳士。安奈特太太的房門緊閉，靜寂無聲。她在睡午覺嗎？她不常睡午覺。

他從廚房的一扇窗戶向外望，看見她彎著腰站在右邊一簇野生紫羅蘭前面。這些紫羅蘭是淡紫色的，經得起雨打冷風吹，或者蟲害，至少湯姆這麼認為。他走到戶外。「安奈特太太？」

她站了起來。「湯姆先生——我正從非常近的距離欣賞紫羅蘭呢。它們可真可愛啊！」

湯姆贊同她的說法。它們滿布在月桂樹和黃楊木籬笆附近。湯姆透露他的好消息：為某某作菜，並準備客房。

「一個好朋友！那會讓你開心呀，先生。他以前來過麗影嗎？」

他們正走向通往廚房的側門或便門。

「我不確定，我想沒來過。奇怪。」慮及他認識艾德這麼長一段時間了，這的確很奇怪。也許因為德瓦特假畫事件，艾德不知不覺避免和湯姆及其家屬來往。當然，還因為貝納德．塔夫茲到湯姆家探訪那次是場災難。

「你認為他可能喜歡吃些什麼？」回到了她的地盤廚房之後，安奈特太太開口問道。

湯姆笑了起來，思索了一下：「他可能想來點法式口味。在這樣的天氣裡——」天氣溫暖，但不熱。

「龍蝦——冷的吃？普羅旺斯燉菜？當然啦！冷的。小牛肉片佐馬德拉醬？」她的淺藍色眼睛閃閃發亮。

「太好了！」安奈特太太說起這幾道菜的方式的確引起人的食慾。「好主意。他好像是禮拜五會到。」

「他太太呢？」

「他未婚。艾德先生一個人來。」

接著他到郵局去買郵票，也順便瞧瞧尚未送達他家的第二批郵件中是否有赫絲思寄來的東西。有一個赫絲思用手寫的信封，他的心因而雀躍。郵戳蓋的是馬拉喀什，因為墨水顏色很淡，日期相當難辨。信封內是張明信片，上面寫著：

親愛的湯姆：

一切平安，這是個熱鬧的城鎮。好美啊！傍晚的時候沙子看起來是紫色的。我們沒生病，每天中午幾乎都吃庫司庫司*。下一站是梅克內。我們搭飛機去。諾愛爾問候你，我給你滿滿的愛。

赫綠思

湯姆心想，收到這封信真好，不過他幾天前就知道她們要從馬拉喀什前往梅克內。

湯姆隨後到花園隨心所欲幹活，拿著圓鍬將恩立漏掉的花圃邊緣鏟整齊。恩立對自己該做些什麼工作有著古怪的想法。就某種程度而言，他很實際，甚至很懂植物，然後有時又很脫線，會把不重要的事情辦得很俐落。但話說回來，他收費不高，也不會欺詐，於是湯姆告訴自己可不能抱怨啊。

勞動過後，湯姆沖了澡開始讀王爾德傳。如安奈特太太所料，他因為即將有訪客而感到快活。他甚至翻了《電視週刊》看看今晚有什麼電視節目。

他沒看到有什麼引起他興趣的節目，但心想也許他會看一個十點鐘的節目，除非他有更有趣的事情要做。湯姆確實在晚上十點打開了電視，但看了五分鐘便關上，然後拿著把手電筒走到瑪麗和喬治的酒吧喝一杯濃縮咖啡。

玩牌的人又在玩了，電子遊戲機鏗啷鏗啷、劈啪劈啪響。但是湯姆沒聽到任何有關那個奇怪的漁夫大衛・溥立徹的消息。湯姆推測他可能晚上累得無法出門到酒吧來喝杯深夜啤酒，或者隨便他喝的什麼。然而每次酒吧大門開啟，湯姆依舊密切留意是否有溥立徹的身影。湯姆付了帳正準備離去，瞥了一眼又再度開啟的大門時，發現溥立徹的同伴泰迪走了進來。

泰迪似乎獨自前來，他一身米色襯衫和斜紋棉長褲，看來像是剛梳洗過，可是他看起來有點悶悶不樂，或許只是疲憊。

「請再給我一杯濃縮咖啡，喬治，」湯姆說。

「沒問題，黎普利先生。」喬治瞧也沒瞧湯姆一眼便答道，然後轉動圓滾身軀朝咖啡機走了過去。

即使曾有人指認過湯姆給泰迪認識，這個叫泰迪的男人此刻也似乎沒注意到湯姆，他找了吧檯靠近門口的位置站著。瑪麗端了杯啤酒給他並和他打招呼，彷彿她以前見過他，湯姆這麼想，雖然他聽不見她說了什麼。

湯姆決定冒險多瞄泰迪幾眼，看泰迪是否認得他。泰迪不認得他。

泰迪蹙眉低頭瞪著他的啤酒。他和他左邊的男子簡短地交流了一下，臉上毫無笑容。

泰迪是在考慮辭退溥立徹給的工作嗎？他在想念巴黎的女友嗎？他因為大衛和珍妮絲奇怪的關係而受夠了溥立徹家的氣氛嗎？泰迪可能聽到溥立徹因為沒找到獵物而在臥室揍她太太的聲音

＊ 譯注：couscous，粗蒸麥粉。

嗎？很可能泰迪需要呼吸新鮮空氣。從泰迪的雙手看得出來他是個四肢發達的人，不是頭腦靈光的類型。音樂系學生？湯姆知道美國有些大學的課程聽起來像職業學校的課程。當一名「音樂系學生」並不表示那名學生懂音樂或者在乎音樂；重要的是文憑。泰迪超過六呎高，他越早下台一鞠躬，湯姆就越高興。

湯姆付了第二杯咖啡的費用，然後走向門口。他經過電子機車遊戲時，騎士碰巧在這時撞上一道屏障，一顆不停閃動到最後靜止不動的星星顯示他撞車。遊戲結束。「投幣投幣投幣」。旁觀者先是低吟一聲，然後一陣爆笑。

叫泰迪的那個男人沒看他。湯姆因此認定溥立徹沒告訴泰迪他們要找的是莫奇森的屍體。說不定溥立徹跟他說他們找的是一艘沉沒的遊艇上的珠寶？裡面有貴重物品的公事包？但是就湯姆觀察，溥立徹沒說事關一名住在同一城鎮的鄰居。

湯姆站在門口回頭看，泰迪依然埋首他的啤酒，沒和任何人交談。

由於天氣暖和，安奈特太太心想龍蝦可能會出現在宴客菜單上而感到興致勃勃，湯姆提議要開車到楓丹白露去幫忙採購，再順道去那裡最好的魚舖看看。不怎麼費力地，湯姆說服安奈特太太陪他一起去——要邀安奈特太太一起出門購物，總是得問她兩次。

儘管要準備採購單、購物袋、菜籃和湯姆要送洗的一些衣物，他們仍然在九點半前出門。又是陽光燦爛的一天，而且安奈特太太聽她的收音機預報週六和週日是好天氣。在車上安奈特太太問湯姆，艾德華先生靠什麼謀生？

「他是記者，」湯姆答道，「我從來沒測試過他的法文程度。他應該是懂『一點』。」湯姆放聲大笑，同時想像即將發生的情形。

待他們的購物袋和菜籃都裝滿、龍蝦也牢牢綁著安放在魚販向湯姆保證是雙層的大塑膠袋內後，湯姆又投了錢幣進停車收費計時器，並邀請（兩次）安奈特太太進附近的一家麵包茶坊接受「款待」，額外的小獎勵。她拗不過湯姆，便笑著欣然接受。

安奈特太太選了一大球或一大勺巧克力冰淇淋，冰淇淋上插著兩根像兔耳的手指餅乾，兔耳中間還抹了好大一坨鮮奶油。她謹慎地掃視坐在附近幾桌瞎聊的主婦。瞎聊嗎？湯姆心想，唉，縱使她們笑容滿面的猛吃著甜點，但笑容背後的事誰也說不準。湯姆點了杯濃縮咖啡。安奈特太太很喜歡她的冰淇淋並據實以告，這令湯姆感到歡欣。

他們走回車上時湯姆尋思，假設這個週末平安無事，艾德・班伯瑞可以待多久？待到週二嗎？屆時湯姆會覺得必須請傑夫・康斯坦過來嗎？湯姆心想，問題是，溥立徹還會持續多久？

「赫緣思夫人回來的時候你會更開心，湯姆先生，」在他們開回維勒佩斯的路上安奈特太太說，「夫人有什麼消息嗎？」

「消息！我希望我有一些！郵政——唉，郵政似乎比電話更糟糕。我想再過不到一個禮拜，赫緣思夫人就會回來了。」

湯姆轉進維勒佩斯商業大街時，看見溥立徹的白色貨車從他右邊穿越馬路。湯姆其實不必減速，可是他卻放慢了速度。拆掉馬達的船尾突出貨車板。他們是在午餐時間將船從水面上搬上岸的嗎？湯姆認為如此，否則若是只綁在岸邊並不安全，不是被偷，就是被遊艇撞。那條深色的帆布或防水布這時攤在船邊的車板上。湯姆推測，午餐過後他們會再度出門。

「溥黎夏先生。」安奈特太太說道。

「沒錯，」湯姆說，「那個美國人。」

「他在運河裡找東西，」安奈特太太接著說道，「大家都在聊這件事。可是他不說他想找什麼，他花了這麼多時間和金錢——」

「是有些故事，」這時湯姆笑得出來了。「關於沉入河底的寶藏、金幣和珠寶盒的故事——」

「他撈上來的是貓狗的屍骨呀，湯姆先生。他把那些骨頭留在河岸上——隨手丟在那裡，他的朋友也是這樣！對住在附近的人來說很討厭，經過的人……」

湯姆不想聽，但他還是聽進去了。這時他右轉，駛進大門仍敞開的麗影。

「他在這裡不會快樂的。他不是個快樂的人，」湯姆瞥了安奈特太太一眼後說道，「我無法想像他會在這附近長住。」湯姆的語音輕柔，但他的脈搏加速。他提醒自己，他厭惡溥立徹，而這沒什麼好稀奇的。只是在安奈特太太面前，他無法大聲詛咒溥立徹，連小聲詛咒也不行。

在廚房裡，他們放下多買的奶油、漂亮的青花菜、萵苣、三種起司、一罐超好喝的咖啡、一塊準備用來烤的上等牛肉，當然還有那兩隻活生生的龍蝦，這兩隻龍蝦安奈特太太稍後會處理，因為湯姆不想處理。湯姆知道，對安奈特太太而言，這些龍蝦就跟丟到沸水裡面的四季豆幾乎沒什麼兩樣，不值得她多費心思，但湯姆想像他聽到這些龍蝦在被活活煮死的過程中尖叫、哀嚎。同樣令人沮喪的是湯姆讀過的一篇關於微波爐料理（料理龍蝦——大概是用烤的）的文章，文章中說開啟微波爐之後人有十五秒的時間跑出廚房，才不至於聽到及可能看到龍蝦臨死之前用腳死命拍打微波爐玻璃門。湯姆認為，有些人可以一邊削馬鈴薯皮，一邊等著龍蝦被活活烤死——需要幾秒？湯姆試著不去相信安奈特太太是這種人。無論如何，他們家還沒有微波爐。安奈特太太和赫綠思都沒表示想買一台，而且若是他們想買，湯姆也有反對之計：他讀過一篇文章說用微波爐烤出來的馬鈴薯比較像水煮馬鈴薯而不像烤馬鈴薯，這一點赫綠思、安奈特太太和湯姆都會慎重考慮。至於做菜呢，安奈特太太從來都不急。

「湯姆先生！」

湯姆聽見安奈特太太從後院陽台階梯上大喊，他正在溫室裡，溫室門大開，以防萬一有人喊他。「什麼事？」

「電話！」

湯姆快步走，心中希望是艾德打來的，但認為可能是赫綠思打來的。跳了兩步他便上了露台階梯。

是艾德・班伯瑞打來的。「湯姆，明天中午左右應該沒問題。確切地說——你有筆嗎？」

「沒錯，的確是。」湯姆寫下十一時二十五分抵達戴高樂機場，班機二一二。「我會去機場，艾德。」

「那太好了——假如不是太麻煩的話。」

「不會啊。開這一趟很舒服——對我會有幫助。有——呃，辛西雅的消息嗎？任何人的？」

「什麼也沒有。你那邊呢？」

「他還在抓東西。你會看到——哦，還有一件事，艾德。那幅《鴿子》售價多少？」

「賣你一萬，不是一萬五。」艾德咯咯笑了起來。

他們愉快地結束對話。

湯姆開始考慮要給那幅《鴿子》配上什麼樣的畫框：淺棕色木頭，細框或很寬的框，但必須像淺黃色畫紙一樣是暖色調。他走進廚房告訴安奈特太太好消息：他們的客人明天中午來得及用午餐。由於天氣暖和，午餐不要吃些太難消化的東西。

隨後他走出去，在溫室裡卯足了勁幹活，還將溫室徹底清掃了一番。他也從屋內拿了一把軟掃把除掉斜窗上的灰塵。湯姆希望他家以最完美的樣貌呈現在艾德這樣一位老友面前。

當晚，湯姆看了電影《熱情如火》（*Some Like It Hot*）的錄影帶。這部片正是他需要的，輕鬆的情節，甚至合聲男性強顏歡笑的瘋狂行徑，在在令人放鬆。

上床睡覺之前，湯姆到他的工作室在那張能讓他輕鬆站著的桌子前畫了幾張素描。他用粗濃的黑色線條畫出了他記憶中的艾德・班伯瑞的臉孔。他也許會問艾德是否願意擺五至十分鐘姿勢讓他畫草圖。畫一張艾德的肖像一定很有趣：他那白皙和英國味十足的面孔，逐漸往後退的髮線，稀疏的淡棕色直髮，客氣卻疑惑的眼神，隨時帶著笑意或突然緊閉的細薄嘴唇。

19

湯姆通常很早起床，有約在身的時候更習慣早起。六點半不到，他刮了鬍子、穿上Levi's牛仔褲和襯衫，下樓躡手躡腳地穿過客廳走向廚房去燒熱開水。安奈特太太平常七點十五分或七點半才起床。湯姆將滴濾式咖啡壺和一組杯子放在托盤上端進客廳。咖啡還沒沖好，因此他朝前門走去，心想開門讓新鮮空氣流通，也瞄一下車庫並決定是開紅色賓士還是雷諾去戴高樂機場。

他腳邊的一捆灰色長形物嚇得他往後跳了一下。這捆東西橫躺在門口，湯姆立刻驚覺是什麼東西。

湯姆看得出來溥立徹用還算「新」的灰色帆布包裹那個東西，這塊綁了繩子的帆布在湯姆看來和溥立徹用來蓋他的船的那塊帆布是同一塊。溥立徹還用刀子或剪刀在帆布上戳了好幾個破洞——為什麼？為了方便手指伸進去抓取嗎？溥立徹必須把這東西搬到這裡來，而且說不定是他一人搬來的。出於好奇，湯姆彎身抓著布邊拉開這新帆布，頓時發現破破爛爛的舊帆布和灰白色的骨頭。

麗影的大鐵門依然深鎖。溥立徹一定是開進湯姆家草坪旁邊的那條巷子，停車拖著或抱著那捆東西走過草坪及大約十公尺的碎石路來到他家門前。當然，碎石路會發出聲響，但是安奈特太太和湯姆都睡在這屋子的後半部。

湯姆隱約覺得聞到難聞的味道，不過也許只是濕氣或臭氣——或者想像。

這下旅行車派上用場了，而且謝天謝地安奈特太太還沒起床。湯姆進屋來到玄關，從玄關桌上一把抓起他的鑰匙圈衝出去打開後車廂。然後他用雙手緊緊抓住綁著那捆東西上的兩條線，用力舉起比他想像中輕得多的那捆物體。

湯姆思忖，這該死的東西不超過十五公斤重，也許不到四十磅。而且這還包含水的重量。那捆東西滴了點水，連湯姆抱著它步履蹣跚走到白色旅行車的一路上都還在滴。湯姆覺得自己剛才在門口被嚇呆了幾秒，這種事千萬不能再讓它發生！湯姆將那捆東西拋上車時，察覺他分不清枯骨的頭腳。他進到駕駛座，用力拉了一條繩子，這樣他才能關上後門。

沒有血跡。湯姆立刻發覺這想法荒謬。他在貝納德・塔夫茲的協助下放進去的石頭也早已消失無蹤。湯姆推測，由於肉不見了，這堆骨頭一直沉在水底。

湯姆鎖上後車門，再鎖上側門。這輛車停在雙車位車庫外。下一步呢？回去喝咖啡，和安奈特太太道「早安」。同時思考，或者計畫。

他回到前門，門口和踏腳墊上有幾滴水漬，讓他心煩，不過陽光很快就會曬乾這些水漬的，湯姆心想，而且在九點半之前安奈特太太平常出門購物的時候就會乾了。事實上，泰半時間她都由廚房那道門出入。進了屋後湯姆朝玄關的洗手間走去，在盥洗台前洗了手。他注意到他右大腿上有一些濕沙子，便盡力將沙子刷進盥洗台。

溥立徹什麼時候找到他的吉祥物的？可能是昨天下午近傍晚的時候，雖然當然也可能是昨天早上。湯姆猜想，他可能把他找到的東西藏在他的船上。他告訴珍妮絲這件事了嗎？大概吧，為什麼不呢？珍妮絲似乎不對任何事物做出是非正負的判斷，當然更不會批評她丈夫，否則她這時早已不在他身邊。湯姆糾正自己：珍妮絲和大衛一樣精神不正常。

湯姆走進客廳看見安奈特太太正把吐司、奶油和果醬加進咖啡桌上他的早餐，便眉開眼笑。

「好棒啊！謝謝，」湯姆說，「早啊，安奈特太太！」

「早，湯姆先生。您起得很早。」

「每次有客人來我就起得很早，不是嗎？」湯姆咬了一口吐司。

湯姆考慮他應該用報紙或什麼東西覆蓋那捆物體，那麼任何人透過車窗瞄到它也看不出它是什麼東西。

溥立徹這時辭退泰迪了嗎？湯姆納悶。或者泰迪害怕無緣無故成了共犯而自己請辭了？

溥立徹把那袋枯骨丟給他的用意是什麼？他隨時都會帶著警察過來然後說：

「看吧！這就是那個失蹤的莫奇森！」

湯姆站著思索這個問題，手上端著咖啡杯，眉頭緊蹙。湯姆尋思，枯骨可以直接再丟回運河裡去，而溥立徹去死吧。當然泰迪可以作證說他和溥立徹找到某樣東西，一具屍骨，可是有什麼可以證明那就是莫奇森的屍骨？

湯姆看了一眼手錶，七點五十三分。他想他最晚得在九點五十分出門去接艾德・班伯瑞。湯姆舔舔嘴唇，然後點燃一根菸。他在客廳踱來踱去，並隨時準備萬一安奈特太太再出現就停下腳步。湯姆回想起當時他決定將莫奇森的兩枚戒指都留在莫奇森的手上。牙齒，牙齒鑑定紀錄呢？溥立徹會這麼大費周章地到美國去將警方的文件影本弄到手嗎？也許透過莫奇森太太穿針引線拿到的？湯姆發覺他這是在折磨自己，因為這時安奈特太太待在有一扇窗戶的廚房，他無法出門看一下旅行車內的狀況。那輛車和廚房窗戶平行停著，倘若安奈特太太窺視的話，她或許可以看到部分的帆布，但是她為什麼要偷窺？九點半郵差也會來。

他乾脆把旅行車開進車庫看一下，立刻就做。湯姆沉著地抽完了他的菸，並從玄關桌上拿起瑞士刀放進口袋，再從壁爐附近一個籃子裡拿了一疊摺好的舊報紙。

湯姆先把那輛紅色賓士開出來準備用來接艾德・班伯瑞，然後再將白色旅行車開進賓士原來停的位置。有時候湯姆會在車庫使用一台小型電動吸塵器，因此此刻安奈特太太可能認為他在使用吸塵器。車庫門位於廚房窗戶右邊角落。不過湯姆關上了旅行車所在那一面的車庫門，讓雷諾停放的那一面車庫門開著。他開了右邊牆上一盞用鐵絲罩著的燈。

他再度爬上旅行車，強迫自己確認那捆被包著的物體何處是頭，何處是腳。這並不容易，而且正當湯姆察覺這屍骨假如是莫奇森的，那便算相當矮小，同時他也發現這屍骨沒有頭。頭掉了，被分開了。湯姆勉強地拍拍腳，拍拍肩膀。

沒有頭。

這下可令人放心了，因為這表示沒有牙齒、沒有鼻骨等等的。湯姆下車開了駕駛座和乘客座方向的車窗。帆布包著的那捆東西發出的是股奇怪的黴臭味，不像屍體的味道，倒像很濕的東西的味道。湯姆明白他得看一下屍骨以查明戒指還在不在。沒有頭。那麼頭到哪裡去了？湯姆猜想，隨著水流滾到某處去了，也許又滾了回來？不，在河裡不可能。

湯姆匆匆爬出車外，朝工具箱上坐下去，但工具箱太低，結果他靠在車頭擋泥板上，頭壓得低低的。他差一點昏倒。他能冒險等到艾德抵達這裡給予他精神上的支持嗎？湯姆面對他無法再進一步檢查這具屍骨的事實。他會說……

湯姆站起來強迫自己思考。萬一溥立徹和警方一起出現，他會說，他當然必須將這噁心的屍骨袋——湯姆看到一些屍骨，而且當然觸摸了它們——弄到他管家看不見的地方，以示禮貌，而且事後他一直想吐，因此尚未親自和警方聯絡。

然而，倘若警方（由溥立徹召集）在他出門去戴高樂機場接艾德．班伯瑞時抵達他家，那將是非常令人討厭之事。安奈特太太就必須應付他們，警方也絕對會搜尋溥立徹跟他們提起的那具屍體，而且他們不需花多少時間就會找到屍體，湯姆估算，不到半小時。湯姆在屋外靠近巷子那一頭一根立管前彎腰洗了一把臉。

這時他覺得舒服了點，雖然他明白他正等待艾德來替他加油打氣。

假設這是別人的屍骨，而非莫奇森的呢？人腦海裡想的東西真奇怪。接著湯姆提醒自己，那塊褐色防水布和他與貝納德那天晚上用的防水布實在太像了。

假設溥立徹在他發現屍骨的附近繼續打撈那顆頭呢？瓦濟居民說了些什麼？他們有人發覺什

麼事嗎？湯姆猜有百分之五十的機率有人發覺到了。過橋之後風景比較優美的河岸上經常有一個男人或女人在散步。不幸地，找回來的這個物體看來好像人體。顯然他和貝納德用的兩條（三條？）繩索還留著，否則防水布早已不見。

湯姆本來想在花園工作半小時來緩和焦躁情緒，後來又不想。安奈特太太準備出門進行上午的採買活動。離他出發去接艾德之前只剩半小時左右。

湯姆上樓火速沖了澡，雖然他這天早上已經沖過一次，然後穿上不同的衣物。

他下樓後，屋內寂靜無聲。倘若電話這時響起，湯姆決定不接，縱使可能是赫綠思打來的。他討厭離家將近兩小時。他的手錶顯示九點五十五分。湯姆漫步到飲料推車，選了一個最小的酒杯（有腳的）並倒了少許的人頭馬，在舌頭上細細品嘗，然後聞酒杯香氣。接著他到廚房將酒杯洗淨擦乾再放回飲料推車。皮夾，鑰匙，一切準備妥當。

湯姆出門並鎖上前門。安奈特太太稍早體貼地替他開了鐵門，湯姆往北邊離去時讓鐵門大開。他以不快不慢或正常的速度行駛。事實上，時間還很充裕，但環城快道的路況誰也無法預測。

下了夏貝爾橋出口，往北朝湯姆至今仍然不喜歡的巨大陰沉的機場行駛。希斯洛機場非常大，其蔓延的總體面積難以想像，大到旅客提著行李必須走上一個小時左右。但是霸氣又不便利的戴高樂機場就很容易想像：一棟圓形的主要航廈，一串的道路，當然都有路標，然而若是你沒注意到第一個路標，要迴轉就太遲。

湯姆停在一座露天停車場，至少早到十五分鐘。

隨後艾德出現，身穿一件領口敞開的白襯衫，一邊肩膀上掛著一個背包，看起來有些興奮。他手上拿著一只公事包。

「艾德？」艾德沒看到他。湯姆揮揮手。

「哈囉，湯姆！」

他們緊緊握手。

「我車停得不遠，」湯姆說，「我們搭這輛接駁巴士吧！倫敦一切都好嗎？」

一切都好，艾德說道；他過來並不難，無人因此生氣。他可以待到週一沒問題，倘若有必要，也可以待久一點。「你這裡呢？有任何消息嗎？」

拉著吊環站在黃色小巴士上的湯姆皺起鼻子，退縮了一下。「嗯——有點小事。晚一點告訴你，這裡不好說。」

上了湯姆的車之後，艾德問赫綠思在摩洛哥的情況。湯姆問艾德以前是否到過他在維勒佩斯的家，艾德說沒有。

「怪了！」湯姆說，「簡直令人難以置信！」

「但是這樣很好啊，」艾德友善地對湯姆笑著答道，「業務關係，不是嗎？」

艾德大笑了起來，彷彿笑他這句話說得荒謬，因為在某種意義上，他們的關係如同友誼一樣深，然而又不同於友誼。任何一方出賣另一人都會帶來恥辱、罰金，也可能是牢獄之災。

「沒錯，」湯姆贊同道，「對了，傑夫這個週末在做什麼？」

「嗯——我不清楚。」艾德看起來好像正在享受從他窗戶吹進來的夏日微風。「我昨天晚上打電話告訴他說我要過來和你見面，我也跟他說你可能需要他。我想我這樣說無妨，湯姆。」

「沒有，」湯姆同意，「無妨。」

「你認為我們會需要他嗎？」

看著環城快道堵車的情況，湯姆皺起眉頭。週末出城的人當然已經開始啟程，南下的車輛也會更多。湯姆在腦中反覆思索該在午餐之前或之後告訴艾德那具屍體的事情。「我真的還不知道。」

「這裡的田野好美啊！」他們離開楓丹白露往東行駛時艾德說道。「好像比英國的田野還寬廣。」

湯姆默默無語，可是他聽了很高興。有些賓客不會發表評論，彷彿他們失明或者看著窗外發呆。艾德同樣讚賞麗影，對搶眼的大門讚譽有加，湯姆笑著提醒他這些大門可不防彈，艾德也讚揚屋子外觀設計平衡。

「好，現在——」湯姆將賓士車尾對著屋子停在離前門不遠處。「我必須告訴你一件非常討人厭的事情，這件事我一直到今天早上八點前才知道，艾德——我發誓。」

「我相信你，」艾德蹙眉說道。他手上提著行李。「什麼事？」

「在那邊那個車庫——」湯姆壓低聲音，向艾德靠近一步。「溥立徹今天早上把屍體放在我家門口。莫奇森的屍體。」

艾德眉頭更加深鎖。「那——你這話不是當真的吧！」

「是一袋骸骨，」湯姆幾乎是悄聲說道。「我的管家不知道這件事，我們就這樣擱著吧。骸骨在裡面那輛旅行車後座，一點都不重，可是我們得處理。」

「當然。」艾德也柔聲細語。「你是說，帶到森林裡去丟棄？」

「我不知道。我得想想。我想——最好是現在就告訴你這件事。」

「就丟在這個門口嗎？」

「就在那裡。」湯姆點了點頭指示方向。「當然，他是在黑暗中丟的。我從我睡覺的地方沒聽到任何動靜，安奈特太太也沒提起聽到任何聲響。我今天早上差不多七點的時候發現的。他從側面這裡進來的——說不定和他的助手泰迪一起來的，但就算他一個人來，他也可以輕而易舉地拖著這袋骸骨。從巷子進來。現在很難看到那條巷子，可是可以開一輛車進去，停車，踏上我家土地。」湯姆往那個方向瞄了一眼，想像他看見草叢中隱約有人走過的痕跡，因為那袋骸骨不會重得需要拖拉。

「泰迪，」艾德若有所思地說，同時半轉面對屋子前門。

「是的。溥立徹的太太告訴我的，我想我告訴過你了。我在想泰迪是否還被雇用，還是溥立徹認為工作已經結束？欸——我們進去吧，先喝一杯，然後享受一頓美味的午餐。」

湯姆用他手中鑰匙鍊上的鑰匙開門。在廚房忙的安奈特太太或許看到他們，但也察覺他們想要聊一下。

「真不錯啊！真的，湯姆，」艾德說。「很美的客廳。」

「你的外套要放在這裡嗎？」

安奈特太太走進客廳，湯姆替他們互相介紹。她當然想提艾德的行李上樓，艾德微笑表示反對。

「這是個儀式，」湯姆低聲說道。「來吧，我帶你去看你的房間。」

湯姆帶艾德看他房間。安奈特太太剪了一朵水蜜桃色的玫瑰插在梳妝台上的細長花瓶，效果很好。艾德認為房間非常棒。湯姆帶他參觀隔壁的浴室，請他稍事休息後趕快下樓喝一杯餐前酒。

時間剛過下午一點。

「有人打電話來嗎，安奈特太太？」湯姆問。

「沒有，先生，我從十點十五分以後都在家。」

「好的，」湯姆冷靜地說，心想這真是太好了。溥立徹一定告訴他太太他的行動了吧？他的成功？湯姆懷疑她除了傻笑之外還有什麼反應？

湯姆走到他收藏的CD唱片前，在史克里亞賓（Alexander Scriabin）弦樂曲——美麗卻夢幻——和布拉姆斯第三十九號作品間猶豫不決，最後選擇了後者，鋼琴演奏的十六首明快的華爾滋舞曲。那正是他和艾德需要的音樂，他希望艾德也喜歡。他將音量調得不是很大聲。

他替自己倒了杯琴湯尼，等他扭了檸檬皮丟進琴湯尼裡，艾德下樓來了。

艾德想喝一樣的酒。

湯姆調了酒，然後走進廚房請安奈特太太晚五分鐘左右再開飯。

湯姆與艾德舉杯，一語不發地互看了一眼，向布拉姆斯致敬。湯姆立刻感到酒意，但他也感到布拉姆斯讓他的血液加速流動。急促又令人震顫的音樂理念一個接一個出現，彷彿這位偉大的音樂家刻意炫耀。有那種才能，有何不可呢？

艾德緩緩走向通向露台的落地窗。「好漂亮的大鍵琴啊！還有這裡的風景也是，湯姆！這些都是你的？」

「不，只到那一排灌木叢那裡。再過去是森林，可以說是屬於任何人的。」

「還有——我喜歡你的音樂。」

湯姆笑吟吟道：「很好。」

艾德漫步回客廳中央，他已經換上一件乾淨的藍襯衫。

「這個溥立徹住得多遠？」他悄聲問道。

「往那個方向大約兩公里。」湯姆回頭指著左後方。「對了，我的管家不懂英文——我想應該是這樣，」他笑著附帶一句，「或者我寧願這麼認為。」

「我記得——不知道從哪裡聽說的。這樣很方便。」

「沒錯，有時候。」

他們午餐享用冷火腿、軟乾酪加荷蘭芹，安奈特太太自製的馬鈴薯沙拉，黑橄欖和一瓶冰涼的格拉芙葡萄酒，然後是雪泥。他們表面上歡快，可是湯姆心裡想著他們下一個工作，他知道艾德也是。兩人都不想喝咖啡。

「我要去換上 Levi's，」湯姆說。「你還好吧？我們必須——可能必須鑽進車後座去。」

艾德已經穿上牛仔褲。

湯姆飛快地跑上樓更衣。他下樓來時，又從玄關桌上拿起瑞士刀，然後對艾德點了一下頭。他們從前門出去，湯姆故意不瞄廚房窗戶，免得吸引安奈特太太的目光。

他們經過棕色雷諾，車庫那一面的門開著。車庫內的車子之間沒有牆阻隔。

「情況不太糟，」湯姆語氣盡量快活。「頭不見了。我現在追蹤的是——」

「不見了？」

「可能滾掉了，你不認為嗎？經過三、四年之後？軟骨溶解——」

「滾到哪裡去呢？」

「這個東西一直在水裡面，艾德。盧萬河。我不認為水流會像運河一樣逆流，可是——有水流。我只是想查看戒指還在不在。我記得他有兩枚，而且我——我讓戒指留在他身上。好了，你膽子夠大嗎？」

湯姆看得出來艾德一邊點頭一邊設法裝出大膽的神色。湯姆打開側門，他們看到一個深灰色帆布包裹的形體大部分，湯姆看見形體上有兩圈繩索，一圈顯然綁在腰部，一圈約在膝蓋高度。

湯姆認為是肩膀的地方朝著車頭方向。「我想這邊是肩膀，」湯姆比著手勢說道。「對不起。」湯姆先進去，爬到屍體另一面讓艾德進來，接著他抽出他的瑞士刀。「我要看看他的雙手。」湯姆開始鋸開繩索，這繩索並不容易鋸開。

艾德一手伸進袋子的末端，腳的那一端，試圖舉起袋子。「很輕呢！」

「我跟你說過了。」

湯姆跪在車板上，從下方攻擊繩索，用他的瑞士刀上的小鋸子往上鋸。這是溥立徹綁上去的新繩索。他鋸斷繩索了。湯姆鬆開繩索，做好心理準備，因為他此刻位在遺骨的腹部附近。遺骨仍然散發一點點腐敗潮濕的味道，聞起來不會讓人身體不舒服，除非一直不斷地想著這個味道。湯姆這時可以看見脊椎上還附著一點肉，慘白鬆弛。腹部當然是個空洞。手，湯姆提醒自己。

艾德仔細地觀看湯姆的動作，同時喃喃自語說了些什麼，也許是他最喜愛的感嘆詞。

「手，」湯姆說，「嗯——你可以看得出來這骸骨為什麼很輕。」

「我從來沒見過這樣的東西！」

「我希望你以後也不會見到。」湯姆解開溥立徹的布，再鬆開破舊的米色防水布，防水布好像木乃伊身上的碎布條一樣隨時準備向四面八方破裂。

湯姆尋思，手骨和腕骨幾乎和前臂的兩塊骨頭分開，但總之，沒分開。這是右手（莫奇森仰躺著），湯姆立刻看見那枚鑲著紫色寶石的厚重金戒指，這枚戒指湯姆隱約有點印象，同時想起來這可能是一枚紀念戒。湯姆小心翼翼從遺骨小指取下戒指。戒指輕易地脫落，可他不想弄斷那隻小指纖細的骨頭。湯姆將大拇指伸進戒指內清理戒指，然後將戒指放進他的 Levi’s 前面口袋內。

「你說有兩枚戒指？」

「我記得有。」湯姆必須後退，因為遺骨的左手臂並未彎曲，而是垂直在體側。湯姆將防水布鬆得更開，然後轉身搖下他身後的車窗。「你還好嗎，艾德？」

「當然好啊。」可是艾德的臉色慘白。

「這很快就好了。」湯姆來到遺骨左手邊，發現左手上沒戒指。他查看骨頭下方，看戒指是否掉落在溥立徹的油布上。「婚戒，我想，」湯姆對艾德說。「不在這裡，也許掉了。」

「戒指可能掉落是絕對合理的事。」艾德答道，隨後清清喉嚨。

湯姆看得出來艾德在掙扎，看得出來他寧願不看。湯姆再度在大腿骨，骨盆下摸索。他摸到碎屑，軟的和不太軟的，可是都不像戒指。他往後坐下。他應該拆掉兩層布嗎？是的。「我一定要找那枚戒指——在這裡找。艾德，如果安奈特太太大聲喊我們說有電話或有事，你就出去跟她說我們在車庫，說我一會就過去。我不確定她是否知道我們在這裡。萬一她問我們在做什麼，我想她不會問，我會說我們在看地圖。」

接著湯姆起勁地進行他的工作，用同樣方式鋸著另外一條繩索（繩索打了死結），心底希望手上有溫室那把剪枝用的鋸子。他抬起踝骨與脛骨，從上至下仔細查看並觸摸。沒有用。湯姆發覺遺骨左腳的小趾頭不見了，手指一兩節指骨也不見。湯姆暗忖，可是那枚紀念戒的確是莫奇森的。

「找不到，」湯姆說，「現在——」湯姆猶豫不決。他應該撿一些石頭，像當年他和貝納德・塔夫茲一樣將骸骨沉到水裡嗎？他到底該怎麼處理這個東西？「我想再將它重新綁起來。它可以看起來幾乎就像滑雪板，你知道嗎？」

「這個混帳溥立徹不會向警方報案嗎，湯姆？通知警方到這裡來？」

湯姆倒吸了一口氣。「對，你想得對！可是我們應付的是瘋子呢，艾德！你試著預測他們的行徑看看！」

「可萬一警方來了怎麼辦呢？」

「嗯——」湯姆感覺腎上腺素上升。「我會跟他們說這些骨頭放在車上，是因為我不想讓我的客人看見，而且我打算在我從看到這些骨頭而受到的驚嚇中恢復後，就將骨頭盡快送交給警方。而且——是誰報警的？正是凶手本人！」

「你認為溥立徹知道那枚戒指的事嗎？身分證明？」

「我懷疑。懷疑他會搜尋一枚戒指。」湯姆開始重新綑綁屍體的下半部。

「我幫你綁上半部，」艾德說，同時伸手去取湯姆放在一旁的繩索。

湯姆很感謝艾德。「綁兩圈，不用綁三圈，多虧了那個死結，我想。」溥立徹用他的新繩索綁了三圈。

「可是——我們到底要怎麼處理它？」艾德問。

將它丟回某條運河內，湯姆在心中盤算著，如此一來他們就必須——或者他必須——再解開繩索放一些石頭在溥立徹的帆布內。或者將這該死的東西丟進溥立徹家的小水池裡面。湯姆突然哈哈大笑。「我在想我們可以把它丟回溥立徹家去，他家草坪上有一個水池。」

艾德短笑了一聲，不相信湯姆說真的。他們都在打綁牢繩索的最後的死結。

「謝天謝地，我的地窖裡面還有繩子，」湯姆說。「太好了，艾德。現在我們知道我們這裡有什麼了，對吧？一具無頭屍骨，難以辨認，我敢說，指紋很久以前就和皮膚一起被水沖掉了。」

艾德勉強笑了一聲，聽起來像是人不舒服。

「我們出去吧，」湯姆立刻說。艾德下車踏上車庫地板，湯姆尾隨其後溜下車。湯姆注視著麗影前面那條路，盡力看個清楚。他無法相信溥立徹現在不那麼好奇得過來窺探，湯姆有點預期溥立徹隨時會出現。可是他不想告訴艾德這件事。

「艾德，謝謝你。沒有你我無法完成這項工作！」湯姆拍拍艾德的手臂。

「你在說笑嗎？」艾德苦笑。

「不是。我說過了，我今天早上因為這項工作而陷入困境。」湯姆這時想去找額外的新繩索，放在車庫備用，但他發覺艾德的臉色依然蒼白。「要去後花園轉一轉嗎？出去曬曬太陽？」

湯姆關掉車庫內的燈。他們沿著廚房那一面散步——安奈特太太可能已經忙完，這時應該在她的房間——來到後院草地。陽光溫暖明亮地照在他們臉上，湯姆聊起他的大理花。他說他現在要剪兩朵，因為他身上帶著刀。可是溫室離得很近，因此湯姆走進溫室拿他的第二把剪刀。

「你這個溫室晚上不鎖嗎？」艾德問。

「通常不鎖。我知道我應該上鎖，」湯姆答道。「這附近大部分的人都會鎖。」湯姆發覺自己瞄向旁邊那條沒鋪柏油的道路，搜尋一輛車或溥立徹的身影。畢竟，溥立徹是從那條路將骸骨運來的。湯姆剪了三朵藍色大理花，他們遂經由一扇落地窗進入客廳。

「要喝一點好喝的白蘭地嗎？」湯姆提議。

「老實說，我想躺下來休息幾分鐘。」

「這再簡單不過了。」湯姆倒了一杯非常小杯的人頭馬給艾德。「我堅持要你喝。精神支持，對你無害。」

艾德微笑，一口飲盡。「嗯，謝謝你。」

湯姆陪艾德上樓，從客房浴室拿了一條手巾，用冷水打濕。他要艾德額頭敷著摺起來的手巾躺下來，倘若他想睡一下，沒問題。

然後湯姆下樓到廚房拿了一個合適的花瓶插大理花，放在咖啡桌上。赫綠思那個貴重的玉製登喜路打火機擺在咖啡桌上。她就這樣丟著可真明智啊！湯姆心想她下次拿這個打火機不曉得是什麼時候。

湯姆打開樓下小浴室的門，然後再打開更小的門，接著開燈。他下樓到酒窖去，經過靠牆擺著沒用的畫框，經過現在用來存放多餘的礦泉水、牛奶、冷飲、馬鈴薯和洋蔥的舊書架。一條繩索。湯姆查看角落，翻開雜糧塑膠袋，終於找到他要的東西。他將繩索甩開，再盤繞成圈。這條繩索將近五公尺長，假如他要綁三圈並放石頭進帆布內，可能需要五公尺。湯姆上樓從前門走出去，並隨手關上所有的門。

那是溥立徹的車嗎？從左邊緩緩偷偷駛近麗影的那輛白色的車？湯姆走到車庫，將繩索丟在靠近雷諾車左輪的那個角落。

是溥立徹沒錯。他將車停在湯姆方向看來的大門右邊，並且站在門外將相機舉到眼睛前方。

湯姆向前走。「我家有什麼迷人的地方啊，溥立徹？」

「哦，有很多啊！警方來過這裡嗎？」

「沒有。為什麼？」湯姆停下腳步，雙手插腰。

「別問蠢問題了，雷普利先生。」溥立徹轉身朝他的車子走去，一度回頭露出一絲傻笑。

湯姆站在原地不動，直到溥立徹的車子離去。湯姆暗忖，溥立徹也許也拍了他的照片，那又如何？湯姆朝溥立徹的方向吐了口水在碎石路上，轉身走回前門。

湯姆心想，溥立徹可能保管著莫奇森的頭顱。像是勝利的保證？

20

湯姆進屋時安奈特太太在客廳內。

「啊，湯姆先生，我不知道你——剛才人在哪裡。差不多一個鐘頭前警方來過電話，內穆爾警局。我以為你和那位先生出門散步去了。」

「打電話來有什麼事？」

「他們問說晚上有沒有什麼騷動。我說沒有，沒——」

「什麼騷動？」湯姆蹙眉問道。

「噪音——之類的，他們還問我有沒有聽到一輛車的聲音。我回答說：『沒有，一點噪音也沒有。』」

「我的說法也會一樣。很好，安奈特太太。他們沒說是什麼樣的噪音嗎？」

「有啊，他們說有人——一個操著美國腔的人——報案說送來了一個大包裹，一個警方感興趣的包裹。」

湯姆哈哈大笑：

「包裹！這一定是個玩笑。」湯姆找尋他的香菸，終於從咖啡桌上的菸盒內抽出一根，並點燃赫綠思的打火機。「警方會再打電話來嗎？」

正在擦拭閃閃發亮的飯廳餐桌的安奈特太太停下手來。「我不確定，先生。」

「他們沒說那個美國人是誰？」

「沒有，先生。」

「說不定我應該打電話給他們，」湯姆彷彿自言自語，同時暗忖他應該打，以阻擋警方前來他家探訪。他也明白，只要那袋枯骨在他家土地上，倘若他說他根本不知道有什麼包裹，就是在冒險，讓自己身處危險之中，或者講白一點，他在說謊。

湯姆從電話簿上查到內穆爾警局的電話號碼，他撥號並報上姓名地址。「我的管家跟我說今天有警局打電話來，是貴警局打來的嗎？」電話那頭將湯姆轉給別人，湯姆必須等候。

湯姆對下一個接電話的人重複一遍剛才所說的話。

「啊，是的，黎普利先生。」電話那端的男聲繼續說，「一個操著美國腔的男子跟我們說您收到了一個警方可能感興趣的包裹，因此我們打電話到您的公館，應該是今天下午三點打的。」

「我沒收到包裹，」湯姆說，「我今天有收到幾封信，沒錯，可是沒收到包裹。」

「一個大包裹，那個美國人說。」

「什麼包裹也沒有，先生，我跟您保證。我不能想像為什麼有人——這人有留下姓名嗎？」

湯姆維持輕鬆自若的口氣。

「沒有，先生，我們問了他，可是他沒報上姓名。我們知道您的公館在哪裡，您家大門很漂亮——」

「是的，謝謝。若是郵差送包裹來，他可以按門鈴，當然。要不然外面也有一個信箱。」

「沒錯——那很正常。」

「謝謝您通知我，」湯姆說，「由於你們打電話來，幾分鐘前我在我家繞來繞去，到處都沒看到包裹，大小包裹都沒有。」

他們友善地掛上電話。

湯姆很高興那位警官並未將操著美國腔的報案者與目前住在維勒佩斯的溥立徹聯想在一起。他們可能以後會聯想到，若是有以後的話，湯姆希望沒有。而且剛才和他交談的那位警官大概不是幾年前到麗影來調查莫奇森失蹤案的同一人。然而那次探訪警方當然留有紀錄。那位警官不是在比內穆爾還大的城市梅朗服務嗎？

安奈特太太小心翼翼地在附近盤旋。

湯姆向她作了一番解釋。他說沒有什麼包裹，他與班伯瑞先生在屋子四周走動查看了一下，無人從門內溜進來，連郵差今早都沒來（又沒有赫絲思的消息），湯姆還說他拒絕了內穆爾警方前來搜尋一個奇怪的包裹。

「太好了，湯姆先生。那我就放心了。一個包裹——」她搖搖頭，顯示她對愛胡鬧的傢伙與騙子可沒耐性。

安奈特太太也沒懷疑溥立徹就是罪魁禍首，這點令湯姆開心。倘若她懷疑，她絕對會說出來。湯姆看他的錶：下午四點十五分。他很高興經過今天這番折騰之後，艾德的午覺正睡得酣甜。也許喝杯茶？他應該邀請葛瑞夫婦過來餐前小酌一下嗎？為什麼不呢？

他走到廚房說：「安奈特太太，幫我泡一壺茶好嗎？我相信我們的賓客隨時都會起床。泡茶給我們兩個……不用，不必準備三明治或蛋糕……好的，伯爵茶正好。」

湯姆回到客廳，雙手插在牛仔褲前面的口袋內；右邊口袋裡有莫奇森那枚相當厚重的戒指。那枚戒指最好丟進河裡去，湯姆想，或許過一陣子從莫黑那座橋丟下去。或者假如他很急，就直接丟進廚房的垃圾袋裡。只要打開水槽下的門，垃圾袋便跟著晃了出來，垃圾袋就丟在路邊，週三與週六早上有人來收。明天早上就是收垃圾的日子。

湯姆爬上樓梯準備敲艾德的房門，艾德恰巧開門，謹慎地笑著。

「嗨，湯姆！我睡了個香甜的午覺！希望這沒困擾你。這裡好漂亮又寧靜啊！」

「當然不會困擾我。要不要喝杯茶呢？到樓下來。」

他們喝著茶，注視著湯姆架在花園的兩座灑水器。湯姆決定不提起警方來過電話之事。說了有什麼好處呢？這可能只會讓艾德更緊張，更六神無主。

「我在想，」湯姆開口說，「為了緩和一下今天下午的氣氛——我可能會邀請一對鄰居過來餐前小酌。艾格妮斯與安東・葛瑞。」

「很好啊，」艾德說道。

「我會打電話給他們。他們人很親切——住得不遠。他是個建築師。」湯姆走向電話並撥號，期盼甚至希望對方聽到他的聲音就會霹哩啪啦告知他一堆溥立徹的消息。然而什麼消息也沒有。「我打電話來是想問妳和安東——如果他在，我也希望他在——可不可以在七點的時候過來喝一杯？我有個英國老友在這裡度週末。」

「哦，湯姆，真好啊！是的，安東現在在家。可是你們兩個怎麼不來我們家呢？讓你的朋友換換環境啊。他叫什麼名字？」

「艾德華・班伯瑞。艾德，」湯姆說，「很好，艾格妮斯親愛的。我們很樂意，幾點呢？」

「哦—哦，六點半，會不會太早呢？小孩子們晚餐後要看電視。」

湯姆表示沒問題。

「我們要去他們家，」湯姆對艾德笑吟吟地說，「他們住在一棟圓形的屋子，像個塔樓，爬滿了攀藤玫瑰。他們家和那個可惡的——溥立徹夫婦家只隔了兩幢屋子。」湯姆低聲說出「溥立徹夫婦」這幾個字，同時瞥了一眼通往廚房的門口；果然，安奈特太太正好穿過門口詢問兩位先生是否要再來一些茶。「我想不用了，安奈特太太，謝謝。你要嗎，艾德？」

「不用了，謝謝，真的。」

「哦，安奈特太太——我們六點半要去葛瑞家。我想我們七點半，七點四十五分會回來吧？所以，晚飯八點十五分開飯行嗎？」

「很好，湯姆先生。」

「準備一瓶高級白酒配龍蝦。夢哈榭*好嗎？」

安奈特太太愉快地聽命行事。

「我應該穿西裝打領帶嗎？」艾德問道。

「我不會穿。安東可能已經換上牛仔褲了，甚至是短褲。他今天從巴黎回來。」

艾德站起來，喝乾杯中剩餘的茶，湯姆發覺他望向窗外的車庫。他瞥了湯姆一眼旋即轉移視線。湯姆明白他在想些什麼：他們打算怎麼處理它？他很慶幸艾德這時沒問，因為他還沒有答案。

湯姆上樓，艾德尾隨著。湯姆換上一件黑色棉長褲與黃襯衫。他將戒指放在長褲右邊口袋內。不知怎地，他覺得隨身攜帶這枚戒指比較安全。接著湯姆來到車庫，他看看棕色雷諾，再瞄了一眼車道上的紅色賓士，彷彿不知該開哪一輛好——要是安奈特太太正從廚房窗戶向外望。他走進車庫門關著的那一面，確定帆布包著的那一捆東西還在車上。

萬一警方在他出門時前來，湯姆打算跟警方說那捆東西一定是在他不知情的情況下於晚上放進來的。大衛・溥立徹會現身說明繩索差異之處及種種嗎？湯姆懷疑。然而，湯姆不想將這些一五一十告訴艾德，說了只讓艾德精神更緊繃。湯姆只得期望警方來時艾德不在場，或者萬一警方同時找他們兩人問話時，艾德能理解他的謊話並和他一搭一唱。

艾德下樓來，兩人於是出發，因為該是出門的時候了。

葛瑞夫婦熱情款待他們的新賓客：從倫敦來的記者艾德・班伯瑞，並對他十分好奇。葛瑞家那對兒女凝視了艾德一會，也許覺得他的口音有趣。安東果然如湯姆所料穿著短褲，他那雙小腿肌肉發達的古銅色雙腿看起來毫不疲憊，一副繞法國走一圈也沒問題的樣子，可今晚他這雙腿只用來往返客廳與廚房。

「您替一家報社工作，班伯瑞先生？」艾格妮斯用英語問道。

「我是特約記者，不屬於任何報社，」艾德答道。

「真是太令人驚訝了，」湯姆說，「我認識艾德這麼多年——我承認我們不是非常好的朋友——他竟然從來沒來過麗影！我很高興說他——」

「麗影很漂亮，」艾德說道。

「啊，湯姆，從昨天開始就流傳一些消息，」艾格妮斯說，「溥黎夏的助理，或者隨便叫什麼啦，已經離開。昨天下午走的。」

「哦，」湯姆說道，假裝沒什麼興趣。「那個船夫。」語畢，他喝了一口琴湯尼。

「我們坐下來吧，」艾格妮斯說，「有人要坐嗎？我要。」

他們全體都站著，因為安東之前帶艾德與湯姆參觀他們房子的一部分，至少參觀了樓上安東稱之為「瞭望台」的地方，這是他的工作室所在，對面，或對面曲線上，是兩間臥室。再上去是他們兒子愛德華的臥室與一間閣樓房。

大夥全都坐了下來。

＊譯注：夢哈榭（Montrachet），法國勃艮地地區出產的高級葡萄酒。

「對了，這個泰迪，」艾格妮斯繼續說道，「我昨天下午四點碰巧看到他一個人開著小貨車從溥黎夏家離開經過我們家。於是我就想，他們今天比較早收工。你的朋友知道他們一直在挖這地區的水道嗎？」

湯姆看著艾德並用英語說：「我們正在談泰迪，溥立徹的助手。我跟你說過那兩個怪人，在河裡打撈——尋寶。」湯姆哈哈大笑。「有兩對怪人，一對是溥立徹和他太太，另一對是溥立徹與他的助手。」他接著用法語對艾格妮斯說，「他們在找什麼？」

「沒有人知道！」現在換艾格妮斯與安東哈哈大笑了，因為他們幾乎異口同聲說出這句話。

「不，說正經的，今天早上在麵包店——」

「麵包店！」安東說道，口氣輕蔑，彷彿麵包店是女人專屬的八卦中心，接著他聚精會神地聽艾格妮斯說話。

「嗯，希夢・克雷蒙在麵包店跟我說這件事是她從瑪麗和喬治口中聽來的。泰迪昨天到酒吧喝了幾杯，他告訴喬治說他和溥黎夏絕交，而且他心情不好，可是他沒說原因。好像是他們吵了一架。我不確定。聽起來好像是這樣，」艾格妮斯揚起微笑做為總結。「總之，泰迪今天不在，他的卡車不在。」

「奇怪的人。這些美國人。有時候，」安東補了一句「有時候」，好似認為湯姆可能會因為他用「奇怪」這個字眼而受到冒犯。「赫綠思有什麼消息啊，湯姆？」

艾格妮斯再度遞上她準備的小香腸開胃點心及一碗綠橄欖。

湯姆以他所知滿足安東的好奇，同時心想泰迪心情不好地離開顯然對湯姆有利。泰迪終於了解溥立徹所獵何物，並且認為最好與它毫無牽扯嗎？離開這個環境不是個正常的反應嗎？也許泰迪——即使酬勞優渥——受夠了溥立徹夫婦怪裡怪氣的個性。湯姆暗忖，正常人會被極度變態的人弄得心神不寧。湯姆依然設法說些別的事情，同時心中繼續盤旋各種想法。

五分鐘後，繼愛德華再度現身詢問是否可以在花園做某件事，湯姆又有了另一個想法：泰迪可能會向巴黎警方報告發現枯骨之事，不一定今天會報案，但是明天可能會。泰迪可能會據實告訴警方說溥立徹告知他要尋寶，找一只沉入河裡的公事包，找任何東西，絕非一具屍骨，他（泰迪）認為警方應該知道這具屍骨的事情。倘若泰迪有心，這也是個反擊溥立徹的好辦法。

到目前為止，都是好消息。湯姆感覺他一臉輕鬆表情。他接受了一個開胃小點心，但拒絕再加酒。湯姆發現艾德・班伯瑞似乎用法語與安東交談自如。艾格妮斯・葛瑞身上穿著的那件鄉村風刺繡燈籠短袖白襯衫非常漂亮，湯姆稱讚了她一番。

「現在真的是赫絲思給你另一通電話的時間了，湯姆，」他和艾德準備離開時艾格妮斯說道。「我覺得她今天晚上會打電話給你。」

「妳這麼覺得嗎？」湯姆微笑道，「我可不會賭上性命說她會打來。」

今天諸事順利，湯姆暗想。到目前都順利。

21

湯姆心想，不必親眼目睹或親耳聽見，或是想像他聽見兩隻龍蝦活活被煮死時發出的尖叫，算是今天好運又添一樁。他咬了一口另一片沾了溫檸檬奶油的多汁龍蝦肉，同時提醒自己他與艾德在葛瑞家時警方並未過來探訪。倘若警方來過，安奈特太太一定立刻會說。

「真好吃，湯姆，」艾德說，「你們每天晚上都吃得這麼豐盛嗎？」

湯姆笑嘻嘻道：「不，是託你的福。很高興你喜歡。」他夾了一點芝麻菜沙拉。

他們才剛吃完沙拉與乳酪，電話便響起。是警方打來的？或者艾格妮斯・葛瑞的預言成真，是赫綠思打來的？

「喂？」

「哈囉，湯姆！」是赫綠思，她說她與諾愛爾人在機場，湯姆今晚晚一點是否能去楓丹白露接她們？

湯姆深呼吸了一下。「赫綠思，親愛的，妳回來了我很開心，可是——妳能不能住諾愛爾家，只住今天晚上？」湯姆知道諾愛爾家有一間空房。「我今天晚上有一位英國客人——」

「誰？」

「艾德・班伯瑞，」湯姆不情願地說道，明白這名字對赫綠思而言可能代表隱約的危險，因為它與巴克馬斯特畫廊有關。「今天晚上——我們有點工作要做，明天沒事——諾愛爾好嗎？……很好。代我問候她，好嗎？妳也好嗎？親愛的，妳不介意今晚在巴黎留宿吧？明天早上隨時打電話給我。」

「好吧，親愛的。回來真好！」赫綠思用英語說道。

他們掛了電話。

「天——天啊！」湯姆走回飯桌時說道。

「是赫綠思，」艾德說道。

「她本來想今天晚上回來，可是她會去住她朋友諾愛爾・哈斯樂家。謝天謝地。」車庫那具屍體只是一堆白骨，而且也許看不出來是白骨，湯姆心想，但仍舊是一個死人的屍骨，湯姆出於本能地不希望赫綠思接近這堆白骨。湯姆嚥了口水，然後喝了一口夢哈榭。「艾德——」

安奈特太太這時正好進來。這的確是收拾晚餐與沙拉盤並換上甜點盤的時候。安奈特太太端上她親手做的淡口味覆盆子慕斯之後，湯姆再度開口。艾德嘴角掛著淺淺的微笑，眼神警覺。

「我打算今晚處理這個問題，」湯姆說道。

「我以為你會——另一條河嗎？這會下沉。」艾德斷然說道，但語氣輕柔。「那裡沒什麼東西會漂浮的。」

湯姆了解他指的是沒加石頭也會下沉。「不。我有另外一個辦法。把它們再丟回去老普利卡家的池塘。」

艾德先是微笑，再輕輕發出笑聲，他的臉頰出現了兩片紅暈。「丟回去，」他重複道，彷彿正在聽或看一部黑色喜劇小說，接著他吃了一湯匙的甜點。

「有可能，」湯姆神色平靜地答道，隨即開始吃甜點。「你知道這是用我自己種的覆盆子做的嗎？」

咖啡在客廳準備好了，兩人都不要喝白蘭地。湯姆漫步到前門去，走出去看著天空。將近十一點。因為雲很多，星星並未閃現盛夏光芒，月亮在做什麼呢？如果他們手腳很快，湯姆暗忖，管它什麼月光呢？他現在沒瞧見月亮的蹤影。

他回到客廳。「你今晚有膽量跟我去嗎？我不希望見到溥立徹——」

「我有，湯姆。」

「我馬上回來。」湯姆跑上樓，再穿上他的 Levi's 牛仔褲，並將那枚厚重的戒指從黑長褲移到 Levi's 牛仔褲裡面。他是得了某種神經衰弱症，因此不停換衣服嗎？想像換衣服有幫助，可以注入一股新的力量？接著湯姆到他工作室拿了一枝軟鉛筆與幾張素描紙，然後下樓，心情頓時開朗了些。

艾德坐在原來的位置，黃沙發的另一頭，他這時手上多了根菸。

「如果我替你畫張速寫，你能忍受嗎？」

「畫我？」但艾德默許。

湯姆動手畫，畫了沙發與枕頭作背景。艾德凝視著他，他畫下艾德金眉毛與睫毛凝聚的茫然專注表情，薄薄的英式嘴唇和敞開的襯衫領口隨意的線條。湯姆將椅子向右移了半公尺，翻開另一頁繼續畫，畫的是同樣的主題。艾德可以走動，喝咖啡，他也照做。湯姆畫了大約二十分鐘，然後謝謝艾德的配合。

「配合！」艾德呵呵笑道，「我剛剛在作白日夢呢。」

安奈特太太端了更多咖啡來過，這時已進房休息，湯姆知道。

「我的想法是，」湯姆開口說，「從另一面接近溥立徹家，不從葛瑞家那一面去，下車徒步將那個東西從溥立徹家的草坪搬到水池，就直接丟進水池裡面。那東西沒什麼重量。嗯——」

「不到三十磅重，我猜。」艾德說道。

「差不多三十磅吧，」湯姆喃喃說道。「嗯——他們可能會聽見聲音，溥立徹和他太太，假如他們在家的話。客廳面對那面有扇窗戶，兩扇窗戶，我想。我們掉頭就走，讓他發牢騷！」湯姆大膽說道。「讓他打電話向警方報案。」

幾秒中的沉默。

「你想他會報案嗎？」

湯姆聳聳肩。「誰知道瘋子會幹嘛呢？」他的口氣認命。

艾德站起來。「可以走了嗎？」

湯姆收拾速寫簿，將速寫簿和鉛筆一起放在咖啡桌上。他從玄關桌上拿了一件外套，再從這張桌子的抽屜取出皮夾，以防警察臨檢，他沉吟：當然，他開車一定隨身攜帶駕照。今晚員警可能會查驗他的駕照，但不會檢查後車廂那個乍看之下像一捆破布的東西。

艾德也拿了一件外套下樓，是件深色外套，腳蹬一雙球鞋。「好了，湯姆。」

湯姆關上幾盞燈，兩人從前門出去，湯姆隨手鎖門。他和艾德同心協力打開大門，再打開車庫很高的金屬門。安奈特太太的燈光可能仍在後屋亮著，但湯姆不確定也不在意。他深夜載一位賓客出門沒什麼不尋常的，可能是到楓丹白露一家咖啡館呀。他們上車，兩人都將車窗搖下來一點，雖然湯姆發覺這時車內完全沒有霉味了。湯姆駛出麗影大門，左轉而去。

他穿越維勒佩斯南部，然後見到一條北向的道路他便開上這條路，似乎不大在乎他走的是哪條路，只要大方向對就行。

「這些路你都很熟，」艾德說。這句話帶有一半詢問的成分。

「哈！百分之九十吧，也許。晚上很容易就錯過沒有路標的岔路。」湯姆右轉開了一公里，發現一個路標指著兩座城鎮，維勒佩斯往右走。湯姆於是右轉。

然後他開上一條他熟悉的道路，這條路可以到溥立徹家，那棟空屋，再到葛瑞家。

「這條就是通往他們家的路了，我想，」湯姆說，「我現在的想法是——」他開得更慢，讓一輛車超過他。「我們帶著這捆東西徒步——反正走差不多三十公尺，那麼他們就聽不見車聲。」他車上儀錶板顯示此刻時間將近十二點半。湯姆的車獨自徐行，車燈微亮。

「是那一棟嗎？」艾德問，「右邊那棟白色的房子？」

「沒錯。」湯姆看見樓下樓上都亮著燈，但樓上只有一盞亮著。「我希望他們正在開派對！」

湯姆微笑道。「可是我懷疑。我要把車停在後面那幾棵樹那裡，然後抱持樂觀態度。」他倒車，隨後熄了車燈。他停在一個彎道附近，這個彎道通向右邊一條泰半是農人經過的泥巷。一輛車仍然可以經過湯姆的車子，沒問題，而湯姆沒再往右邊靠，免得滾進水溝裡，即使是一條淺溝。

「我們動手吧。」湯姆拿起他之前放在他們座位之間的手電筒。

他們打開後車門，湯姆將手指伸進靠近莫奇森小腿的繩索下，拉了一下。很輕鬆。艾德正準備抓起另一圈繩索，湯姆突然說，「等一下。」

他們靜止不動，聆聽周圍動靜。

「我以為我聽到什麼聲音，可是也許我什麼也沒聽到，」湯姆說。

他們這時將那捆東西搬出來了。湯姆掩上後車門：他不想製造聲響。湯姆點頭示意出發，兩人於是邁開腳步沿著路右邊走，湯姆領前，左手握著手電筒，手電筒只在他向下照著路面時才開，因為天色畢竟相當暗。

「停一下，」艾德輕聲說道。「我抓得不舒服。」他的手指在繩索下調整了更好的姿勢，接著他們繼續上路。

湯姆又停下腳步，低聲說：「差不多還有十公尺，你看——我們就可以踏上草坪。我不認為那裡有水溝。」

這時他們可以清楚看見亮著燈光的客廳窗戶一角。湯姆聽見音樂聲還是他在想像？他們右邊有一條像是水溝的溝渠，可是沒有圍牆。另一邊，四公尺外就是車道，溥立徹夫婦不見人影。湯姆再度示意繼續向前走。他們走上車道，右轉朝水池前進，此刻水池是一團橢圓形的暗影，雖然幾近圓形。他們走在草坪上，沒發出腳步聲。湯姆聽見屋內傳來的音樂聲，今晚放的是古典音樂，而且音量不大。

「丟吧，」湯姆說，同時動手。「一，」甩了一下。「二——三丟進正中央。」

噗通！接著池水發出咕嚕咕嚕或汩汩的回音。

湯姆與艾德緩緩離開池畔時，池水濺了更多，響起一陣咯咯氣泡聲。湯姆領頭，來到路上向左轉，為了兩人著想，將手電筒又照著路面。

他們離開車道二十步左右時，湯姆放慢腳步停了下來，艾德也是。他們回頭望向一團黑暗後方的溥立徹家。

「……那裡……蟒蛇蛇……？」片段的問句發自一個女人的喉嚨。

「那是他太太，珍妮絲，」湯姆小聲對艾德說。湯姆瞄向右邊，只能看到車身泰半讓漆黑樹葉遮蔽的白色旅行車朦朧的車型。湯姆回頭望著溥立徹家，看得入迷。溥立徹夫婦顯然聽到濺水聲。

「妳——哦——哇！」這聲音比較低沉，湯姆聽起來像溥立徹的聲音。

側門廊天花板頂燈亮了起來，湯姆看見溥立徹穿著淺色襯衫和深色長褲站在門廊。溥立徹東張西望，拿手電筒照著前院，盯著路面，然後下了幾級階梯走到草坪上。他直接走到水池邊，往池中窺探，再對著屋子的方向看去。

「……水池……」這兩個字清楚地從溥立徹口中發出來，緊接著蹦出一個粗俗的聲音，也許是咒罵。「……惡——……從花園，珍！」

珍妮絲出現在門廊，一身淺色休閒褲與上衣。「……什……我？」珍妮絲問道。

「不對——有鉤子的那個！」一定是一陣微風將這幾個字直接傳進湯姆與艾德耳中。

湯姆碰艾德的手臂，發現他手臂緊張得僵硬。「我想他要把它鉤起來！」他低聲說道，拼命忍住笑意。

「我們該走了吧，湯姆？」

一度失去蹤影的珍妮絲這時繞過前屋角落小跑著出現，手上拿著一根竿子，匆匆忙忙。湯姆彎腰從溥立徹家草坪邊緣的野生灌木叢中向外窺視，他只能看見珍妮絲手上的不是寬大的抓鉤耙，而是三叉鉤，也許是園丁用來耙很難清理到的樹葉與雜草的那種。湯姆有類似的工具，不到兩公尺長，而這一把看來短一點。

口中咕噥著要某樣東西，或許是手電筒（這時正放在草坪上），溥立徹抓起竿子顯然將竿子推進水池。

「萬一他真的鉤到了？」湯姆喃喃地對艾德說，同時退往車子的方向。

艾德緊跟著。

接著湯姆伸出左手擋在艾德前方，他們停下腳步。透過灌木叢，湯姆看見溥立徹彎腰向前伸手接取珍妮絲遞給他的東西，然後溥立徹的白襯衫消失不見。

他們聽見溥立徹發出一聲慘叫，再來是巨大的濺水聲。

「大衛！」珍妮絲的身影小跑環繞半個水池。「大——衛！」

「天啊，他掉進水池裡面了！」湯姆說。

「媽——哇——啊……」那是浮出水面的溥立徹，接著「噗！」一聲吐水聲。一聲水花飛濺的聲音，好像一隻手臂拍打水面的聲音。

「那支鉤子在哪裡？」珍妮絲尖聲喊道。「手……」

溥立徹沒抓住鉤子，湯姆心想。

「珍妮絲！……給我……下面有泥巴！妳手！」

「最好用掃把……或一條繩子……」珍妮絲衝向亮著燈的門廊，然後瘋狂轉身跑回池畔。

「……妳手……這些……」溥立徹的話音消失，一聲濺水聲又響起。

「那根竿子……看不見！」

珍妮絲蒼白的身影如鬼火般在池畔飄盪。「大衛，你在哪裡？啊！」她看到某樣東西，然後彎腰。

湯姆與艾德聽見水面冒泡的聲音。

「……我的手，大衛！抓住邊緣！」

幾秒的沉寂，然後珍妮絲驚聲尖叫了一聲，隨即又傳來一聲巨大的水濺聲。

「我的天啊，他們兩個都掉進去了！」湯姆歇斯底里地笑道，他本想低聲說話，卻幾乎發出正常音量。

「那個水池多深？」

「不曉得。五或六呎深？我用猜的。」

珍妮絲大喊了某個字眼，隨即被水面淹沒。

「我們是不是應該——」艾德焦急地看著湯姆。「或許——」

湯姆感覺得到艾德十分緊張。湯姆將重心從左腳換到右腳，再換到後腳跟，彷彿在衡量或掙扎某件事，做或不做。因為艾德在場才讓情況有所不同。水池裡那兩個人是湯姆的敵人，若是只有他一人在場，湯姆會毫不猶豫掉頭就走。

水花飛濺的聲音停止。

「我沒把他們推下那個水池，」湯姆相當堅決地說，這時從水池方向傳來像是單手攪動水面的微弱聲音。「趁我們還走得掉就趕快走吧。」

只剩大約十五步的距離就能走出黑暗。運氣真好，湯姆暗忖，在那些事發生的五、六分鐘內沒有人經過這裡。他們上車，湯姆倒車進附近一條巷子，以便離開這裡左轉從他來的圓環離去。這下他開亮車燈，亮度全開。

「真好運！」湯姆笑吟吟道。他想起和反應遲鈍的貝納德・塔夫茲一起將——沒錯，正是同一批枯骨，莫奇森的枯骨丟進瓦濟的盧萬河之後那種興高采烈的感覺。他當時高興得想開口唱歌。此刻他只感到鬆了口氣和愉快，可是他察覺艾德不然，艾德快樂不起來。因此湯姆小心翼翼地開車，不多說一句。

「好運？」

「哦——」湯姆開進一團似乎伸手不見五指的黑暗之中；他不確定下一條岔路或下一個路標在哪裡會出現。但他認為他現在走的這條路可以讓他再開回維勒佩斯南部，然後右轉上商業大街。瑪麗和喬治的酒吧大概已經打烊，而湯姆不想被人瞧見經過商業大街。「好運——在那裡出事的幾分鐘內沒有人經過那裡！我才不管那麼多呢。我和溥立徹或他們家水池裡面的枯骨——我想明天就會被發現——有什麼關係呢？」湯姆模糊地想像兩具屍體漂浮在池面下一吋左右的地方。他放聲一笑並瞥了艾德一眼。

抽著菸的艾德回瞥了湯姆一眼，隨即低下頭去，一隻手撐著額頭。「湯姆，我不能——」

「你身體不舒服嗎？」湯姆關心地問道，同時放慢車速。「我們可以停下來。」

「不是，可是我們眼睜睜看著他們溺水掉頭就走。」

他們已經溺斃了，湯姆思忖。他想到大衛·溥立徹對他太太大叫，「妳的手！」彷彿故意將她拉進水池裡，彷彿這是最後的虐待動作，但話說回來，溥立徹自己都站不穩，而且也想活命。湯姆發覺艾德對這件事情的看法與他不同，這點令湯姆有些挫敗。「他們是一對愛管閒事的夫妻，艾德。」湯姆再度專心注意路面，注意不停在車下前進的沙土色地面。「請別忘了今天晚上事關莫奇森。也就是說——」

艾德將菸在菸灰缸捻熄。他依然搓著額頭。

我看著那一幕也不舒服啊，湯姆想這麼說，可是他剛剛才哈哈大笑，這時這句話他能說出口嗎？而且艾德會相信嗎？湯姆吸了口氣。「那兩個人很想揭穿假畫事件——揭發巴克馬斯特畫廊，揭發我們所有人，大概透過莫奇森太太，」湯姆接著說，「溥立徹衝著我來，可是假畫事件會因此曝光。他們是自作自受，艾德。他們是十足多管閒事的傢伙。」湯姆的口氣充滿魄力。

他們快到家了；維勒佩斯鄉間幾盞燈火在他們左方閃爍。他們正在通往麗影的路上。這時湯姆看見麗影大門對面那棵彎向他家的大樹，湯姆總覺得這是大樹在保護他家。大門依然開著，前門左邊一扇窗戶透著客廳微弱的燈光。湯姆開進他車庫一邊的空位。

「我要用手電筒，」湯姆說道，順手拿起來。湯姆用在車庫角落找到的一條粗布彈去旅行車後座的沙粒，灰色的土屑。土屑？湯姆突然想到碎屑可能是，應該是莫奇森殘留的東西，（他）難以形容的人肉碎屑。碎屑很少，湯姆用腳將碎屑踢離開車庫水泥地。碎屑很小，立刻消失在碎石路上，不見蹤影，至少肉眼看不見。

他們走向前門，湯姆拿著手電筒。湯姆明白艾德忙了一整天，真實體驗了湯姆的生活，體驗到湯姆為了保護他們這群人必須做的事，還有偶爾要做的事。可湯姆根本沒心情對艾德說教，即使簡短聲明都不想。他剛才在車上不就說過了嗎？

「你先請，艾德，」湯姆在門口說道，讓艾德先進門。

湯姆點亮客廳另一盞燈。安奈特太太幾個鐘頭前就已經拉上窗簾。艾德進樓下洗手間，湯姆希望他不是進去裡面吐。湯姆在廚房水槽洗手。要請艾德喝什麼呢？茶？一杯強勁的蘇格蘭威士忌？艾德比較喜歡琴酒吧？或者一杯熱可可讓他喝完就睡？艾德來到客廳與湯姆會合。

艾德刻意裝得跟平常一樣，甚至看起來很開心，雖然他的表情有一絲茫然或不安，湯姆心想。

「要來點什麼嗎，艾德？」湯姆問，「我要喝一杯紅琴酒，不加冰。你喜歡什麼儘管說。茶嗎？」

「一樣的，和你一樣的。」艾德說。

「坐吧。」湯姆走到飲料推車搖動安格斯苦精瓶。他端兩杯一模一樣的酒回來。

他們互相舉杯敬酒後，開始小酌，湯姆說：「艾德，非常感謝你今天晚上陪我。你在場真的幫我很大的忙。」

艾德努力微笑，卻笑不出來。「我可不可以請問一下——這下會發生什麼事？接下來會怎麼樣？」

湯姆遲疑了一會。「對我們來說嗎？為什麼會發生事情呢？」

艾德又喝了一口酒，似乎吞不下去。「在那棟屋子——」

「溥立徹的家！」湯姆低聲淺淺笑道。他仍然站著，這個問題逗得他開心。「欸，我可以預見它的情況，假設說，明天好了。郵差——大概——差不多九點到，他可能會注意到那把花園用的鉤子，注意到鉤子的木柄從水面伸出來，於是走近查看。也可能不會。他會看見那棟屋子的門開著，除非風吹得門關上，他可能會留意到燈亮著——門廊的頂燈。」或者郵差會從車道方向走向通往門廊的階梯。而且那把鉤子，由於不到兩公尺長，可能根本不會凸出水面，因為池底泥濘。湯姆尋思，也許超過一天以上溥立徹夫婦的屍體才會被發現。

「然後呢？」

「很可能不到兩天他們就會被發現。那又怎樣？莫奇森無法追蹤、指認，我敢打賭！連她太太也認不出他來。」湯姆立刻想到莫奇森的戒指。嗯，他今晚會將戒指藏在這棟屋子某處，以防最不可能之事發生：警方明天來訪。湯姆發覺，溥立徹家的燈會一直亮著，然而他們的生活方式如此怪異，他懷疑會有任何鄰居因為燈整晚亮著而去敲他家的門。「艾德，這是我做過最簡單的事——我想，」湯姆說：「你明白我們一根手指也沒動嗎？」

艾德看著湯姆。他坐在黃色直背椅上，兩手擺在膝蓋上向前傾。「沒錯。對，你可以那麼說。」

「非常明確，」湯姆堅決說道，又喝了一口怡人的紅琴酒。「我們根本不知道那座水池。我們沒接近過溥立徹家，」湯姆輕聲說道，同時走近艾德。「誰知道那捆東西曾經在這裡出現？誰會查問我們呢？沒人。你和我開車去楓丹白露，決定——也許後來決定不去酒吧，於是我們又開回家。我們出門——不到四十五分鐘。實際上也差不多。」

艾德點頭，又抬眼看著湯姆說：「沒錯，湯姆。」

湯姆點燃一根菸，然後在另一把黃色直背椅上坐了下來。「我知道這件事令人緊張不安。我本來必須做的事惡劣多了，更加，更加——更加惡劣多了，」湯姆說道，隨即放聲大笑。「你要咖啡明天早上幾點送到你房裡？還是你要喝茶？你應該高興睡多晚就睡多晚，艾德。」

「喝茶好了。很優雅——在——下樓之前——先喝杯茶。」艾德勉強擠出微笑。「那麼——九點，八點四十五？」

「好的。安奈特太太很喜歡討好客人，你知道嗎？我會留字條給她。可是我可能九點前就起床。安奈特太太通常七點剛過就起床，」湯姆喜洋洋地說道。「然後她習慣走去麵包店買剛出爐的可頌。」

麵包店，湯姆心想，新聞中心。早上八點安奈特太太會帶著什麼消息回來呢？

22

湯姆八點剛過就起床。鳥兒在他半開著的窗戶外歌唱，天色看來又是一個晴朗的日子。湯姆走向——他自覺像個神經官能症患者不由自主地走著——他的矮櫃最下層放襪子的抽屜，伸手摸索一隻黑色毛襪裡面一塊其實是莫奇森的畢業紀念戒的東西。戒指還在。湯姆關上抽屜角鑲了黃銅的抽屜。他昨晚將戒指藏在那裡，否則知道戒指就放在褲袋內，他一定無法入睡。例如，粗心地隨手將長褲掛在椅子上，戒指便會掉在地毯上讓眾人一覽無遺。

沖了澡、刮了鬍子之後，套上昨晚穿的 Levi's 牛仔褲和一件乾淨的襯衫，湯姆靜悄悄下樓。艾德的房門緊閉，湯姆希望艾德還在睡。

「早，安奈特太太！」湯姆察覺他的口氣異常歡快。

安奈特太太笑容滿面地回道他早安，並評論說今天又是個好天氣。「我現在去端您的咖啡，先生。」她走到廚房去。

湯姆心想，恐怖的消息，倘若有的話，安奈特太太早就發布。雖然她還沒去麵包店，可是她的朋友可能打過電話來。要有耐性，湯姆告訴自己。消息傳來的時候會更加令人訝異，而他必須看來一臉驚訝，這點不容置疑。

喝了第一杯咖啡後，湯姆走出去剪了兩朵新鮮的大理花和三朵耐人尋味的玫瑰，在安奈特太太的協助下，從廚房拿了三只花瓶。

然後他拿著掃把出門到車庫去。他從車庫地板開始快速地掃，發現地板上樹葉和灰塵很少，因此垃圾可以直接掃到碎石路上消失不見。湯姆打開旅行車後車門掃出灰色顆粒，一眼看就知道數量很少，最後他也將這些顆粒倒在碎石路上。

今天早上去莫黑應該不錯，湯姆暗想。帶艾德出門稍微轉一下，他也可以趁機將戒指丟進那裡的河裡面。也許，其實湯姆是希望，屆時赫綠思會打電話來通知她火車抵達的時刻。他們可以開著旅行車一路完成莫黑之旅、到楓丹白露接赫綠思，再開回家，旅行車當然大得足夠裝載赫綠思額外的行李箱。

九點半剛過，郵差送來了一封赫綠思十天前從馬拉喀什寄出的明信片。稀鬆平常之事。上週沉默無語的站在沙漠中央會多麼令人愉快呀！明信片上的照片是市場披著條紋披肩的一群女人。

親愛的湯姆：

又是駱駝，可是更好玩呢！我們遇見兩個里耳人！有趣，吃晚餐很好。他們兩人都是遠離妻子出門度假。諾愛爾給你飛吻。XXX我吻你！

赫綠思

遠離妻子出門度假，但似乎沒有遠離女人。吃晚餐很好，聽起來彷彿赫綠思與諾愛爾將他們吞下肚。

「早，湯姆。」艾德笑臉迎人地下樓來，雙頰粉紅，湯姆發覺艾德偶爾雙頰毫無緣由地泛著粉紅色，湯姆不得不相信這是英國人的特質。

「早，艾德，」湯姆答道。「又是個晴朗的日子！我們運氣很好。」湯姆舉手指著飯廳餐桌，餐桌一角設了兩個座位，空間寬敞舒適。「陽光會困擾你嗎？我可以把窗簾拉上。」

「我喜歡陽光，」艾德說。

安奈特太太端來柳橙汁、溫熱的牛角麵包和剛煮好的咖啡。

「你要不要來顆水煮蛋，艾德？」湯姆問：「還是卡多蛋？荷包蛋？我喜歡認為我們在這棟屋子什麼事都辦得到。」

艾德微笑道：「不要蛋，謝謝。我知道你為什麼心情好——赫綠思人在巴黎，大概今天就會回來。」

湯姆笑得更開了。「我希望。我相信。除非巴黎有很誘人的事情發生。我想不到有什麼，連一場她喜歡、諾愛爾也喜歡的精彩歌舞表演也留不住她。我想赫綠思會打電話來——隨時會打來。哦！我今天早上收到一封赫綠思寄來的明信片。從馬拉喀什花了十天才寄到。你可以想像嗎？」湯姆大笑。「嚐嚐看果醬，安奈特太太做的。」

「謝謝。郵差——在他去那棟房子之前會先到這裡來嗎？」艾德的音量剛好聽得見。

「我不知道，真的。我想他會先來這裡，從鎮中心向外走。我不確定。」湯姆看見艾德臉上的不安。「我剛才在想今天早上——一旦我們接到赫綠思的消息後——我們就開車到盧萬河上的莫黑去兜風。」湯姆住了口，他本來正準備提起他想將戒指丟進那裡的河裡，但仔細一想：引起艾德內心恐懼的事情越少越好。

湯姆與艾德在落地窗外的草地上散步。畫眉在地上啄食，對他們幾乎毫無戒心，一隻知更鳥直視他們。一隻黑烏鴉發出難聽的叫聲自上空飛過，湯姆退了一下，彷彿聽見曲調不和諧的音樂。

「呱——呱——呱！」湯姆學著烏鴉叫。「有時候只呱了兩聲，更糟。我等第三聲，好像這第三聲一定得出現。這提醒我——」

電話鈴響，他們隱約聽到屋內電話鈴響。

「可能是赫綠思打來的。不好意思，」湯姆說道，同時快步離去。進屋後他說：「沒關係，安奈特太太，我來接。」

「嗨，湯姆。我是傑夫。我想我應該打電話過來問一下情況。」

「你想得真周到，傑夫！情況是——哦——」湯姆看見艾德　靜地穿過落地窗走進客廳。

「——到目前為止，相當平靜。」他誠懇地對艾德眨眼，表情嚴肅。「沒什麼刺激的事可以向你報告。你要不要和艾德講一下？」

「好，假如他有空。可是在你講完之前——別忘了我願意隨時趕過去，我相信你需要我會讓我知道——別猶豫。」

「謝謝你，傑夫。這點我很感謝。艾德來了。」湯姆將聽筒放在玄關桌上。「我們一直在家——什麼事也沒發生，」他們擦身而過時湯姆低聲對艾德說，「最好那麼說，」艾德拿起話筒時他又附帶提了一句。

湯姆走向黃沙發，經過沙發站在高高的窗前，事實上應該聽不見玄關那裡的聲響。但湯姆聽見艾德說雷普利這裡一切平靜，他家很漂亮，天氣很好。

湯姆和安奈特太太提起午餐事宜。赫綠思夫人好像不會回來用午餐，所以午餐是班伯瑞先生和他本人享用。他告訴安奈特太太說他現在要打電話去哈斯樂夫人在巴黎的家，問赫綠思夫人有什麼計畫。

就在這時，電話響起。

「一定是赫綠思夫人！」湯姆對安奈特太太說，隨即去接電話。「喂？」

「啊囉，湯姆！」是艾格妮斯・葛瑞令人耳熟的聲音。「你聽到消息了嗎？」

「沒有。什麼消息？」湯姆問，他察覺艾德豎起耳朵聽。

「溥黎夏夫婦。今天早上他們被發現死在他們家的水池裡面！」

「死了？」

「淹死的。好像是。是——欸，對我們來說真是個煩人的週六早晨！雷菲爾家那個男孩羅伯特你認識嗎？」

「我恐怕不認識。」

「他和愛德華上同一所學校。反正啊，羅伯特今天早上到我們家來賣摸彩券，他和他的一個朋友一起來的，我不知道那個男孩叫什麼名字，這不重要，當然我們買了十張摸彩券讓他們高興，然後他們就離開了。這是一個鐘頭以前的事了。隔壁那棟房子沒人住，這你是知道的，他們顯然去了溥黎夏家，那個——嗯，他們一路跑回我們家，嚇得要命！他們說那棟屋子開著——門開著，沒人應門，一盞燈亮著，於是他們就進去——出於好奇，我確定——看一下屋子側邊那座水池，你知道那座水池嗎？」

「知道，我看過，」湯姆說。

「他們在那裡可以看見——因為水好像非常清徹——兩具屍體——還沒完全浮起來！哦，真恐怖，湯姆！」

「天啊，是很恐怖！妳認為他們是自殺嗎？警方——」

「哦，對了，警方，當然，他們還在那棟屋子，一名員警甚至到我們家來問話。我們只說——」艾格妮斯重重的嘆了口氣。「欸，我們能說什麼呢，湯姆？那兩個人的作息很奇怪，音樂播得很大聲。他們剛搬到這一帶，從來沒到過我們家，我們也從來沒去過他們家。更糟的是——哦，我的天呀，湯姆——這就像妖術！太可怕了！」

「什麼？」湯姆明知故問。

「在他們的屍體下方——在水裡——警方發現枯骨，是的——」

「枯骨？」湯姆用法語重複道。

「骸骨——人類的。用東西包起來的，這是一個鄰居跟我們說的，因為大家出於好奇都跑去那裡看熱鬧，你知道嗎？」

「維勒佩斯的人？」

「沒錯，一直到警方用繩索將他們隔開。我們沒去，我才沒那麼好奇呢！」艾格妮斯放聲大笑，彷彿要紓緩一下緊張情緒。「誰知道該說什麼呢？他們瘋了嗎？他們是自殺的嗎？這些枯骨是溥黎夏釣上岸的嗎？我們都還不知道任何答案。誰知道他們在想什麼呢？」

「對。」湯姆本來想問那些枯骨可能是誰的，可艾格妮斯不會知道，而且他為什麼要顯得好奇呢？和艾格妮斯一樣，湯姆只是震驚。「謝謝妳告訴我這個消息。實在是——令人難以置信。」

「這真是替你朋友好好介紹了維勒佩斯！」艾格妮斯說，同時又哈哈大笑以緩和情緒。

「可不是嘛！」湯姆微笑道。最後幾秒他產生了一個不愉快的念頭。

「湯姆——我們在這裡，安東會待到明天早上，我們都試著忘記離我們家不遠的那件恐怖的事情。和朋友聊一聊真好。赫綠思有什麼消息嗎？」

「她在巴黎！我昨天晚上接到她的電話，我想她今天會回來。她在她朋友諾愛爾巴黎的家過一晚，妳知道諾愛爾這個人吧？」

「知道。替我們問候赫綠思好嗎？」

「一定會的！」

「若是我知道更多的消息，我今天會再打給你。畢竟，很不幸地，我住得比較近。」

「哈！我明白。感激不盡，親愛的艾格妮斯，代我向安東——還有孩子問好。」湯姆掛斷電話。「唉呀！」

艾德站在一段距離外，靠近沙發。「我們昨天晚上去喝酒的那一家——艾格妮斯——」

「是的，」湯姆說。他解釋兩名賣摸彩券的男孩如何窺探池塘並發現那兩具屍體。

即使知道事實，艾德依然一臉痛苦。

湯姆將事情陳述得彷彿他確實事先不知情。「小孩子碰到這種事真恐怖！我猜那兩個小孩差不多十二歲。我記得那個水池的水很清澈，雖然池底是爛泥巴。還有那些奇怪的邊——」

「邊？」

「池邊。是水泥，我記得有人說過——可能不是很厚。可是草遮住了水泥，水泥沒砌那麼高，因此也許很容易在池畔滑倒掉進水池裡面——尤其是手上拿著東西的時候。哦，對了，艾格妮斯提到警方在池底發現一袋枯骨。」

艾德看著湯姆，沉默無語。

「艾格妮斯告訴我說警方還在那裡。我確信。」湯姆深吸了一口氣。「我想我要去跟安奈特太太說。」

他瞥了一眼就知道寬敞的方形廚房空無一人，他正準備右轉去敲安奈特太太的房門，她恰巧出現在短走廊。

「哦，湯姆先生！天大的消息！災難呀！在溥黎夏夫婦家！」她已準備要敘述整件事情的來龍去脈。安奈特太太房間有一支她專用的電話。

「啊，是的，安奈特太太，葛瑞太太剛剛跟我說了！實在是令人震驚！兩條人命——而且離我們這麼這麼近！我來就是要告訴妳這件事的。」

他們一起走進廚房。

「瑪麗露薏絲太太剛剛告訴我的，珍娜薇太太跟她說的。全村的人都知道！淹死了兩個人！」

「他們認為——是意外嗎？」

「大家認為他們在吵架——也許一個滑倒，一個掉進水池裡面。他們老是吵架，您知道嗎，湯姆先生？」

湯姆遲疑了一會。「我——我想我聽過有人這麼說。」

「可是水池裡面那些骨頭！」她壓低音量小聲說道，「奇怪，湯姆先生——很奇怪。奇怪的人。」安奈特太太說得好像溥立徹夫婦來自外太空，一般人無法理解。

「那是當然的，」湯姆說。「怪異——每個人都這麼說。安奈特太太——我現在必須去打電話給赫綠思夫人了。」

正當湯姆準備拿起電話，電話便響起，這回他感到挫敗，暗自在心裡咒罵。是警方打來的嗎？「喂？」

「嗨，湯姆！我是諾愛爾！告訴你們好消息——赫綠思抵達……」

赫綠思應該十五分鐘會到。她和諾愛爾一個叫伊夫的年輕朋友一起開車南下，伊夫有輛新車，想試跑一下。而且那輛車有足夠的空間放赫綠思的行李，也比火車方便。

「十五分鐘！謝謝妳，諾愛爾。妳好嗎？……赫綠思呢？」

「我們兩個的健康狀況都和最強健的探險家一樣好！」

「我希望很快見到妳，諾愛爾。」

他們互相掛了電話。

「有人開車送赫綠思南下——她隨時會到，」湯姆對艾德笑吟吟道。隨後他去告知安奈特太太這項消息。她立刻眉開眼笑。湯姆確定，赫綠思的存在比想到溥立徹夫婦死在他們家水池令人愉快多了。

「午餐——冷盤肉嗎，湯姆先生？我今天早上買了非常好吃的雞肝醬……」

湯姆向她保證菜色聽起來都很棒。

「今天晚上呢——嫩牛肉片——份量夠三個人吃。我早就預期赫綠思夫人今天晚上會回來。」

「還有烤馬鈴薯。妳可以準備嗎？要烤得很熟。不用！我可以在戶外用烤架烤！」絕對是烤馬鈴薯和嫩牛肉最快活最美味的方式。「再準備很棒的貝亞尼滋醬？」

「當然，先生。還有……」

她今天下午會買四季豆和別的東西，或許還會買赫綠思夫人愛吃的一種乳酪。安奈特太太欣喜若狂。

湯姆回到客廳，艾德正在那裡看《前鋒論壇報》。「一切都很順利，」湯姆宣告，「要和我去散步嗎？」湯姆想慢跑或是翻越圍牆。

「太好了！活動一下雙腿！」艾德準備出發。

「說不定我們會碰到赫綠思開那輛快車？或者開車來的是伊夫？反正，車快到了。」湯姆又回到廚房，廚房裡安奈特太太不慌不忙地在工作。「安奈特太太——艾德先生和我要出去散一下步，十五分鐘後回來。」

湯姆來到玄關與艾德會合。他又想起今早他突然想到的那個令人沮喪的可能情況，他停下腳步，手摸著門把。

「怎麼了？」

「沒什麼事。因為我——我將你當成知己——」湯姆撥弄他的棕色直髮。「嗯，今天早上我突然想到那個老普利卡可能有一本日記，或者他太太有，這比較可能。他們可能會在日記上寫上他們找到枯骨的事情，」湯姆繼續壓低聲音說道，同時瞥向通往客廳寬敞的門口，「還有把枯骨丟到我家門口的事——就在昨天。」說到這裡，湯姆開門，他需要陽光與新鮮空氣。「而且他們將骷髏頭藏在他們家某個地方。」

他們一起走出家門踏上鋪了碎石的前院。

「警方可能會找到日記，」湯姆接著說，「然後很快就會知道溥立徹一向的消遣活動就是騷擾我。」湯姆不喜歡談論他的焦慮不安，反正通常焦慮不安的感覺一閃即逝。但艾德當然可以信任，湯姆提醒自己。

「可是他們兩個都瘋瘋癲癲的！」艾德對湯姆皺著眉頭，他低沉的音量幾乎不比他們踩在碎石路上的腳步聲大。「不論他們寫些什麼——可能是幻想或者不是事實。即使如此——他們的說法能比你的說詞有力嗎？」

「如果他們記錄他們搬了骨頭到這裡來，我一概否認，」湯姆冷靜堅決地說，彷彿那件事到此終結。「我不認為這件事會發生。」

「沒錯，湯姆。」

他們繼續走著，彷彿要消除緊張的情緒，因為一路上車輛很少或幾乎沒有，他們因此能並肩而行。湯姆在想伊夫的車子不曉得是什麼顏色，新車現在都必須試跑嗎？他想像新車是黃色的，非常輕快。

「你認為傑夫想來嗎，艾德？只是來玩玩？」湯姆問。「他說他可以挪出空檔。對了，我希望你至少可以多留兩天，艾德。你可以嗎？」

「可以。」艾德瞄著湯姆。他臉上又泛起了英國人特有的粉紅色。「你可以打電話問傑夫，那是個很不錯的想法。」

「我的工作室有一張沙發，很舒適。」湯姆非常想和他的朋友在麗影享受假期，即使只有兩天也好；同時，他也在想他的電話是否會在十二點十分的此刻響了起來，因為警方想和他談談某件事。「在那裡！你看！」湯姆跳至半空中指著一輛車說道。「那輛黃色的車！我敢打賭！」

那輛敞篷的車駛向他們，赫綠思在乘客座上對他們招手。她在安全帶容許的範圍內伸長身體，金髮向後飛揚。

「湯姆！」

湯姆與艾德和那輛車在路面的同一邊。

「嗨！哈囉！」湯姆揮動兩手。赫綠思曬得一身古銅色。

駕駛剎車，但車子依然超過湯姆與艾德身邊，兩人回頭快步走向那輛車。

「哈囉，達令！」湯姆親吻赫綠思的臉頰。

「這位是伊夫！」赫綠思說，黑髮青年笑吟吟地說，「幸會，雷普利先生！」他開著一輛愛快羅密歐。「你們要上車嗎？」他用英語問。

「這位是艾德。」湯姆指著艾德說。「不用，謝謝，我們隨後就到，」他用法語回答，「家裡見！」

那輛車的後座裝滿了小行李箱，有一只湯姆絕對沒見過，湯姆發現車後座連塞一隻小狗的空間都沒有。他和艾德快步走，然後跑起步來，一邊哈哈大笑，那輛黃色愛快羅密歐右轉進麗影大門時，他們落後車子不超過五公尺。

安奈特太太現身，大夥又是一陣寒暄介紹。他們全體幫忙提行李，因為後車廂有數不清的小塑膠袋。這次安奈特太太獲准提較輕的物品上樓。赫綠思在車子附近盤旋，指著幾個裝著「摩洛哥糕餅糖果」的塑膠袋，說誰也不能擠壓。

「我不會壓到的，」湯姆說，「只是要拿到廚房去。」他將塑膠袋拿到廚房，又轉回來。「伊夫，我倒一杯飲料給你好嗎？同時也歡迎你留下來午餐。」

伊夫謝絕了兩項邀請，並表示他在楓丹白露有約，已經有點遲到。赫綠思與伊夫互相道別與道謝。

隨後安奈特太太應湯姆要求端了兩杯血腥瑪麗給湯姆與艾德，並順赫綠思之意端給她一杯柳橙汁。湯姆不想將視線離開她身上。他暗忖，她的體重沒減少也沒增加，她淺藍長褲下的大腿曲線似乎是美的化身，藝術傑作。而她開始以英法語夾雜聊起摩洛哥的聲音，聽在他耳裡就像音樂，比史卡拉第的音樂還美妙。

湯姆看著手上端著番茄色飲料站著的艾德，發現他也同樣目不轉睛凝視望著落地窗外的赫綠思。赫綠思問起恩立，問起上次下雨是什麼時候？玄關放了兩個她的塑膠袋，她將袋子拿進來。赫綠思指著其中一個塑膠袋高興地說是裝了一只素面的黃銅碗。又是一個安奈特太太要擦亮的東西，湯姆心想。

「還有這個！看，湯姆！這麼漂亮，而且很便宜！你桌上用的公事包。」她拿出一只長方形的棕色軟皮革，皮革經過加工，但不是很細緻，皮革邊緣也一樣。

什麼桌子，湯姆納悶。他的房間有一張書桌，可是——

赫綠思打開公事包，讓湯姆看裡面的四個內袋，每邊各兩個，同樣都是皮革。

湯姆仍舊寧願盯著赫綠思瞧，此刻她離他近得讓他想像他可以聞到她身上陽光的味道。「很漂──漂亮，達令。假如是買給我──」

「當然是買給你的！」赫綠思笑了起來，並匆匆瞄了艾德一眼，將金髮往後撥。她的膚色又一次比她的髮色還深，這情形湯姆以前見過幾次。「這是個皮夾吧，達令──不是嗎？我想不是公事包──公事包通常有握把哦。」

「哦，湯姆，你真嚴肅！」她開玩笑地推了他額頭一下。

艾德哈哈大笑。

「你會怎麼叫這個東西，艾德？信插嗎？」

「用英語說的話──」艾德欲言又止。「總之，這不是文件夾。我會說這是信插。」湯姆贊同。「很漂亮，親愛的，謝謝妳。」他抓住她的右手吻了一下。「我會愛惜它，讓它保持光亮──或受到照料。」

湯姆的一半心思飄到別處去了。他在何時何地能告訴她溥立徹夫婦的噩耗呢？接下來的兩個鐘頭安奈特太太不會提起這件事，因為她忙著供應午餐。但隨時會有人打電話來通知更多的消息，可能是葛瑞夫婦，或者消息散布到數公里外的話，克雷格夫婦，也有可能。湯姆決定無論如何先享受一頓愉快的午餐再說，聆聽赫綠思敘述馬拉喀什所見所聞，以及安德烈和派屈克這兩位「吃晚餐很好」的法國男士。餐桌上笑聲不斷。

赫綠思對艾德說：「我們很高興你來我們家！希望你玩得愉快。」

「謝謝妳，赫綠思，」艾德答道，「你們家很漂亮──非常舒適。」艾德瞄了湯姆一眼。

湯姆這時正在沉思，緊咬著下唇。也許艾德知道他在想些什麼：他不久必須通知赫綠思溥立徹夫婦的死訊。倘若赫綠思在午餐期間問起他們，湯姆已準備迴避這個問題。他很高興她沒提起他們。

23

餐後沒人想喝咖啡。艾德說想散步散得更遠一點，「穿越全村莊」。

「你想你會打電話給傑夫——真的嗎？」艾德問。

湯姆向在餐桌抽菸的赫綠思解釋，說他和艾德認為他們擔任攝影師的老朋友傑夫・康斯坦也許想過來玩幾天。「我們碰巧知道他現在有空，」湯姆說。「他是特約工作者，和艾德一樣。」

「當然可以啊，湯姆！有何不可呢？他要睡哪裡？你的工作室嗎？」

「這我已經想過了。除非我和妳睡幾天，他睡我的房間。」湯姆微笑道。「隨便妳，甜心。」

湯姆記得以前也好幾次有這種情形：他到赫綠思的房間睡比赫綠思將必需品搬到他房間還容易。他們的房間各有一張雙人床。

「當然沒問題啊，湯姆，」赫綠思用法語說道。她站起來，湯姆與艾德也跟著起立。

「對不起，我先離開一下，」湯姆主要針對艾德說道，隨即走到廚房。

安奈特太太如往常一樣將盤子放進洗碗機。

「安奈特太太，午餐非常美味——謝謝。還有兩件事。」湯姆壓低音量說：

「我現在要告訴赫綠思夫人溥黎夏夫婦的事情——那麼她才不會從一個陌生人的口中得知這

件事──欸，那麼也許她才不會那麼震驚。」

「對，湯姆先生。您說得對。」

「還有第二件事，我會邀請另外一位英國朋友明天來我們家。我不知道他能不能來，可是我會通知妳。他來會睡我房間。幾分鐘後我會打電話去倫敦，然後再讓妳知道情況。」

「很好，先生。可是關於餐點──菜單？」

湯姆微笑道，「如果妳有困難，我們明天晚上出去外面吃。」湯姆發覺明天是週日，可是村莊的肉舖明天早上有開。

然後他跑上樓，心想電話隨時會響──例如，知道赫綠思會回家來的葛瑞夫婦──某人可能會開始說起溥立徹夫婦之事。樓上的電話目前放在湯姆房間，不像平常一樣放在赫綠思的房間，但若是電話在他房間響起，她可能會接。

赫綠思在她自己的房間打開行李，湯姆注意到幾件他沒見過的棉襯衫。

「這件你喜歡嗎，湯姆？」赫綠思將一件直條紋裙比著腰部。紫色、綠色與紅色的條紋。

「這件裙子與眾不同，」湯姆說。

「是啊！那就是我買它的原因。這條皮帶呢？我也幫安奈特太太買了東西！讓我──」

「達令，」湯姆打岔，「我必須告訴妳──某件事──相當不舒服的事。」這下她專心聽他說話了。「妳記得溥立徹夫婦──」

「哦，溥黎夏夫婦，」她重複，好似她認為他們是全天下最無趣最不起眼的人。「然後呢？」

「他們——」這些話要說出口實在痛苦，即使他知道赫綠思不喜歡溥立徹夫婦。「他們出了意外——或者自殺。我不知道是哪一個，可是警方大概可以看得出來。」

「他們死了？」赫綠思張大了嘴。

「艾格妮斯・葛瑞今天早上告訴我的，她打電話來。他們被人發現在草坪上那座水池裡面。記得嗎？我們去看那棟屋子的時候看過的那座水池。」

「哦，是的，我記得。」她手上拿著棕色皮帶站著。

「他們可能是滑倒——一個人可能拖另一個下水，我不知道。還有池底的泥巴——從泥巴裡——不容易脫身。」湯姆邊說邊退縮，彷彿他同情溥立徹夫婦，但其實是在泥濘池水中溺斃、腳下空無一物、只有鞋子裡軟糊糊的泥巴這十足恐怖的感覺讓他退縮。湯姆痛恨想到溺水這件事。他繼續告訴赫綠思兩個賣摸彩券的男孩後來飽受驚嚇地跑到葛瑞家散播看到水池裡有兩具屍體的消息。

「我的天啊！」赫綠思低聲說道，同時在她床沿坐了下來。「艾格妮斯報警了嗎？」

「一定報了。還有——我不知道她是從哪裡聽來的，還是我忘了，她說警方在溥立徹夫婦的屍體下方發現一袋人骨。」

「什麼？」赫綠思震驚得倒吸一口氣。「人骨？」

「他們很怪——奇怪。溥立徹夫婦。」這時湯姆坐在一把椅子上。「這些都是幾個小時前發生的事，達令。我想晚一點我們會知道更多，可是我想在艾格妮斯或其他人告訴妳之前先讓妳知道這件事。」

「我應該打電話給艾格妮斯，他們離那裡那麼近。我在想——那袋枯骨！他們拿那袋枯骨做什麼呢？」

湯姆搖搖頭站了起來。「他們在那棟屋子還會找到什麼呢？刑具？鎖鍊？那兩個人屬於克拉夫特－艾賓*研究的範疇！說不定警方會發現更多的骨頭！」

「真恐怖！他們殺死的人的骨頭？」

「誰知道？」事實上湯姆真的不知道，而且認為大衛・溥立徹的寶藏可能有他不知道從哪裡挖來的骨頭，或是可能被他親手殺掉的人的骨頭；溥立徹擅長說謊。「別忘了，大衛・溥立徹喜歡毆打他太太，也許他也毆打過其他太太。」

「湯姆！」赫綠思雙手掩面。

湯姆趨前將赫綠思拉入懷中，雙手抱著她的腰。

「我不應該那麼說的。但是這有可能，只是這樣罷了。」

她緊緊抱著他。「我以為——今天下午——我們可以獨處。可是都被這個恐怖的故事破壞了！」

「可是還有今天晚上啊——還有未來很多的時間呀！妳想打電話給艾格妮斯，我知道，親愛的。等下我要打電話給傑夫。」湯姆退開一步。「妳在倫敦見過傑夫一次吧？他比艾德還高還壯一點？也是金髮？」湯姆現在不想提醒她傑夫與艾德是巴克馬斯特畫廊的創辦人，湯姆也是，因為那樣會喚醒她對貝納德・塔夫茲的記憶，赫綠思親眼見到貝納德的瘋狂與特殊行徑，因此和貝納德在一起她從來都不自在。

「我記得他的名字。你應該先打給他。如果我晚點打的話，艾格妮斯知道得更多。」

「沒錯！」湯姆哈哈大笑。「對了——安奈特太太今天早上當然聽說了有關那個水池的消息，從她朋友瑪麗露薏絲那裡聽說的，我想。」湯姆苦笑。「憑安奈特太太的電話網路，她知道的大概比艾格妮斯多！」

湯姆發現他的通訊錄不在他房間，那麼可能是在樓下玄關桌上。他下樓找傑夫・康斯坦的電話號碼並撥電話。電話響第七聲，他運氣好，聯絡上傑夫。

「傑夫，我是湯姆。我跟你說——目前一切平靜，所以你為什麼不過來和我與艾德度個短假——或長假，如果你可以的話。明天過來好嗎？」湯姆察覺他小心謹慎地說話，彷彿他的電話可能被竊聽，然而至目前從來沒被竊聽過。「艾德剛剛出去散步了。」

「明天。嗯，好的，明天。我想我可以。訂得到機位的話，我很樂意去。你確定有空房給我嗎？」

「當然有啊，傑夫！」

「謝謝你，湯姆。我會查一下班機時刻表再回你電話——我希望不到一個鐘頭就能回你。那

＊譯注：克拉夫特－艾賓（Richard Von Krafft-Ebing, 1840-1902），出生於奧匈帝國的性學家兼精神病學家，曾著《性病態心理學》。

樣行嗎？」

當然行。湯姆還向傑夫保證說他很樂意去機場接他。

湯姆通知赫綠思電話沒人用，還說看來傑夫・康斯坦明天可以過來住幾天。

「很好，湯姆。那麼我現在打電話給艾格妮斯囉。」

湯姆慢慢離開，又下樓去。他想檢查炭火烤架，以備今晚使用。他摺起防水套並將烤架推到方便之處時想到，萬一溥立徹已經通知莫奇森太太說他確定那堆骸骨就是她丈夫的骸骨，因為從他小指上的戒指判斷得出來，那該怎麼辦？

為什麼警方到現在還沒打電話給他？

他的問題也許要結束還早得很。倘若溥立徹通知莫奇森太太——也許他也通知了辛西雅・葛瑞諾，天啊——他可能會附帶提到他將骸骨丟在或打算丟在湯姆・雷普利家門口。湯姆暗忖，溥立徹可能不會對莫奇森太太用「丟」這個字眼，而會說「運送」或「堆積」。

換言之——湯姆不禁因自己漫遊的思緒微笑了起來——溥立徹也許沒對莫奇森太太說他打算將枯骨運送到任何地方，因為這麼做實在失禮：湯姆猜想，正確的做法應該是將枯骨運送到他家，溥立徹家，誠如溥立徹所做，然後再報警。從湯姆之前用來綁著裹尸帆布的舊繩索來看，也許溥立徹沒拆開帆布搜尋戒指。

還有一個可能，溥立徹在帆布上割了很多小洞，很可能溥立徹本人親自取下了莫奇森的婚戒，並將戒指藏在他家某個地方，警方可能會找到這枚戒指。倘若溥立徹已通知莫奇森太太骸骨之事，那她可能就會提到她丈夫一直戴在手上的兩枚戒指，而且萬一警方找到那枚婚戒，她也能指認。

湯姆覺得他的思緒越來越薄弱，這表示他無法相信最後一個想法可能成真：假設溥立徹將戒指藏在一個只有他知道的地方（這是在假設那枚婚戒沒掉進盧萬河的情況下），那地方極不可能會有人發現，除非那棟房子被火燒成平地，灰燼被篩過。泰迪可能——

「湯姆？」

湯姆嚇了一跳，轉過身去。「艾德！嗨！」

艾德進屋來站在湯姆身後。「我不是有意嚇你的！」艾德將毛衣袖子綁在脖子上。

湯姆忍不住笑了起來。他剛才好像被射中似地跳了起來。「我在做白日夢。我聯絡上傑夫了，聽起來他好像明天可以過來。很棒吧？」

「是嗎？對我來說不錯。有什麼最新消息？」他低聲問道。「有任何消息嗎？」

湯姆提著煤炭袋到露台一角。「我想女士們正在交換意見了。」他剛好可以聽見赫綠思與安奈特太太在玄關附近聊得很熱烈的聲音。她們同時各說各話，但湯姆知道她們彼此完全明白對方說的話，雖然有些話要重複。「我們去看看吧。」

他們從一扇落地窗進入客廳。

「湯姆，他們搜索了——嗨，艾德先生。」

「請叫我艾德，」艾德說。

「警方搜索了那棟屋子，」赫綠思接著說，安奈特太太似乎聚精會神地聽，雖然赫綠思用英文說。「艾格妮斯跟我說警方在那裡待到今天下午三點過後。他們甚至又到葛瑞家去問話。」

「可想而知，」湯姆答道。「警方有說是場意外嗎？」

「沒有遺書！」赫綠思回答。「警方——艾格妮斯說他們也許認為這可能是場意外，在他們丟這些——這些——」

湯姆瞥了安奈特太太一眼。「骸骨，」他低聲說道。

「——骸骨——進水池裡。哎喲！」赫綠思緊張反感地揮揮手。

安奈特太太離去，看來是要回到她的工作崗位上，好似她聽不懂「bones」（骸骨）這個字的意思，她可能真的不懂。

「警方沒查出是誰的骸骨嗎？」湯姆問。

「警方不知道——或者沒說，」赫綠思答道。

湯姆皺起眉頭。「艾格妮斯和安東有看到那一袋枯骨嗎？」

「沒有——可是他們的兩個小孩過去那裡，他們說他們看到那袋枯骨——在草地上——後來警方請他們離開。我想那棟屋子圍起了封鎖線，還有一輛警車一直停在那裡。哦——艾格妮斯說那些骸骨年代久遠，一名警官告訴她的。好幾年了——一直放在水裡。」

湯姆看了艾德一眼，心想艾德聽得極度認真與津津有味。「也許他們——為了想把枯骨拉出來而掉進水池裡？」

「啊，是啊！艾格妮斯說警方的看法差不多是那樣，因為水池裡有一個——工具——有一個鉤子的花園用具。」

「我想，他們會將骸骨送到巴黎去做鑑定嗎？那棟屋子以前的屋主是誰？」艾德說。

「我不知道，」湯姆說，「但很容易查出來。我相信警方現在已經在查了。」

「池水好清澈！」赫綠思說。「我記得我那次看過的樣子。當時我想，漂亮的魚在那裡可以活。」

「可是池底是泥巴，赫綠思。東西會下沉——這真是可怕的話題，」湯姆說，「因為這裡的生活通常都這麼平靜。」

他們這時站在沙發附近，可是沒人坐下來。

「而且你知道嗎，湯姆，諾愛爾已經知道這件事了？她從下午一點的廣播新聞得知的，不是從電視新聞。」赫綠思將秀髮往後撥。「湯姆，我想喝點茶不錯。也許艾德先生也要？你可以請安奈特太太準備嗎，湯姆？現在我要一個人散散步——在花園裡面。」

湯姆很樂意，因為獨處一陣子會讓赫綠思放鬆身心。

「去吧，甜心！我一定會請安奈特太太泡些茶。」

赫綠思離去，她跑下通往草坪的幾級階梯。她穿著白色休閒褲和網球鞋。

湯姆去找安奈特太太，才剛告訴她他們所有人都想喝茶，電話正好響了起來。

「我想那是我們在倫敦的朋友，」湯姆對安奈特太太說，同時走回客廳去接電話。

這時沒看到艾德的人影。

是傑夫打來的，他明天早上搭英國航空八二六班機於十一點二十五分抵達。「回程日期開放，」傑夫說，「以防萬一。」

「謝謝你，傑夫。我們都很期待你的到來！天氣很好，但要帶一件毛衣來。」

「我可以帶什麼給你嗎，湯姆？」

「帶你本人來就好。」湯姆哈哈大笑。「哦！如果方便的話，帶一磅的巧達芝士。倫敦的總是比較好吃。」

他們三人在客廳享用茶。赫綠思端著茶杯靠在沙發一隅，幾乎一語不發。湯姆並不介意。湯姆正在想六點鐘的電視新聞，距離此刻還有二十分鐘，這時他看見恩立的巨大身影在溫室角落附近出現。

「哎呀，哎呀，恩立，」湯姆放下茶杯說道。「我去看看他要什麼——如果他有需要的話。抱歉。」

「你和他有約嗎，湯姆？」

「沒有，並沒有。」湯姆對艾德解釋，「他是我非正式的園丁，友善的巨人。」

湯姆走了出去。誠如他所懷疑，恩立不是在週六晚間這個時間來工作的，而是想談談溥黎夏家發生的事件。湯姆看得出來，即使恩立說起這件他所謂的殉情事件，也沒顯得激動，甚至緊張。

「是啊，真的，我聽說了，」湯姆說。「葛瑞太太今天早上打電話告訴我的。實在是令人震驚的消息！」

恩立的厚底靴左右來回移動。他的大手轉動著一束幸運草莖，聚成圓形的淡紫色花朵不停快速擺動。「還有下面的骸骨，」恩立以不祥的低沉語調說道，彷彿這些骸骨讓溥立徹夫婦遭受報應。「骨頭呢，先生！」手不停轉動著，「多奇怪的人啊——就在這裡！在我們眼前！」

湯姆以前從未見過恩立受到干擾。「你認為——」湯姆低頭看著草地，再看著恩立，「他們兩個真的下定決心自殺？」

「誰知道？」恩立揚起濃密的眉毛質疑道，「也許是一場奇怪的遊戲？他們試了一件事——可是是什麼事呢？」

湯姆暗想，恩立說得非常含糊，可是恩立的想法可能是全村人的想法。「知道警方的說法一定很有意思。」

「當然！」

「那些枯骨是誰的？有人知道嗎？」

「沒人知道，先生。有一定年代的枯骨！好像——哎呀——您知道——人人都知道——溥黎夏到處在這附近的運河和河裡面打撈！為了什麼？為了好玩嗎？有人說這些枯骨是溥黎夏從一條運河裡面打撈上來的，而他和他太太——在爭這堆枯骨。」恩立看著湯姆，一副他洩漏了這對夫妻見不得人的祕密似的。

「爭這堆枯骨，」湯姆口氣像個十足的鄉下人一樣重複道。

「真奇怪，先生。」恩立搖頭。

「是，是啊，」湯姆語氣認命並嘆了口氣說道，彷彿每天都會發生莫名其妙之事，一個人就只能忍受。「或許今天晚上的電視新聞會告訴我們一些消息——如果他們為維勒佩斯這樣的村莊費心的話，嗯？欸，恩立，我現在必須回到我太太身邊。因為我們有一位從倫敦來的客人，而且明天又有一位要來。你一定不想在這個時間開始工作吧？」

恩立不想，可是他在溫室接受了一杯紅酒。湯姆在溫室放了一瓶紅酒——而且經常更換，這樣紅酒才不會變得不新鮮——酒是替恩立準備的，外加兩只酒杯。酒杯不是非常乾淨，但他們照樣舉起酒杯喝酒。

恩立聲音低沉地說：「這兩個人將被移到別的地方——還有那堆枯骨，這樣很好。那些人很詭異。」

湯姆臉色嚴肅地點頭表示贊同。

「問候您的夫人，先生，」恩立說道，隨即邁開腳步穿過草坪往側邊的巷子離去。

湯姆回到客廳喝茶。

艾德和赫綠思在聊布萊頓，天南地北地聊。

湯姆開啟電視機電源，時間快到了。

「知道維勒佩斯是否值得出現在國際新聞裡一分鐘是很有趣的事情，」湯姆主要對赫綠思說。「或者甚至國內新聞。」

「啊，是的！」赫綠思坐正。湯姆將電視螢幕轉到偏客廳中央的方向。第一條新聞是日內瓦一項會議，再來是某處舉行的划船比賽。他們的興趣動搖，赫綠思與艾德又用英文開始聊天。

「有了。看，」湯姆相當冷靜地說。

「那棟房屋！」赫綠思說道。

他們全都盯著螢幕。新聞播報員的聲音背景是溥立徹那兩層樓的白屋。湯姆思忖，攝影記者顯然無法超越道路再靠近那棟房屋，也許只拍了一個鏡頭。主播的聲音說，「……今天早上在莫黑附近的維勒佩斯村莊發生了一件奇怪的意外，大衛與珍妮絲・溥黎夏兩人的屍體在自家草坪上一座兩公尺深的水池中被發現，兩人為美國人，三十五、六歲。這對亡故的夫妻身上穿有衣物鞋子，據信他們的死亡出於意外……溥黎夏先生夫人最近買下了他們的房子……」

主播報完溥立徹的新聞，湯姆心想新聞沒提到那堆枯骨。他看著艾德，從艾德稍微揚起的眉毛想像艾德也正在想同樣的事情。

隨後赫綠思說：「他們沒提到任何有關——有關那堆枯骨的事情。」她不安地看著湯姆。每當赫綠思必須提到枯骨時，她似乎很痛苦。

湯姆定神想了一會。「我想——枯骨被送到某個地方去了——以便查出枯骨的年代。那大概就是警方不准媒體提到枯骨的原因。」

「真有意思，」艾德說，「他們將那個地方用封鎖線封起來的方式，你不認為嗎？連一個水池的鏡頭都沒有，只有從遠處拍攝那棟房子的一個鏡頭。警方很謹慎。」

湯姆猜想艾德的意思是警方仍在調查。

電話響起，湯姆起立去接。他猜得沒錯，是剛剛看了晚間新聞的艾格妮斯打來的。

「安東說『謝天謝地，』」艾格妮斯告訴湯姆。「他認為那些人精神失常，他們剛好挖出一些骨頭，於是變得——走火入魔——因此賠了性命。」艾格妮斯聽起來快笑出來。

「妳要跟赫綠思說話嗎？」

她要。

赫綠思走過去接電話，湯姆回到艾德身邊，但繼續站著。

「一場意外，」湯姆若有所思地喃喃說道。「其實就是！」

「沒錯。」艾德答道。

他們兩個都沒聽，或試圖聽赫綠思與艾格妮斯熱絡的對話。

湯姆再度思索，幸好莫奇森當時沒繫皮帶，而是繫吊帶。一條皮帶可能完好如初，也可能會是大衛・溥立徹打撈上來的另一件物品，而且放在家裡比戒指容易發現。莫奇森當時繫了皮帶嗎？其實，湯姆記不得了。他從咖啡桌上的盤子裡拿了最後一小塊巧克力餅乾。艾德婉謝。

「我要上樓休息幾分鐘，七點四十五分我會檢查一下我們的煤炭，」湯姆說。「在外面露台上。」湯姆泛起微笑。「我們將有一個美好的夜晚。」

24

湯姆穿上一件乾淨的襯衫，外罩一件毛衣，才剛下樓，電話正好響起。他接起玄關的電話。一個男人說他是分局長，或聽起來像是分局長之類的，內穆爾的艾廷・洛馬，說他是否能和雷普利先生談一下話？

「我相信是簡短的談話，先生，」警官說，「可是相當重要。」

「當然可以啊，」湯姆答道，「現在嗎？……很好，先生。」

湯姆猜想這位警官知道他家在哪裡。赫綠思和艾格妮斯・葛瑞通過電話後告訴他，警方仍然在溥立徹家，而且路上停了兩輛警車。湯姆有股衝動想上樓警告艾德，但打消念頭：艾德知道湯姆的說法，而且那名警官來時艾德不必在場。結果湯姆走到廚房告訴正在洗生菜的安奈特太太，說有一位警官可能五分鐘後會來拜訪。

「警官，」她重複道，語氣只有輕微訝異，因為這不是她的管轄範圍。「很好，先生。」

「我會讓他進來，他不會待很久。」

接著湯姆從廚房門後一個鉤子上取下他最愛的一件舊圍裙，將圍裙套在脖子上並綁在腰上。圍裙正面一個紅色口袋上用黑體字寫著「出門享用午餐」。

湯姆走進客廳，艾德恰巧下樓。「一位警官馬上就到，」湯姆說。「可能因為有人說我們——赫綠思和我——認識溥立徹夫婦。」湯姆聳了一下肩膀。「而且因為我們說英語，這附近這樣的人不多。」

湯姆聽到門環的聲音。湯姆家有門環也有門鈴，但無論人們使用哪一種，湯姆都不予批判。

「我應該消失嗎？」艾德問。

「替你自己倒一杯飲料。你愛做什麼就做什麼，你是我家的客人，」湯姆說。

艾德走向遠端角落的飲料推車。

湯姆開門迎接警官，來了兩位，他認為他沒見過。他們報上姓名，並碰了一下帽子表示禮貌，湯姆隨即邀請他們入內。

他們兩人都決定坐直背椅而不坐沙發。

艾德現身，依然站著的湯姆介紹他是倫敦來的老友艾德・班伯瑞，來這裡作客度週末。然後艾德拿著飲料到露台去。

兩位警官年紀相仿，職階可能也一樣。總之，他們皆開口說明事情原委：一位湯瑪斯・莫奇森太太從紐約打電話來想和大衛・溥立徹或他太太說話，警方接了電話。莫奇森太太——雷普利先生認識嗎？

「我想認識，」湯姆誠懇說道，「她曾經在這間屋子待過一個鐘頭——好幾年前——在她丈夫失蹤後。」

「正是如此！她就是這樣跟我們說的，黎普利先生！那麼——」警官用法語認真並自信地繼續說。「莫奇森太太告知我們說她昨天，禮拜五，從——」

「禮拜四，」另一名警官糾正道。

「可能吧——第一通電話，對。大衛・溥黎夏通知她說他找到——骸骨，對，她丈夫的。而且他，溥黎夏，要和您說這堆骸骨的事情，拿這堆骨頭給您看。」

湯姆皺起眉頭。「拿給我看？我不懂。」

「運送這堆骨頭，」另一名警官對他同事說道。

「啊，對，運送這堆骨頭。」

湯姆吸了一口氣。「溥立徹先生沒跟我提起這件事，這點我向你們保證。莫奇森太太說他打過電話給我？這不是真的。」

「他準備運送這堆骸骨，不是嗎，菲利浦？」另一位警官問道。

「沒錯，可是莫奇森太太說的是禮拜五。昨天早上，」他的同事答道。

他們兩人這時都坐著，警帽放在大腿上。

湯姆搖頭。「沒有東西運送到這裡來。」

「您認識溥黎夏先生嗎，先生？」

「他在這裡的酒吧咖啡店向我做了自我介紹。我有一次去他家喝一杯，幾個星期以前。他們邀請我和內人，我一個人赴約，他們從來沒來過這棟屋子。」

個頭較高，髮色比較金黃的那名警官清清喉嚨，對另外一名警官說：「照片呢？」

「啊，對哦。黎普利先生，我們在溥黎夏家發現兩張你們家的照片——從外面拍的。」

「真的嗎？我家的照片？」

「是的，很明顯。這兩張照片擺在溥黎夏家的壁爐台上。」

湯姆看著警官手上那兩張照片。「很奇怪，我家又不賣。」湯姆微笑道。「然而——對了！我想起來有一次看見溥立徹在外面那條路上，幾個星期以前。我的管家叫我注意看——有人用很普通的小相機正在拍我家的照片。」

「而您認得出來他是溥黎夏先生？」

「哦，看得出來。我不喜歡他拍我家照片，可是我決定置之不理。我太太也有看見他，還有那天來探望我們的我太太一個朋友也有看到。」湯姆皺起眉頭，努力回想。「我記得看到溥立徹太太在一輛車子裡面——幾分鐘後接走她丈夫，兩人開車離開。奇怪。」

這時安奈特太太走進客廳，湯姆盯著她看。她想知道男士們是否要喝點東西？湯姆曉得她想再過不久就將餐桌擺好。

「來一杯葡萄酒嗎，先生？」湯姆問。「來杯茴香酒？」

兩人都因在執行公務而客氣地回絕了。

「我現在也不要，安奈特太太，」湯姆說。「啊，安奈特太太——禮拜四——或禮拜五——」

湯姆瞥了警官一眼問道，一名警官點頭，「有人打電話給我嗎？一個叫溥黎夏先生的人打來的？

關於送東西到這棟屋子來的事？」湯姆真的有意問此問題，因為他突然想到溥立徹可能會向安奈特太太提起送一件東西之事，而她可能忘記（雖然不可能）通知他。

「沒有，湯姆先生。」她搖搖頭。

湯姆對警官說：「當然，我的管家今天早上得知溥立徹夫婦的噩耗。」

警官喃喃自語。當然啦，那種新聞傳得很快！

「你們可以問安奈特太太是否有任何東西送到這裡來。」湯姆說。

一名警官確實問了，安奈特太太給了否定答案，再度搖頭。

「沒有包裹，先生，」安奈特太太斷然說道。

「這個——」湯姆斟酌字句，「這個也和莫奇森先生有關，安奈特太太。你記得——那位在奧利機場失蹤的先生嗎？幾年前到這裡來住一晚的那美國人？」

「喔，記得。個子很高的男人，」安奈特太太相當含糊地說道。

「對，我們聊起畫。我的兩幅德瓦特——」湯姆指著他的牆壁給法國警官看。「莫奇森先生也有一幅德瓦特，在奧利機場遭竊。隔天我開車送他到奧利機場——我記得是中午。妳記得嗎，安奈特太太？」

湯姆若無其事地說起這些事，並未加重語氣，很幸運地，安奈特太太配合他，也用同樣的語氣回答。

「記得，湯姆先生。我記得幫他提行李——提到車子那裡。」

這樣夠好了，湯姆尋思，雖然他以前聽她說過她記得莫奇森先生走出家門上車。

這時赫綠思下樓來。湯姆起立，警官也隨之站起來。

「這是內人，」湯姆說，「赫綠思夫人——」

兩名警官重新報上姓名。

「我們在談溥黎夏的家，」湯姆對赫綠思說，「要喝點什麼嗎，親愛的？」

「不，謝謝。等一下。」赫綠思一副想離開的神情，也許她想到花園去。

安奈特太太回到廚房。

「黎普利夫人，妳或許看過包裹——這麼長——送到或留在妳家某個地方？」警官張開雙臂比出長度。

赫綠思一臉茫然。「花店送來的嗎？」

警官忍不住笑了。

「不是，夫人。帆布——用繩子綁著。禮拜四很晚——或禮拜五送來的？」

湯姆讓赫綠思自己告訴警方她今天下午才從巴黎回來。她說她週五晚上在巴黎，週四在坦吉爾。

問題就這麼解決了。

警官彼此商量了一下，然後其中一人說：「我們可以和您那位從倫敦來的客人談一下嗎？」

艾德正站在玫瑰花叢前。湯姆喊了他一聲，於是他快步走來。

「警方想問你有關送到這裡的一件包裹的事情，」湯姆在露台階梯上說。「我沒看到任何包裹，赫絲思也沒有。」湯姆輕鬆自在地說，不知道警官是否站在他身後的露台上。

艾德進客廳時，警官依然在那裡。

警官問艾德是否在車道上，籬笆下面——任何地方，甚至大門外，見過任何超過一公尺長的灰色包裹。「沒有，」艾德答道，「沒有。」

「您是什麼時候到這裡來的，先生？」

「昨天——禮拜五——中午。我在這裡吃午餐。」艾德嚴肅的金眉讓他的表情看來再誠實不過。「雷普利先生和我在戴高樂機場碰面。」

「謝謝您，先生。您的職業是？」

「記者，」艾德回答。接下來艾德不得不在一名警官拿出來的記事本上寫下他的姓名與倫敦的地址。

「如果你們再和莫奇森太太談話，請代我問候她，」湯姆說。「我對她的印象很好——雖然有點模糊，」他面帶微笑地附加了一句。

「我們會再和她談的，」有著棕色直髮的警官說。「她是——嗯——她認為我們找到的骸骨——或者溥黎夏找到的——可能是她丈夫的屍骨。」

「她丈夫，」湯姆滿腹狐疑地重複道。「可是——溥立徹是在哪裡找到這堆骨頭的？」

「我們不是很清楚，可是或許離這裡不遠。十到十五公里。」

湯姆心想，假設瓦濟居民看到任何事情，他們仍未將消息傳開來。而且溥立徹沒提到瓦濟——或者他提到了？「你們當然鑑定得出來這具骷髏是誰的，」湯姆說。

「骷髏不完整，先生。沒有頭。」金髮警官面色凝重地說。

「真恐怖！」赫綠思低聲說道。

「我們會先判定它在水裡的時間——」

「衣物呢？」湯姆問。

「哈！都爛光了，先生。連原來的裹屍布上的一顆鈕釦都沒有！魚——水流——」

「水流，」另一位警官比出手勢重複道，「水流。水流會沖蝕——衣物，肉體——」

「尚！」另一位警官迅速揮動一隻手，彷彿是說：夠了！有位女士在場！

幾秒的沉寂，然後尚接著說：「黎普利先生，您記不記得很久以前那天您是否看到莫奇森先生走進奧利機場的離境入口？」

湯姆確實記得。「我那天沒停車——我停在路邊，幫莫奇森先生把行李——還有包著的畫提出來，然後我就開車離開了。我停在離境大廳入口前的路上，他可以很輕鬆地提他的少數幾樣東西。因此我就沒有——真不巧——看著他走進那道門。」

兩名警官低聲商議，並看他們的筆記。

湯姆猜想他們正在查證他多年以前告訴警方說他在奧利機場離境大廳入口前的路上放下莫奇森和他的行李。湯姆不想強調他當時的筆錄一定一直都留在紀錄上。他也不想提起他認為有人會將莫奇森帶回這裡謀殺或者莫奇森會在這附近自殺，似乎很奇怪。湯姆突然站起來走到他妻子身邊。

「妳還好嗎，甜心？」他用英語問道。「我想兩位先生很快就會結束了。妳要不要坐下來？」

「我很好，」赫絲思回答的口氣有點冷淡，言下之意彷彿是湯姆的怪異不明活動將警方引到這裡來，而警方的在場令她難以忍受。她靠著餐具櫃雙臂交叉站著，離警方一段距離。

湯姆回到員警身邊坐了下來，以免顯得一副催促他們趕快離開的樣子。「你們可不可以跟莫奇森太太說——若是你們再和她談話——說我願意再和她談談？我知道的她都知道，可是——」他住了口。

名叫菲利浦的金髮警官說：「好的，先生，我們會告訴她。她有您的電話號碼嗎？」

「她以前有，」湯姆愉快地說道。「電話號碼沒變。」

另一名警官對他同事伸出一根手指，要求大家注意聽他說話，並說：「還有一位叫辛西雅的女子，先生——在英國？莫奇森太太提起過她。」

「辛西雅——是的，」湯姆假裝想了一下答道。「我稍微認識她。怎麼了？」

「我相信您最近在倫敦見過她？」

「對，沒錯。我們在一家英式酒吧喝了一杯。」湯姆微笑道。「您怎麼知道這件事？」

「莫奇森太太告訴我們的，因為她們保持聯絡，她和辛西雅——」

「葛瑞—諾，」金髮警官看了筆記本後說道。

湯姆開始感到不安。他試著預見情況，接下來他們會問什麼問題？

「您在倫敦和她見面——和她談話，是為了什麼特殊理由嗎？」

「是的，」湯姆說。他在椅子上轉身，這樣他才看得見艾德，艾德正倚著一把直背椅站著。

「你記得辛西雅嗎，艾德？」

「記——記得，依稀記得，」艾德用英語回答。「好幾年沒見過她了。」

「我的理由，」湯姆繼續對警方說，「是問她溥立徹先生想從我這裡得到什麼？是這樣的，我發現溥立徹先生——有一點親切得過頭，例如，想受邀到我家作客——我知道事實上我太太可不想邀請他！」說到這裡，湯姆放聲大笑。「我到溥立徹夫婦家喝一杯的唯一一次，當時溥立徹先生提到辛西雅——」

「葛瑞－諾，」警官覆述道。

「是的。我在溥立徹家喝一杯的時候，溥立徹先生對我暗示這個辛西雅對我不友善——握有對我不利的事。我問溥立徹先生是什麼事，他沒告訴我。這叫人不愉快，可卻是典型的溥立徹！所以當我人在倫敦的時候，我就設法找到葛瑞－諾夫人的電話號碼，問她：溥立徹怎麼回事？」湯姆即刻回想起當時辛西雅・葛瑞諾意圖（湯姆認為）保護貝納德・塔夫茲，不讓人替他貼上偽造者的標籤。

「還有呢？您還知道什麼？」棕髮警官看來興味盎然。

「很不幸地，不多。辛西雅跟我說她根本沒和溥立徹見面——甚至從沒見過他，他突然打電話給她。」湯姆突然想到那個中間人，喬治什麼的，在倫敦那一場大型記者派對，溥立徹和辛西雅都出席。那個中間人聽到溥立徹談論雷普利之後，便告訴溥立徹現場有一位女子厭惡雷普利。溥立徹因而得知她的姓名（辛西雅似乎也因此得知溥立徹的姓名），但他們兩人在派對上沒碰面。湯姆不打算告訴警方這項訊息。

「奇怪，」金髮警官沉思道。

「溥立徹很奇怪！」湯姆起立，彷彿坐得太久讓他全身僵硬。「我想，因為快八點了，我要替自己倒一杯琴湯尼。您們呢，先生？一小杯紅酒？蘇格蘭威士忌？隨你們喜歡。」

湯姆一副認定兩位先生會接受的口氣，他們確實也接受了：兩人都選了一小杯紅酒。

「我去跟安奈特太太說，」赫綠思說，並走向廚房。

兩位警官讚賞湯姆的德瓦特，尤其是壁爐台上的那幅，湯姆眼中的蘇丁（Chaim Soutine）——貝納德・塔夫茲的創作。

「我很高興你們喜歡這些畫，」湯姆說，「擁有這些畫我非常快樂。」

艾德在飲料推車前又倒了酒，赫綠思也加入他們，每個人手上都端著一杯酒，氣氛輕鬆多了。

湯姆語氣平靜地對棕髮警官說：「兩件事，先生。我將很樂意和辛西雅夫人談話——若是她想和我談。第二件事，你為什麼認為——」湯姆四下環顧，但目前沒人聽他說話。

金髮警官菲利浦，警帽夾在腋下，似乎被赫綠思迷住，而且大概樂意閒扯，不願談論骸骨和腐爛的肉。艾德也加入赫綠思。

湯姆繼續說：「你認為溥立徹打算對他花園水池裡面的枯骨做什麼？」

尚警官一臉沉思。

「他若是從河裡打撈到這堆骨頭——為什麼要把骨頭丟回水裡，然後呢——也許蓄意自殺？」

警官聳聳肩。「可能是意外——一個人失足掉進水池裡，另一個接著掉進去，先生。從那個花園用的工具來看，當時他們似乎試圖從水池裡面拉什麼東西出來。他們的電視機仍然開著——他們的咖啡——一杯飲料，」警官又聳了一下肩膀，「沒喝完還放在客廳。或許他們是在暫時藏那堆骨頭。明天或後天我們也許可以知道一些事情，也許無法知道。」

警官手上拿著高腳杯站著。

湯姆又想到了一點：泰迪。他決定提起泰迪，同時移近赫綠思一行人。「先生，」他對菲利浦說，「溥立徹先生有位朋友——或者總之是他在河裡釣魚的時候和他在一起的男人。每個人都這麼說。」湯姆用了「釣魚」這兩個字，沒說「搜索」。「我聽說他的名字叫泰迪。你和他談過了嗎？」

「啊——泰迪，泰奧多，」尚說道，同時兩名警官互看了一眼。「是的，謝謝您，黎普利先生。我們從您的朋友葛瑞夫婦那裡聽說這個人的——葛瑞夫婦人很好。然後我們在溥黎夏家的電話旁邊發現他的名字和巴黎的電話號碼，今天下午巴黎有人和他談過。他說溥黎夏在河裡找到骨頭的時候，他替溥黎夏做的工作就結束。然後他——」警官遲疑了一下。

「然後他就離開了，」菲利浦說，「抱歉，尚。」

「離開，對，」尚瞄了湯姆一眼後說道。「知道溥黎夏的目標是骨頭——骷髏——他好像很驚訝。」說到這裡，尚緊盯著湯姆。「當這個泰迪看到這堆骨頭的時候——他就回巴黎去。泰迪是個學生，他想賺一點錢——如此而已。」

菲利浦開始說一些事情，但尚比出手勢制止他。

湯姆放膽一問：「我想我在這裡的酒吧聽到類似的事情。說這個泰迪很驚訝——於是決定向溥立徹道別。」這下輪到湯姆微微聳肩。

警官並未表示任何意見。湯姆邀請他們留下來享用晚餐，雖然他篤定他們不會接受邀請。他們不想留下來吃晚餐，也不想再添酒。

「晚安，夫人，謝謝您。」他們異口同聲彬彬有禮地對赫綠思說道，並鞠躬致敬。

他們詢問艾德會待多久。

「至少再待三天，我希望，」湯姆微笑道。

「我不確定，」艾德開心說道。

「萬一我們幫得上忙，」湯姆對兩位警官堅定說道，「我們在這裡，內人和我。」

「謝謝您，黎普利先生。」

警官祝他們有個美好愉快的夜晚，語畢便走向他們停在前院的車子。

湯姆從前門回到屋裡來時說：「很討人喜歡的傢伙！你不認為嗎，艾德？」

「是——是的，的確是。」

「赫綠思，甜心。我要妳去點火。現在就點。我們有一點遲了——不過我們將享受很棒的大餐。」

「我？什麼火？」

「炭火，親愛的。在露台上。火柴在這裡，出去劃上一根就好！」

赫綠思拿了火柴盒走上露台，穿著條紋長裙的她婀娜多姿。她穿了一件綠色棉襯衫，袖子稍微捲起。「可是一向都是你點的，」她劃了一根火柴說道。

「今天晚上很特別。妳是——是——」

「女神，」艾德接腔。

「這棟屋子的女神，」湯姆說。

煤炭著火了。短小均勻的黃藍色火焰在煤炭上舞動。安奈特太太用錫箔紙至少包了六顆馬鈴薯。湯姆重新穿上圍裙，開始動手工作。

電話響起。

湯姆哀了一聲。「赫綠思，麻煩妳接。我敢說不是葛瑞夫婦就是諾愛爾打來的。」

是葛瑞夫婦打來的，湯姆進客廳便聽出來。赫綠思當然是在告訴他們警方說的話與問話內容。湯姆在廚房和安奈特太太說話：她的貝亞尼滋醬在她的控制之下，當第一道菜的蘆筍也是。

這頓餐點確實美味又令人難忘。艾德如此表示。電話沒響；沒人提起電話。湯姆對安奈特太太說明天早上吃過早餐後她可以整理他的房間，以備他們的賓客康斯坦先生用，康斯坦先生預計十一點三十分抵達戴高樂機場。

聽到這項消息，安奈特太太面露喜色。彷彿對她而言，賓客、朋友替這棟屋子帶來生氣，就像花或音樂帶給其他人生氣。

他們在客廳喝咖啡，湯姆鼓起勇氣問赫綠思，艾格妮斯或安東是否有任何消息。

「沒有——只有那棟屋子的燈依然亮著，他們其中一個小孩遛狗到那裡去。警方還在找——某樣東西。」赫綠思聽來對這件感到厭煩。

艾德瞥了湯姆一眼，淡淡地笑了笑。湯姆懷疑艾德是否也想到——欸，湯姆無法將他的想法用言語表達出來，即使私底下也沒辦法，更何況是有赫綠思在場！溥立徹夫婦具有怪癖，因此想像警方在找些什麼，以及可能會找到什麼，再怎麼極端的想法都不離譜。

25

隔天早上，喝完第一杯咖啡後，湯姆請安奈特太太到村莊上時盡量買她買得到（這天是週日）的報紙。

「我可以馬上去，湯姆先生，除非——」

他知道她指的是赫綠思夫人早餐要喝的茶和葡萄柚汁。湯姆說萬一赫綠思夫人醒了，他會幫忙準備，但他懷疑她會這麼早起床。至於班伯瑞先生，湯姆就不知道了，因為他們兩個昨晚很晚才睡。

安奈特太太出門去了，湯姆知道她此行是去買報紙，也是去麵包店聽地方上的八卦消息。兩者哪一個可信度較高呢？麵包店內流通的消息傳神、誇大，可是人們總是可以聽到一些消息，然後可能比媒體還早幾個鐘頭得知真相。

湯姆摘除了一些乾枯的玫瑰和大理花，並選了一朵捲曲的橙色和兩朵黃色大理花之後，安奈特太太回來了。他聽到門閂的卡嗒聲。

湯姆在廚房看報紙。安奈特太太從她蓋麵包的網子下抽出幾個牛角麵包和一個長笛麵包。

「警方——他們在搜尋骷髏頭，湯姆先生，」安奈特太太小聲說道，雖然除了湯姆沒人聽得到她說話。

湯姆皺起眉頭。「在那棟屋子裡面搜嗎？」

「到處搜呢！」又是小聲說話。

湯姆看著報紙：新聞標題說什麼「盧萬河上的莫黑附近一個特別的家庭」，然後內文敘述三十餘歲的美國人大衛與珍妮絲・溥立徹，在他們自家水池裡若非失足致死，便是奇異地自殺身亡。警方表示，兩名年約十二歲的男孩發現他們的屍體時，他們已經泡在水裡十個鐘頭，男孩向一名鄰居通報發現屍體。警方從泥濘的池底挖掘出一袋人骨，是一具少了頭顱和一條腿的骷髏。骷髏是一名中年男性，目前身分不明。溥立徹夫婦兩人都沒有工作，大衛・溥立徹的收入由美國家人提供。接下來的一段陳述這具不完整的骷髏泡在水裡不知多少年。街坊鄰居表示溥立徹生前不停探索這個地區的溝渠與河流，顯然是要打撈藏在水底的這類東西，因為上週四發現這具不完整的骷髏之後，他的探索活動便終止。

第二份報紙的報導大同小異，內容更簡短，並且用一整句暗示溥立徹夫婦在那棟屋子只住了三個月，是一對異常安靜的夫婦，不與人來往，唯一的樂趣就是深夜在他們獨棟的二樓洋房大聲播放音樂，後來的嗜好是挖掘運河和河底。警方已經設法分別聯絡上大衛和珍妮絲的家人。屍體遭人發現時，屋內的燈亮著，門大開，客廳還有沒喝完的飲料。

沒什麼新的消息，湯姆心想，但看了報導他還是有點震驚。

「警方現在到底在找什麼，安奈特太太？」湯姆問道，希望得知一些事情，同時也取悅喜歡傳授知識的安奈特太太。「肯定不是找骷髏頭，」湯姆誠摯地悄聲說道，「也許是找線索——看看是自殺還是意外。」

安奈特太太站在水槽邊，雙手濕濕的，向湯姆探身。

「先生——我今天早上聽說他們找到一條鞭子。還有人說——佘伯太太，電工的太太，她說警方找到一條鎖鏈。也許不是很粗，可是是條鎖鏈沒錯。」

艾德下樓來，湯姆向他打招呼並遞給他客廳內的兩份報紙。

「喝茶還是咖啡？」湯姆問。

「咖啡加一些溫牛奶。可以嗎？」

「可以啊。在桌邊坐下來吧，比較舒服。」

艾德想要一個塗了果醬的牛角麵包。

湯姆去轉達艾德點的東西時暗忖，假設他們確實在溥立徹家找到骷髏頭呢？或者找到那枚藏在不可思議之處的婚戒，例如用鐵鎚敲進兩片地板縫隙之間？有姓名起首字母的一枚婚戒？骷髏頭藏在別處——而且或許這就是讓泰迪忍無可忍的原因？

「我可以和你一起去機場嗎？」湯姆回來時艾德問。「我會很高興的。」

「當然可以啊！而且我喜歡你陪我。我們開旅行車去。」

艾德看著報紙。「沒什麼新的消息，是吧，湯姆？」

「對我來說沒有。」

「我跟你說，湯姆——嗯——」艾德欲言又止，滿臉笑容。

「說呀！說點開心的事！」

「是開心的事啊——可是現在被我破壞啦，這個驚喜。我想傑夫的行李箱裡面有你那幅鴿子素描，我離開前跟他提過。」

「真是太好了！」湯姆說道，隨即瞄了一眼他家客廳牆壁。「多麼鼓舞人心啊！」

安奈特太太端了一個托盤來。

不到一個小時之後，湯姆與赫綠思檢查目前分配給傑夫的湯姆的房間，並在梳妝台上放了一只插了一朵玫瑰的長笛狀玻璃花瓶，湯姆與艾德去戴高樂機場。湯姆對安奈特太太說他們會回來吃午餐，幸運的話，一點剛過就會回來。

湯姆從他放襪子的抽屜內那隻黑色毛襪中取出了莫奇森的戒指，戒指現在放在他左邊的褲袋裡面。「我們經過莫黑吧。那座橋很漂亮，而且順路。」

「好的，」艾德說，「棒極了。」

天氣也很宜人。這天稍早下過雨，從周遭景物來看，應該是六點左右下的，花園草坪正好需要滋潤一下，這樣一來當然湯姆今天就不必澆水了。

莫黑那座橋的橋塔映入眼簾，橋頭橋尾各有一座粗壯的橋塔，分據河兩岸，粉褐色，莊嚴並具有防禦性。

「我們試著靠近水面——想辦法，」湯姆說。「橋上是雙向道，可是穿越塔下方很窄，因此有時候我們必須等候，輪流穿過去。」

每一座塔都有一條拱形通道，寬度只夠一輛車通行。湯姆只需停幾秒等幾輛對向來車通過，然後他們便越過盧萬河，湯姆很想將戒指丟進河裡，但他不可能停車。通過第二座塔之後，他轉向左邊一條街道，而且無視黃線，停在路邊。

「我們走到橋上去，至少快速地看一眼，」湯姆說。

他們確實走上了橋，湯姆雙手插在褲袋，左手握著那枚戒指。他將手伸出褲袋，拳頭緊握著戒指。

「十六世紀的建築，有很多這種橋，」湯姆說。「拿破崙從厄爾巴島回來時在這裡住了一個晚上，我相信他住過的那棟房子有一個名牌。」湯姆交握兩掌，將戒指換到右手。

艾德沉默無語，似乎努力將一切盡收眼底。湯姆往橋上護欄靠近，因為他後方有兩輛來車。幾公尺下的盧萬河，看在湯姆眼裡很深。

「先生——」

湯姆嚇了一跳轉過身去，看見一名穿著深藍色長褲和淺藍短袖襯衫、戴著一副墨鏡的警官。

「是，」湯姆說。

「您的白色旅行車在——」

「是的，」湯姆說。

「那裡禁止停車——您所在之處。」

「啊，對哦！抱歉！我們馬上就離開！謝謝您，警官。」

警官向他們行禮致意後便離去，他的大腿上有一把槍套在白色槍套內。

「他認識你嗎？」艾德問。

「不確定。也許認識。他沒開我罰單真好。」湯姆微笑道。「我不認為他會開。走吧。」湯姆手臂向後一揮，用力將戒指朝目前水位不是全滿的河中央丟出去。戒指噗通一聲掉到近河中央的地方，湯姆很滿意。他對艾德淡淡一笑，兩人隨即走回旅行車方向。

湯姆猜想，艾德可能認為他丟了一顆石頭，那樣正好。

國家圖書館出版品預行編目資料

水魅雷普利／派翠西亞・海史密斯（Patricia Highsmith）著；傅玉安譯．-- 初版．-- 臺北市：遠流，2010.08
面；　公分．--（文學館；E0235）
譯自：Ripley Under Water
ISBN 978-957-32-4582-7（平裝）

874.57　　99011794

文學館 COSMOS E0235
水魅雷普利

作者：派翠西亞・海史密斯（Patricia Highsmith）
譯者：傅玉安
策劃：詹宏志
出版三部總監：吳家恆
執行主編：曾淑正
美術設計：Zero

發行人：王榮文
出版發行：遠流出版事業股份有限公司
地址：台北市南昌路二段 81 號 6 樓
電話：（02）23926899　傳真：（02）23926658
郵撥：0189456-1

著作權顧問：蕭雄淋律師
法律顧問：董安丹律師

2010 年 8 月 1 日　初版一刷
行政院新聞局局版臺業字第 1295 號
售價：新台幣 320 元

缺頁或破損的書，請寄回更換

ISBN 978-957-32-4582-7

YLib 遠流博識網 http://www.ylib.com E-mail: ylib@ylib.com

Ripley Under Water **by Patricia Highsmith**
First published in 1991